NE PLEURE PAS MA BELLE

Mary Higgins Clark est l'un des plus célèbres écrivains américains, un maître incontesté de l'énigme. Elle habite aujourd'hui à Washington Township, New Jersey. Tous ses livres : La Nuit du Renard *(Grand Prix de littérature policière),* La Clinique du Docteur H., Un cri dans la nuit, La Maison du Guet, Le Démon du passé, Ne pleure pas ma belle, *sont des best-sellers.*

D1413465

MARY HIGGINS CLARK

Ne pleure pas ma belle

TRADUIT DE L'AMÉRICAIN
PAR ANNE DAMOUR

ALBIN MICHEL

Édition originale américaine :

WEEP NO MORE, MY LADY

© 1987, Mares Enterprises, Inc.
Simon and Schuster, Inc., New York

© Éditions Albin Michel S.A., 1988, pour la traduction française

Pour mes petits-enfants...
Elizabeth Higgins Clark
et Andrew Warren Clark
Avec amour, joie et plaisir.

PROLOGUE
Juillet 1969

Le soleil de plomb du Kentucky écrasait la ville. Blottie dans un coin du porche, la petite Elizabeth cherchait à s'abriter dans l'étroite bande d'ombre que faisait l'auvent du toit. Malgré le ruban qui les retenait, ses cheveux lui pesaient sur la nuque. La rue était déserte ; les gens faisaient la sieste en ce dimanche après-midi, ou s'étaient rendus à la piscine publique. Elle aurait aimé aller se baigner elle aussi, mais il valait mieux ne pas le demander. Sa mère et Matt avaient passé la journée à boire, et s'étaient ensuite mis à se disputer. Elle détestait les entendre se quereller, surtout l'été, quand les fenêtres étaient grandes ouvertes. Tous les gosses du quartier s'arrêtaient de jouer pour écouter. Leur dispute avait été particulièrement violente, aujourd'hui. Sa mère avait crié des horreurs à Matt et il s'était mis à la battre. A présent, ils étaient endormis, étalés de tout leur long sur le lit, sans rien pour les couvrir, leurs verres vides posés par terre à côté d'eux.

Elle aurait voulu que sa sœur Leila restât avec elle pendant le week-end. Avant d'accepter de travailler le dimanche, Leila disait que c'était « leur jour », et elle emmenait Elizabeth se promener. La plupart des filles de dix-neuf ans passaient leur temps avec les garçons, mais pas Leila. Elle avait l'intention d'aller à New York pour devenir une actrice, elle ne voulait pas moisir à Lumber Creek, Kentucky. « L'ennui dans ces bleds pourris, Moineau, c'est que toutes les filles se marient en sortant de l'école et se retrouvent avec des mômes pleurnichards sur les bras et des sweaters pleins de Blédine. Pas moi. » Elizabeth aimait écouter Leila lui décrire sa vie lorsqu'elle serait une star, mais cela lui faisait peur en même temps. Comment pourrait-elle vivre dans cette maison avec maman et Matt, une fois que Leila ne serait plus là ?

Il faisait trop chaud pour jouer. Elle se redressa lentement et rentra son T-shirt dans la ceinture de son short. C'était une fillette maigrichonne de huit ans avec de longues jambes et une pluie de taches de rousseur sur le nez. Elle avait de grands yeux au regard grave – « la Princesse Sérieuse », comme l'appelait Leila. Leila inventait des petits noms pour tout le monde – des surnoms parfois drôles ; et parfois méchants pour les gens qu'elle n'aimait pas.

Il faisait peut-être encore plus chaud à l'intérieur de la maison que sous le porche. Le soleil de quatre heures de l'après-midi perçait à travers les fenêtres délabrées et se répandait sur le divan à moitié éventré, sur le vieux linoléum décoloré du sol, craquelé et gondolé sous l'évier. Ils habitaient ici depuis quatre ans maintenant. Elizabeth se rappelait à peine l'autre maison, à Milwaukee. Elle était un peu plus grande, avec une vraie cuisine, deux salles de bains et un vrai jardin. Elizabeth fut tentée de mettre de l'ordre dans le living-room, mais dès que Matt se lèverait, la pièce serait à nouveau sens dessus dessous, jonchée de bouteilles de bière, de cendres de cigares et des vêtements qu'il répandait toujours partout en se déshabillant. Peut-être cela valait-il la peine d'essayer, malgré tout.

Des ronflements sonores s'élevaient derrière la porte ouverte de leur chambre. Elle jeta un coup d'œil. Maman et Matt avaient dû se réconcilier. Ils reposaient enlacés, jambes emmêlées, le visage de Matt enfoui dans les cheveux de maman. Pourvu qu'ils ne se réveillent pas avant le retour de Leila. Elle détestait les voir ainsi. « Tu devrais inviter tes petits copains à venir regarder maman et son jules, susurrait-elle en prenant sa voix d'actrice. Tu devrais leur montrer le cercle familial dans toute sa splendeur. »

Leila était obligée de faire des heures supplémentaires. Le cinéma en plein air se trouvait près de la plage, et les jours les plus chauds, deux des serveuses trouvaient fréquemment une excuse pour ne pas venir travailler. « J'ai

10

mes règles, se plaignait l'une ou l'autre au directeur par téléphone. Je suis mal fichue. »

Leila lui avait expliqué ce que cela signifiait. « Tu n'as que huit ans, mais maman ne s'est jamais donné la peine de me mettre au courant, et le jour où ça m'est arrivé, j'ai cru que je ne pourrais jamais rentrer à pied à la maison tellement j'avais mal. J'étais sûre que j'allais mourir. Je ne veux pas qu'il en soit de même pour toi et je ne veux pas non plus que les autres gosses te racontent des histoires abominables à ce sujet. »

Elizabeth fit de son mieux pour donner au living-room une meilleure apparence. Elle baissa les stores aux trois quarts, vida les cendriers, nettoya les tables, jeta les bouteilles de bière que Matt et maman avaient bues avant de se disputer. Puis elle alla dans sa chambre. Il y avait à peine la place pour un lit d'enfant, un bureau et une chaise de rotin percée. Leila lui avait donné un dessus-de-lit en chenille blanc pour son anniversaire et acheté une bibliothèque d'occasion qu'elle avait peinte en rouge et accrochée au mur.

La moitié des livres étaient des pièces de théâtre. Elle choisit l'une de ses préférées, Our Town. Leila avait joué le rôle d'Emily l'an dernier, à l'école, et elles avaient si souvent répété le texte ensemble qu'Elizabeth le connaissait par cœur. Parfois, au cours de mathématiques, elle récitait tout bas une de ses pièces préférées. C'était beaucoup plus amusant que les tables de multiplication.

Elle avait dû s'endormir car, en ouvrant les yeux, elle vit Matt penché sur elle. Son haleine empestait le tabac et la bière, et c'était encore pis quand il souriait. Elizabeth se recula, mais il n'y avait pas moyen de lui échapper. Il lui caressa la jambe.

– Ton bouquin a l'air drôlement ennuyeux, Liz.

Il savait qu'elle avait horreur de ce diminutif.

– Maman est-elle réveillée ? Je vais commencer à préparer le dîner.

– Ta maman en a pour un bon moment à roupiller. Tu devrais me faire une petite place à côté de toi, nous pourrions lire ensemble.

Sans lui laisser le temps de répondre, il la repoussa contre le mur, prenant tout le milieu du lit. Elle se tortilla.

– Je préfère me lever, dit-elle en s'efforçant de dissimuler sa peur.

Il la prit par les bras.

– D'abord, donne un gros bisou à papa, mon petit chou.

– Tu n'es pas mon papa.

Elle se sentit brusquement immobilisée. Elle aurait voulu appeler maman, la réveiller, mais Matt l'embrassait déjà.

—Tu es une jolie petite fille, dit-il. Tu seras une vraie beauté quand tu seras grande.

Sa main remontait sur sa jambe.

—Je n'aime pas ça, dit-elle.

– Quoi, mon petit chou ?

Et soudain, par-dessus l'épaule de Matt, elle aperçut Leila dans l'embrasure de la porte. Ses yeux verts étaient devenus noirs sous l'empire de la colère. En une seconde, elle traversa la pièce, empoigna violemment Matt par les cheveux, lui hurlant des injures qu'Elizabeth ne comprenait pas. Puis elle cria:

– J'en ai assez bavé avec les autres salauds. Je te tuerai avant que tu ne la touches.

Les pieds de Matt heurtèrent lourdement le sol. Il roula sur le côté, cherchant à échapper à Leila. Mais elle lui tordait une pleine poignée de cheveux, lui faisant mal à chacun de ses mouvements. Il se mit à hurler à son tour, tout en essayant de la frapper.

Maman avait dû entendre le vacarme, car les ronflements cessèrent. Elle entra dans la pièce, enveloppée dans un drap, les yeux cernés, le regard vague, ses beaux cheveux roux en bataille.

– Que se passe-t-il, ici ? marmonna-t-elle d'une voix ensommeillée et irritée.

Elizabeth remarqua la meurtrissure sur son front.

– Tu ferais mieux de dire à ton hystérique de fille que lorsque j'essaye de me montrer gentil et de lire une histoire à sa sœur, elle n'a pas à me traiter comme si je faisais quelque chose de mal.

Matt semblait furieux, mais Elizabeth aurait juré qu'il avait peur.

– Et tu ferais mieux de dire à ce sale peloteur de sortir d'ici si tu ne veux pas que j'appelle la police.

Dans une dernière secousse, Leila relâcha sa prise, contourna Matt et s'assit sur le lit auprès d'Elizabeth, en la serrant dans ses bras.

Maman se mit à vitupérer contre Matt, puis Leila se mit à crier contre maman et, pour finir, maman et Matt regagnèrent leur chambre et continuèrent à se disputer; peu à peu de longs silences s'installèrent. Quand ils sortirent de la chambre, ils étaient habillés; ils déclarèrent que tout ça était un malentendu et qu'ils allaient faire un tour dehors.

Après leur départ, Leila dit:

— Veux-tu nous ouvrir une boîte de soupe et préparer des hamburgers? J'ai besoin de réfléchir.

Elizabeth se dirigea docilement vers la cuisine. Elles mangèrent sans dire un mot. Elizabeth était contente que maman et Matt fussent sortis. Quand ils étaient là, soit ils buvaient et s'embrassaient, soit ils se disputaient et s'embrassaient. De toute façon, c'était horrible.

— Elle ne changera jamais, finit par dire Leila.

— Qui?

— Maman. C'est une ivrogne, et si ce n'est pas ce type, ce sera un autre, jusqu'à ce qu'elle se tape tous les mecs en vie sur la planète. Je ne peux pas te laisser avec Matt.

La laisser! Leila ne pouvait pas partir...

— Fais ta valise, dit Leila. Si cette ordure commence à vouloir te tripoter, ça tournera mal. Nous allons prendre le dernier car pour New York. (Elle tendit la main et ébouriffa les cheveux d'Elizabeth.) Dieu seul sait comment je vais me débrouiller là-bas, Moineau, mais je te jure que je m'occuperai de toi.

Elizabeth devait toujours se souvenir de cet instant. Les yeux de Leila, vert émeraude à nouveau, une fois la colère dissipée, mais où luisait un regard d'acier; son corps mince et nerveux, sa grâce féline; sa superbe chevelure rousse qui flamboyait sous la lumière du plafonnier au-dessus de leur tête; et sa voix profonde, rauque, qui disait: «N'aie pas peur, Moineau. Il est temps de fuir la poussière du Kentucky!»

Puis, avec un rire provocant, Leila s'était mise à chantonner:

«Ne pleure pas, ma belle...»

Samedi 29 août 1987

1

Le vol 111 Pan American en provenance de Rome commença son approche vers Kennedy Airport. Le front pressé contre le hublot, Elizabeth contempla le miroitement du soleil sur l'Océan, les contours lointains de Manhattan. C'était le moment qu'elle aimait tant autrefois, à la fin d'un voyage, cette sensation de revenir chez elle. Mais aujourd'hui elle aurait tout donné pour pouvoir rester dans l'avion, continuer jusqu'à la prochaine destination.

– C'est un spectacle merveilleux, n'est-ce pas ?

Lorsque Elizabeth avait embarqué à bord de l'avion, la vieille dame à l'air bienveillant dans le siège voisin du sien lui avait adressé un sourire aimable avant d'ouvrir son livre. Elizabeth s'était sentie soulagée ; une conversation de sept heures avec une inconnue était la dernière chose dont elle eût envie. Mais peu lui importait, maintenant. L'avion allait atterrir dans quelques minutes. Elle reconnut que la vue était superbe.

– C'est mon troisième voyage en Italie, poursuivit sa voisine. Mais je ne m'y rendrai plus en août. Il y a trop de touristes. Et la chaleur y est insupportable. Quelles régions avez-vous visitées ?

L'avion s'inclina sur l'aile et amorça sa descente. Elizabeth préféra répondre sans détour.

– Je suis actrice. J'étais à Venise pour un tournage.

– C'est merveilleux ! Vous m'avez fait penser à Candice Bergen quand je vous ai vue. Vous avez la même taille, les mêmes ravissants cheveux blonds, les mêmes yeux bleu-gris. Peut-être devrais-je connaître votre nom ?

– Pas du tout.

L'appareil toucha la piste avec une imperceptible secousse et commença à rouler. Afin de décourager sa voisine de lui poser d'autres questions, Elizabeth sortit le bagage à main qu'elle avait rangé sous son siège et s'affaira à en vérifier le contenu. Si Leila était à ma place, pensa-t-elle, on l'aurait immédiatement reconnue. Leila LaSalle ne passait jamais inaperçue. Mais Leila aurait voyagé en première classe, non en classe touriste.

Aurait voyagé. Après tous ces mois, il était temps d'admettre la réalité de sa mort.

La première édition du soir du *Globe* était en vente dans un kiosque à journaux derrière les guichets de la douane. Elizabeth ne put s'empêcher de voir le gros titre : OUVERTURE DU PROCÈS LE 8 SEPTEMBRE. L'article commençait par : «Manifestement agacé, le juge Michael Harris a catégoriquement refusé d'ajourner davantage le procès pour meurtre du millionnaire Ted Winters.» Le visage de Ted emplissait le reste de la première page. La stupeur se mêlait à l'amertume dans son regard, un pli sévère marquait sa bouche. C'était une photo prise le jour où le grand jury l'avait inculpé du meurtre de sa fiancée, Leila LaSalle.

Dans le taxi qui roulait à vive allure vers le centre de la ville, Elizabeth lut l'article – un rappel des circonstances de la mort de Leila et des accusations portées contre Ted. Des photos de Leila étalées sur les trois pages suivantes du journal. Leila à une générale, avec son premier mari ; Leila au cours d'un safari, avec son second mari ; Leila au côté de Ted ; Leila en train de recevoir son Oscar – des photos d'agence. L'une d'elles retint le regard d'Elizabeth. Il y avait un soupçon de mélancolie dans son sourire, une sorte de vulnérabilité qui contrastait avec l'arrogance du menton levé, la lueur moqueuse du regard. La moitié des Américaines avaient imité cette expression, copié la façon qu'avait Leila de rejeter ses cheveux en arrière, de sourire par-dessus son épaule…

– On est arrivé, ma belle.

Étonnée, Elizabeth leva la tête. Le taxi s'était garé devant le Hamilton Arms, 57ᵉ Rue et Park Avenue. Le journal lui glissa des mains. Elle se força à prendre un ton posé.

– Je suis désolée, je me suis trompée d'adresse. Voulez-vous me conduire 11e Rue et 5e Avenue ?

– J'ai déjà arrêté le compteur.

– Remettez-le en marche.

Les mains tremblantes, elle chercha fébrilement son portefeuille dans son sac. Le portier de l'immeuble s'approchait et elle ne voulait pas qu'il la reconnût. Elle avait inconsciemment donné l'adresse de Leila. C'était là que, dans une fureur d'ivrogne, Ted l'avait poussée par-dessus la terrasse de son appartement.

Un frisson la parcourut au souvenir de la vision à jamais gravée dans sa mémoire : le beau corps de Leila dans son pyjama de satin blanc, avec ses longs cheveux roux ondoyant derrière elle, qui tombait du quarantième étage pour venir s'écraser sur le ciment de la cour. Et toujours les mêmes questions... Était-elle consciente ? S'était-elle rendu compte de ce qui lui arrivait ?

Les dernières secondes avaient dû être atroces !

Si j'étais restée auprès d'elle, songea Elizabeth, il ne serait rien arrivé...

2

Après deux mois d'absence, l'appartement sentait le renfermé. Mais dès qu'Elizabeth eut ouvert les fenêtres, une légère brise pénétra dans les pièces, chargée de ce mélange d'odeurs si particulier à New York : les effluves piquants qui montaient du petit restaurant indien en bas de l'immeuble, l'arôme des fleurs qui poussaient sur la terrasse de l'autre côté de la rue, l'âcreté des gaz d'échappement des bus dans la 5e Avenue, un souffle d'air marin apporté par l'Hudson. Elizabeth respira profondément et se sentit moins tendue. C'était bon de se trouver chez soi. Son travail en Italie lui avait procuré un moment d'évasion, un répit temporaire. Mais le fait qu'elle finirait nécessairement par se rendre au procès, en tant que témoin à charge contre Ted, n'avait jamais quitté son esprit.

Elle défit rapidement ses valises, mit ses plantes vertes dans l'évier. Visiblement, la femme du concierge n'était pas venue les arroser régulièrement, comme promis. Après avoir ôté les feuilles mortes, Elizabeth alla prendre le courrier empilé sur la table de la salle à manger. Elle le parcourut rapidement, jetant les publicités, offres et primes diverses, séparant les lettres personnelles des factures. Un sourire impatient étira ses lèvres à la vue de l'élégante écriture et du nom inscrit dans le coin supérieur d'une enveloppe : *Mlle Dora Samuels, Cypress Point, Pebble Beach, Californie*. Sammy. Mais avant de la lire, Elizabeth ouvrit sans enthousiasme l'enveloppe demi-format qui portait la mention : BUREAU DU PROCUREUR.

La lettre était brève. Elle rappelait à Elizabeth de téléphoner au procureur adjoint William Murphy dès son retour le 29 août, et de prendre rendez-vous pour étudier son témoignage.

Même la lecture du journal ne l'avait pas préparée à l'émotion qui la saisit en parcourant ces quelques lignes officielles. Elle se sentit soudain la bouche sèche. Il lui sembla que les murs se resserraient autour d'elle. Elle eut brusquement l'impression de revivre les heures où elle avait témoigné devant la chambre d'accusation, le moment où elle s'était évanouie à la barre, quand on avait étalé sous ses yeux les photos du cadavre de Leila. Oh, Seigneur ! pensa-t-elle, tout allait recommencer…

Le téléphone sonna. Son «allô» fut presque inaudible.

– Elizabeth ! s'exclama une voix. Comment vas-tu ? Je n'ai cessé de penser à toi.

Min von Schreiber ! Il ne manquait qu'elle ! Elizabeth se sentit tout à coup très lasse. C'était Min qui avait engagé Leila dans son agence de mannequins, au début. Aujourd'hui, elle était mariée à un baron autrichien et propriétaire du célèbre institut de remise en forme de Cypress Point à Pebble Beach, en Californie. Min était une amie de longue date ; pourtant Elizabeth ne se sentait pas le courage de l'écouter en ce moment.

Mais c'était l'une des rares personnes à qui elle ne savait pas dire non.

Elle s'efforça de prendre un ton joyeux.

– Je vais très bien, Min. Un peu fatiguée, peut-être. Je viens à peine d'arriver.

– Ne défais pas tes bagages. Tu pars demain matin pour Cypress Point. Il y a un billet d'avion à ton nom au comptoir de l'American Airlines. Le vol habituel. Jason viendra te chercher à l'aéroport de San Francisco.

– Min, je ne peux pas.

– C'est moi qui t'invite.

– Mais Min...

Elizabeth faillit éclater de rire. D'après Leila, c'étaient les mots que Min avait le plus de mal à prononcer.

– Pas de «mais». Je t'ai trouvée maigre comme un clou, le jour où je t'ai vue à Venise. Ce foutu procès va être abominable. Tu as besoin de repos. Tu as besoin qu'on te remette sur pied.

Elle se représentait Min, ses cheveux noir d'ébène torsadés autour de sa tête, toujours sûre de voir ses désirs exaucés sur-le-champ. Elle eut beau protester, énumérer toutes les raisons qui lui interdisaient de venir, Elizabeth finit par accepter malgré elle la proposition de Min. Elle souriait en raccrochant.

À cinq mille kilomètres de là, Minna von Schreiber attendit la fin de la communication avant de composer un autre numéro. Lorsqu'elle obtint son correspondant, elle murmura :

– Tu avais raison. Ça a marché. Elle accepte. N'oublie pas d'avoir l'air surpris en la voyant.

Son mari entra dans la pièce pendant qu'elle parlait. Il attendit la fin de la conversation, et s'écria :

– Tu as donc fini par l'inviter, hein ?

Min leva les yeux vers lui d'un air de défi.

– En effet, je l'ai invitée.

Helmut von Schreiber se renfrogna. Ses yeux d'un bleu de porcelaine s'assombrirent.

– Malgré mes avertissements ? Minna, Elizabeth peut tout faire capoter. À la fin du week-end, tu regretteras à jamais ton invitation.

Elizabeth décida de se débarrasser sans tarder de son appel téléphonique au procureur. William Murphy se montra visiblement ravi d'entendre sa voix.

– Mademoiselle Lange, je commençais à désespérer d'avoir de vos nouvelles.

– Je vous avais dit que je rentrais à New York aujourd'hui. Je ne m'attendais pas à vous trouver au bureau un samedi.

– Nous avons un travail fou. La date du procès est confirmée pour le 8 septembre.

– C'est ce que j'ai lu.

– J'aurais besoin de mettre au point votre témoignage avec vous, afin que vous l'ayez frais à l'esprit.

– Je l'ai *toujours* eu à l'esprit, fit Elizabeth.

– Je sais. Mais nous devons examiner ensemble le genre de questions que l'avocat de la défense vous posera. Je vous propose de passer me voir lundi. Nous nous reverrons ensuite plus longuement pendant le week-end prochain. Êtes-vous libre ?

– Je pars demain matin, répondit Elizabeth. Pourrons-nous parler de tout cela à mon retour ?

Sa réponse la contraria.

– Il vaudrait mieux que nous ayons un entretien préliminaire. Il n'est que trois heures de l'après-midi. En sautant dans un taxi, vous pouvez être là dans une quinzaine de minutes.

Elle accepta à contrecœur. Jetant un coup d'œil à la lettre de Sammy, elle préféra attendre d'être de retour pour la lire. Cette perspective lui réchaufferait le cœur. Elle prit rapidement une douche, tordit ses cheveux en un chignon au-dessus de sa tête et enfila une combinaison de coton bleu et des sandales.

Une demi-heure plus tard, elle était assise en face du procureur adjoint. Un bureau, trois chaises et une rangée de classeurs en métal gris composaient tout le mobilier. Des dossiers cartonnés extensibles s'empilaient sur le bureau, par terre et au-dessus des armoires métalliques. William Murphy semblait insensible au désordre qui régnait autour de lui – à moins, pensa Elizabeth, qu'il n'ait fini par s'en accommoder.

Chauve, joufflu, approchant de la quarantaine, parlant avec un fort accent new-yorkais, Murphy dégageait une impression d'énergie et d'intelligence aiguë. Après l'audience du grand jury, il lui avait avoué que son témoignage était la raison principale de l'inculpation de Ted. Elle savait qu'il y attachait le plus grand prix.

À présent, il ouvrait un épais dossier : *L'État de New York contre Andrew Edward Winters III*.

– Je n'ignore pas combien ce procès vous est pénible, dit-il. Vous allez être forcée de revivre la mort de votre sœur, la douleur de sa disparition. Et vous allez témoigner contre un homme qui vous inspirait de l'affection et une confiance absolue.

– Ted a tué Leila ; l'homme que j'ai connu n'existe pas.

– Il n'existe aucune hypothèse contradictoire dans cette affaire. Cet homme a causé la mort de votre sœur ; c'est à moi – avec votre aide – de faire en sorte qu'il soit privé de sa liberté. Le procès sera éprouvant pour vous, mais je vous promets que vous pourrez ensuite continuer plus facilement votre propre chemin. Après avoir prêté serment, vous serez priée d'énoncer votre nom. Je sais que « Lange » est votre nom de scène. N'oubliez pas d'expliquer au jury que vous vous appelez légalement Elizabeth LaSalle. Répétons votre déposition.

» On vous demandera si vous viviez avec votre sœur.

– Non, une fois mes études à l'université achevées, je me suis installée dans mon propre appartement.

– Vos parents sont-ils toujours en vie ?

– Non, ma mère est morte trois ans après mon départ avec Leila pour New York, et je n'ai jamais connu mon père.

– À présent, revoyons votre témoignage à partir de la veille du meurtre.

– J'étais partie en tournée depuis trois mois… Je suis rentrée à New York le vendredi soir, 28 mars, juste à temps pour assister à l'avant-première de la pièce de Leila.

– Comment avez-vous trouvé votre sœur ?

– Elle était manifestement sur les nerfs ; elle oubliait son texte, elle jouait mal. À l'entracte, je suis allée la voir dans sa loge. Elle qui ne buvait jamais plus qu'un peu de vin de temps à autre, je l'ai trouvée en train d'avaler un whisky sec. Je lui ai pris son verre des mains et l'ai vidé dans le lavabo.

– Comment a-t-elle réagi ?

– Elle s'est mise en colère. Elle avait énormément changé, elle buvait trop… Ted est entré dans sa loge. Elle nous a crié de sortir.

– Avez-vous été étonnée de son comportement ?

– Il serait plus exact de dire que j'ai été bouleversée.

– En avez-vous parlé avec Winters ?

– Il avait l'air sidéré. Il s'était beaucoup absenté, lui aussi.

– Pour ses affaires ?

– Oui, je crois…

– La pièce a-t-elle mal marché ?

– Un désastre. Leila a refusé de venir saluer au baisser du rideau. Quand ce fut fini, nous nous sommes rendus chez Elaine's.

– Qu'entendez-vous par *nous* ?

– Leila… Ted et Craig… moi… Syd et Cheryl… Le baron et la baronne von Schreiber. Nous étions tous de vieux amis.

– On vous demandera d'identifier ces personnes pour le jury.

– Syd Melnick était l'agent de Leila. Cheryl Manning est une actrice célèbre. Le baron et la baronne von Schreiber sont propriétaires de l'institut de remise en forme de Cypress Point en Californie. Min – la baronne – dirigeait autrefois une agence de mannequins à New York. C'est elle qui avait donné son premier job à Leila. Ted Winters – tout le monde le connaît, il était fiancé à Leila. Craig Babcock est le bras droit de Ted. C'est le vice-président du groupe Winters.

– Que s'est-il passé chez Elaine's ?

– Ce fut une soirée abominable. Quelqu'un a crié à Leila que sa pièce était une nullité. Elle s'est mise en rage. Elle a hurlé : « Une nullité comme on en a rarement vu, et je vais y mettre un point final. Vous entendez tous, je me tire ! » Puis, elle s'en est pris à Syd Melnick. Elle l'a accusé de l'avoir fourrée dans la pièce pour récupérer son pourcentage – ajoutant qu'il lui avait fait jouer tout et n'importe quoi depuis deux ans, pourvu que ça lui rapporte de l'argent. (Elizabeth se mordit les lèvres.) Vous devez comprendre qu'elle n'était pas elle-même. Bien sûr, elle pouvait faire preuve de nervosité pendant les premières représentations d'une nouvelle pièce. C'était une star. Une perfectionniste. Mais elle ne s'était jamais conduite de cette façon.

– Qu'avez-vous fait ?

– Nous avons tous tenté de la calmer. Mais ce fut pire. Quand Ted voulut la raisonner, elle ôta sa bague de fiançailles et la jeta à travers la salle.

– Comment a-t-il réagi ?

– Il était furieux, mais il s'est efforcé de le dissimuler. Un serveur a rapporté la bague et Ted l'a glissée dans sa poche. Il a fait mine de le prendre en riant. Il a dit quelque chose comme : « Je vais la garder jusqu'à demain, quand elle sera de meilleure humeur. » Ensuite, nous l'avons ramenée chez elle en voiture. Ted m'a aidée à la coucher. Je lui ai promis qu'elle lui téléphonerait dans la matinée, dès son réveil.

– Lorsque vous serez à la barre, je vous demanderai s'ils vivaient ensemble.

– Il avait son propre appartement au troisième étage du même immeuble. J'ai passé la nuit auprès de Leila. Elle a dormi jusqu'à midi passé. Elle n'était pas brillante en se réveillant. Je lui ai donné une aspirine et elle s'est recouchée. J'ai téléphoné à Ted de sa part. Il était à son bureau. Il a dit qu'il passerait la voir vers 7 heures du soir.

Elizabeth sentit sa voix chevroter.

– Je suis désolé de vous forcer à continuer, mais tâchez de prendre ça comme une répétition. Plus vous serez préparée, plus votre déposition vous semblera facile le jour où vous vous trouverez effectivement à la barre.

– Ça va.

– Avez-vous parlé avec votre sœur de la soirée de la veille ?

– Non. Il était clair qu'elle ne le désirait pas. Elle était très calme. Elle m'a dit de rentrer chez moi et de défaire mes valises. J'avais laissé tous mes bagages dans l'entrée avant de me précipiter au théâtre. Elle m'a demandé de lui téléphoner vers 8 heures du soir, précisant que nous dînerions ensemble. J'ai pensé qu'elle voulait dire tous les trois ensemble : elle, Ted et moi. Mais elle a ajouté qu'elle ne reprendrait pas sa bague, que tout était fini avec lui.

– Mademoiselle Lange, cela est très important. Votre sœur vous a-t-elle effectivement dit qu'elle avait l'intention de rompre ses fiançailles avec Ted Winters ?

– Oui.

Elizabeth baissa les yeux et regarda fixement ses mains, se rappelant la façon dont elle les avait posées sur les épaules de Leila, dont elle lui avait caressé le front.

« *Tais-toi, Leila. Tu ne parles pas sérieusement.* »

« *Mais si, Moineau.* »

« *Non.* »

« *Comme tu veux, Moineau. Mais téléphone-moi vers 8 heures ce soir, d'accord ?* »

Le dernier instant passé auprès de Leila. Elle avait bordé les couvertures, posé une compresse froide sur son front, certaine que sa sœur serait à nouveau elle-même dans quelques heures, joyeuse, prête à se moquer de l'incident : « Je m'en suis donc pris à Syd, j'ai envoyé la bague de Ted à l'autre bout de la salle, et j'ai laissé tomber la pièce. Tout ça en deux petites minutes chez Elaine's ! » Elle rejetterait la tête en arrière en éclatant de rire, et après coup, cette histoire semblerait très drôle – une star qui pique sa crise en public.

– J'y ai cru parce que je voulais le croire, dit-elle involontairement à William Murphy.

D'un ton précipité, elle récita le reste de sa déposition.

– J'ai téléphoné à 20 heures… Leila et Ted se disputaient. On aurait dit qu'elle avait bu à nouveau. Elle m'a demandé de la rappeler un peu plus tard. C'est ce que j'ai fait. Elle pleurait. Ils se disputaient encore. Elle avait dit à Ted de s'en aller. Elle répétait qu'elle ne pouvait faire confiance à aucun homme, qu'elle ne voulait plus personne dans sa vie ; elle voulait que je parte avec elle.

– Qu'avez-vous fait ?

– J'ai tout essayé. J'ai cherché à la calmer. Je lui ai rappelé qu'elle était toujours très nerveuse au début d'une nouvelle pièce. Je lui ai dit que le rôle était écrit pour elle, que Ted l'aimait passionnément et qu'elle le savait. Puis j'ai essayé de feindre la colère. Je lui ai dit… (La voix d'Elizabeth vacilla, hésita. Son visage pâlit.) Je lui ai dit qu'elle ressemblait à maman quand elle se soûlait.

– Qu'a-t-elle répondu ?

– J'ai eu l'impression qu'elle ne m'avait pas entendue. Elle s'est contentée de répéter : « C'est fini avec Ted. Tu es la seule en qui je puisse avoir confiance. Moineau, promets de partir avec moi. »

Elizabeth renonça à refouler ses larmes.

– Elle criait, sanglotait.

– Et ensuite…

– Ted est revenu. Il s'est mis à crier après elle.

William Murphy se pencha en avant. Toute chaleur quitta sa voix.

– À présent, mademoiselle Lange, ce qui va suivre est un point capital dans votre déposition. À la barre, avant de vous demander à qui appartenait la voix que vous avez entendue, je dois préparer le terrain afin de convaincre le juge que vous avez véritablement reconnu cette voix. Voici donc la façon dont nous allons procéder…

Il laissa planer un silence.

– Question : Avez-vous entendu une voix ?

– Oui, souffla Elizabeth.

– Avec quelle force s'exprimait cette voix ?

– Elle criait.

– Sur quel ton ?

– Sur le ton de la colère.

– Combien de mots avez-vous entendus ?

Elizabeth les compta en esprit.

– Huit mots. Deux phrases.

– Maintenant, mademoiselle Lange, aviez-vous déjà entendu cette voix auparavant ?

– Des centaines de fois.

La voix de Ted lui emplissait les oreilles. Ted qui riait, qui appelait Leila : *Hé ! la vedette, dépêche-toi, j'ai faim* ; Ted qui savait si bien protéger Leila d'un admirateur trop empressé : *Monte dans la voiture, chérie, en vitesse.* Ted à la première de la pièce d'Elizabeth l'an dernier, off-Broadway : *Je veux me souvenir de tous les détails pour*

faire un récit détaillé à Leila. En trois mots : tu étais sen-
sationnelle…

Que lui demandait M. Murphy ? …

– Mademoiselle Lange, avez-vous reconnu la voix qui criait après votre sœur ?

– Sans aucun doute.

– Mademoiselle Lange, à qui appartenait la voix qui criait à l'arrière-plan ?

– À Ted… Ted Winters.

– Que criait-il ?

Elle éleva machinalement le ton :

– Pose ce téléphone ! je t'ai dit de raccrocher.

– Votre sœur a-t-elle répondu ?

– Oui. (Elizabeth s'agita sur sa chaise.) Faut-il encore le répéter ?

– Vous aurez moins de mal à en parler si vous vous y êtes exercée avant le procès. Qu'a dit Leila ?

– Elle sanglotait… elle a dit : « Va-t'en. Tu n'es *pas* un faucon… » et on a brutalement raccroché le téléphone.

– C'est elle qui a raccroché ?

– J'ignore lequel des deux l'a fait.

– Mademoiselle Lange, le mot « faucon » a-t-il un sens pour vous ?

– Oui.

Elizabeth revit le visage de Leila : ses yeux chargés de tendresse lorsqu'elle regardait Ted, sa façon de se lever pour aller l'embrasser. *Mon Dieu, Faucon, je t'aime tant.*

– Pourquoi ?

– C'était le surnom de Ted… c'était ainsi que l'appelait ma sœur. Elle aimait donner des petits noms aux gens qui lui étaient proches.

– Appelait-elle quelqu'un d'autre de ce nom – *Faucon* ?

– Non… personne.

Elizabeth se leva brusquement et se dirigea vers la fenêtre. Les carreaux étaient gris de poussière. Il faisait lourd. Il lui tardait de quitter cette pièce.

– Encore quelques minutes et nous en aurons terminé, je vous le promets. Mademoiselle Lange, savez-vous à quelle heure on a raccroché le téléphone ?

– À 21 h 30 précises.

– En êtes-vous absolument certaine ?

– Oui. On avait dû couper le courant pendant mon absence. J'avais remis mon réveil à l'heure en arrivant. Je suis sûre que c'était l'heure exacte.

– Qu'avez-vous fait ensuite ?

– J'étais terriblement inquiète. Il fallait que je voie Leila. Je suis sortie en courant. J'ai mis quinze minutes à trouver un taxi. Il était 22 heures passées quand je suis arrivée chez elle.

– Et il n'y avait personne.

– Non. J'ai essayé de téléphoner à Ted. Personne n'a répondu. J'ai attendu.

Elle avait attendu toute la nuit, sans savoir que penser, partagée entre l'inquiétude et le soulagement ; espérant que Leila et Ted s'étaient réconciliés et étaient sortis, ignorant que le corps brisé de Leila gisait dans la cour.

– Le lendemain matin, quand on a découvert le corps, vous avez pensé qu'elle avait dû tomber de la terrasse. Il pleuvait ce soir-là. Pourquoi serait-elle sortie ?

– Elle aimait contempler la ville de la terrasse. Par tous les temps. Je lui disais souvent de faire attention… que la rambarde était trop basse. J'ai pensé qu'elle s'était penchée ; elle avait bu ; elle est tombée…

Elle se souvint : leur chagrin à Ted et à elle. Mains enlacées, ils avaient pleuré pendant la cérémonie funèbre. En sortant, il l'avait soutenue quand elle s'était effondrée en sanglots. «Je sais, Moineau, je sais», avait-il dit en la consolant. Ils étaient partis sur le yacht de Ted, et avaient dispersé les cendres de Leila à dix miles en mer.

Et deux semaines plus tard, un témoin s'était présenté, jurant avoir vu Ted pousser Leila de la terrasse à 21 h 31.

William Murphy disait :

– Sans votre déposition, ce témoin, Sally Ross, pouvait être anéanti par la défense. Comme vous le savez, elle souffre de troubles psychiatriques. Il est regrettable pour nous qu'elle ait tant attendu avant de venir raconter son histoire, même si l'absence de son psychiatre, auquel elle désirait se confier avant de témoigner, explique en partie ce retard.

– Sans moi, c'était sa parole contre celle de Ted, et il nie être retourné dans l'appartement de Leila.

En apprenant l'existence de ce témoin, Elizabeth était restée pétrifiée d'horreur. Elle avait toujours éprouvé une confiance totale en Ted, jusqu'au jour où cet homme, William Murphy, était venu lui révéler que Ted démentait qu'il était revenu dans l'appartement de Leila.

– Vous êtes à même de jurer qu'il s'y trouvait, que Leila et lui se disputaient, que le téléphone a été raccroché à 21 h 30, Sally Ross a vu quelqu'un pousser Leila de la terrasse à 21 h 31. Quand Ted raconte qu'il a quitté l'appartement de Leila vers 21 h 10, qu'il est repassé chez lui, a passé un appel téléphonique, puis a pris un taxi pour se rendre dans le Connecticut, ça ne tient pas debout. En plus du témoignage de cette femme et du vôtre, nous possédons aussi de solides preuves indirectes. Les égratignures sur son visage. Un prélèvement de tissu cutané sous les ongles de Leila. Le témoignage du chauffeur de taxi affirmant qu'il était tremblant et blanc comme un linge – il est difficilement parvenu à lui indiquer l'endroit où il désirait se rendre. Et pour quelle raison n'a-t-il pas demandé à son propre chauffeur de le conduire dans le Connecticut ? Parce qu'il était pris de panique, voilà pourquoi. Il est incapable d'établir la preuve qu'il a appelé quelqu'un au téléphone. Il a un motif – Leila ne voulait plus de lui. Mais il est une chose que vous devez savoir : la défense ne cessera de revenir sur le fait que Ted et vous étiez très proches après la mort de Leila.

– Nous étions les deux êtres qui l'aimaient le plus, dit calmement Elizabeth. Ou du moins, c'est ce que je croyais. S'il vous plaît, puis-je m'en aller à présent ?

– Nous allons en rester là. Vous paraissez épuisée. Le procès sera long et pénible. Tâchez de vous détendre la semaine prochaine. Avez-vous des projets pour les jours qui viennent ?

– Oui. La baronne von Schreiber m'a invitée à Cypress Point.

– Vous plaisantez, j'espère.

Elizabeth le regarda.

– Pourquoi ?

Les yeux de Murphy se rétrécirent. Son visage s'empourpra et ses pommettes parurent brusquement proéminentes. Il fit un effort visible pour ne pas élever la voix.

– Mademoiselle Lange, il me semble que vous sous-estimez la gravité de votre situation. Sans vous, l'autre témoin n'existe pas face à la défense. Cela signifie que par votre seule déposition, l'un des hommes les plus riches et les plus influents de ce pays risque de se retrouver en prison pour une vingtaine d'années au moins, trente si je parviens à le faire inculper d'homicide volontaire. S'il s'agissait de la Mafia, je serais obligé de vous cacher dans un hôtel, sous un faux nom et avec une protection de la police, jusqu'à la fin du procès. Le baron et la baronne von Schreiber sont peut-être vos intimes, mais ce sont aussi des amis de Ted Winters et ils viendront à New York témoigner en sa faveur. Et vous vous proposez sérieusement d'aller séjourner chez eux ?

– Je sais que Min et le baron se portent témoins de l'honorabilité de Ted, dit Elizabeth. Ils le croient incapable d'un meurtre. Si je ne l'avais pas entendu de mes propres oreilles, je ne l'aurais pas cru non plus. Ils suivent leur conscience. Moi la mienne.

La sortie de Murphy la prit au dépourvu. Il martela ses mots d'un ton pressant, sarcastique.

– Il y a quelque chose de suspect dans cette invitation. Vous auriez dû vous en apercevoir toute seule. Vous affirmez que les von Schreiber portaient une grande affection à votre sœur ? Et vous ne vous demandez pas pourquoi ils interviennent en faveur de son meurtrier ? J'insiste pour que vous les évitiez... si vous tenez à ce que justice soit faite pour votre sœur.

Gênée par le mépris qu'il manifestait devant sa naïveté, Elizabeth accepta d'annuler son voyage, promit d'aller à East Hampton à la place, chez des amis ou à l'hôtel.

– Seule ou non, soyez prudente, lui recommanda Murphy.

Maintenant qu'il l'avait convaincue, il s'efforçait d'être aimable ; mais son sourire resta figé sur ses lèvres, et l'expression de son regard était à la fois sévère et inquiète.

– N'oubliez pas que sans vous, Ted Winters est libre.

Malgré l'air humide et lourd, Elizabeth décida de rentrer chez elle à pied. Elle avait l'impression d'être un punching-ball ballotté d'un côté à l'autre, incapable d'éviter les coups que l'on dirigeait sur elle. Le procureur adjoint avait raison. Elle devait refuser l'invitation de Min. Elle décida de ne faire signe à personne. Elle réserverait une chambre dans un hôtel à East Hampton et irait se détendre sur la plage.

« Moineau, tu n'auras jamais besoin d'un psy, disait en riant Leila. Il te suffit d'un bikini et d'un plongeon dans la flotte pour te sentir au paradis. » Elle avait raison. Elizabeth se souvenait de sa fierté le jour où elle avait montré à Leila son premier trophée de natation. Huit ans auparavant, on l'avait sélectionnée pour l'équipe olympique. Pendant quatre étés successifs, elle avait donné des cours d'aérobic aquatique à Cypress Point.

Elle s'arrêta en chemin chez l'épicier, acheta de quoi se faire une salade pour le dîner et un petit déjeuner rapide. En parcourant les deux derniers blocs avant d'arriver chez elle, il lui sembla que tout était si lointain – comme si elle voyait sa propre vie avant la mort de Leila à travers un télescope.

La lettre de Sammy était posée sur le dessus de la pile du courrier sur la table. Elizabeth prit l'enveloppe et sourit à la vue de la fine écriture régulière. Elle lui rappelait Sammy – sa frêle silhouette, son regard réfléchi derrière les lunettes sans monture ; ses chemisiers bordés de dentelle et ses sages cardigans. Il y a dix ans, Sammy avait répondu à une annonce de Leila qui cherchait une secrétaire à mi-temps et il ne lui avait fallu qu'une semaine pour devenir indispensable. Après la mort de Leila, Min l'avait engagée comme secrétaire-réceptionniste à Cypress Point.

Elizabeth décida qu'elle lirait la lettre tout en dînant. Passer une robe d'intérieur, préparer une salade et se verser un verre de Chablis frappé lui prirent à peine quelques minutes. Bon, Sammy, à toi maintenant, pensa-t-elle en ouvrant l'enveloppe.

La première feuille ne contenait rien d'imprévu :

«Chère Elizabeth,

«J'espère que ces mots te trouveront en forme et aussi heureuse que possible. Leila me manque chaque jour davantage et j'imagine trop bien ce que tu peux ressentir. Une fois le procès terminé, tout ira mieux.

«Travailler pour Min m'a fait du bien, mais je devrai bientôt y renoncer. Je ne me suis jamais vraiment remise de mon opération.»

Elizabeth passa à la feuille suivante, lut quelques lignes, puis, la gorge serrée, repoussa sa salade.

«Comme tu le sais, j'ai continué à répondre au courrier des admirateurs de Leila. Il en reste encore trois gros sacs. Si je t'écris, c'est que je viens d'y trouver une lettre anonyme très troublante. Elle est particulièrement malveillante, et fait de toute évidence suite à d'autres envois du même acabit. Leila ne l'a pas ouverte, mais elle a dû lire les précédentes. C'est peut-être l'explication de la détresse qui la minait au cours des dernières semaines.

«Le plus affreux est que l'auteur de cette lettre connaissait bien Leila.

«J'ai pensé te l'adresser par le même courrier, mais j'ignore qui prend soin de ta correspondance pendant ton absence et j'ai préféré qu'elle ne tombe pas sous les yeux de n'importe qui. Peux-tu me téléphoner dès ton retour à New York?

«Je t'embrasse tendrement,

Sammy.»

Avec un sentiment croissant d'horreur, Elizabeth lut et relut la lettre de Sammy. Leila avait reçu des lettres anonymes *troublantes et malveillantes* de la part d'une personne qui la connaissait bien. Sammy, peu portée à l'exagération, pensait que ces lettres pouvaient expliquer l'effondrement psychologique de Leila. Pendant des mois, Elizabeth avait passé des nuits blanches à essayer de trouver une explication aux crises d'hystérie de Leila. Des lettres anonymes provenant d'une personne qui la connaissait. Qui? Pourquoi? Sammy avait-elle des soupçons?

Elle composa le numéro de Cypress Point. Pourvu que

ce soit Sammy qui réponde ! pria-t-elle. Mais ce fut Min qui décrocha. Sammy était absente, dit-elle à Elizabeth. Elle s'était rendue chez sa cousine près de San Francisco et serait de retour lundi soir.

– Tu la verras sur place. (La voix de Min se fit interrogative.) Tu sembles bouleversée, Elizabeth. Avais-tu quelque chose d'urgent à dire à Sammy ?

C'était le moment de prévenir Min qu'elle ne venait pas. Elizabeth commença :

– Min, le procureur…

Puis elle jeta un regard sur la lettre. Le besoin de voir Sammy s'empara d'elle. C'était le même élan qui l'avait poussée à se ruer chez Leila lors de la nuit fatale. Elle se reprit :

– Rien d'urgent, Min, à demain.

Avant de se coucher, elle écrivit un mot à William Murphy avec l'adresse et le numéro de téléphone de Cypress Point. Puis elle le déchira. Qu'il aille au diable avec ses avertissements ! Elle ne témoignait pas contre la Mafia ; elle allait rendre visite à de vieux amis – des gens qu'elle aimait et en qui elle avait confiance, des gens qui l'aimaient et se souciaient d'elle. Qu'importe s'il la croyait à East Hampton.

Il savait depuis des mois qu'il serait nécessaire de tuer Elizabeth. Il n'avait jamais cessé d'être conscient du danger qu'elle représentait, et avait prévu de l'éliminer à New York, au début.

À l'approche du procès, elle ne cesserait de se remémorer chaque instant de ces derniers jours. Il arriverait inévitablement un moment où elle prendrait conscience d'un fait qu'elle connaissait déjà – et qui déciderait de son sort.

Il existait plusieurs moyens de se débarrasser d'elle à Cypress Point et de maquiller sa disparition en accident. Sa mort soulèverait moins de soupçons en Californie qu'à New York. Il la revit en esprit, se rappela ses habitudes, cherchant un moyen.

Il regarda sa montre. Il était minuit à New York. Fais de beaux rêves, Elizabeth, pensa-t-il.

Ton temps est compté.

Dimanche 30 août

CITATION DU JOUR:

*Où sont l'amour, la beauté et la vérité
que nous cherchons?*

SHELLEY

Bonjour, très cher hôte!

Que cette nouvelle journée à Cypress Point vous apporte luxe et volupté.

Outre votre programme personnalisé, nous sommes heureux de vous rappeler que des cours spéciaux de maquillage auront lieu dans le bâtiment réservé aux femmes entre dix et seize heures. Pourquoi n'iriez-vous pas apprendre les secrets enchanteurs des plus belles femmes du monde que vous révélera Mme Renford de Beverly Hills?

Notre invité d'aujourd'hui dans le bâtiment réservé aux hommes est le célèbre gymnaste Jack Richard, qui vous fera participer à sa séance d'entraînement personnel à seize heures.

Le programme musical de la soirée est exceptionnel. Fione Navaralla, l'une des violoncellistes les plus renommées en Angleterre, interprétera pour vous des sonates de Beethoven.

Nous vous souhaitons à tous une très agréable journée. N'oubliez pas ce conseil: pour être beaux, gardons toujours l'esprit serein, chassons les pensées moroses ou préoccupantes.

Baron et baronne Helmut von Schreiber.

1

Jason, le fidèle chauffeur de Min, attendait à l'arrivée des passagers. C'était un homme de petite taille, svelte et soigné, qui avait été jockey dans sa jeunesse. Un accident avait mis fin à sa carrière de cavalier, et il travaillait comme lad lorsque Min l'avait engagé. Comme tout le monde dans l'entourage de Min, Elizabeth savait qu'il était dévoué corps et âme à sa maîtresse. Son visage parcheminé se plissa d'une multitude de petites rides en voyant Elizabeth s'avancer vers lui.

– Mademoiselle Lange, dit-il, je suis si content de vous revoir.

Elle se demanda s'il se souvenait que Leila l'accompagnait, la dernière fois où elle était venue à Cypress Point.

Elle se pencha pour l'embrasser sur la joue.

– Jason, voulez-vous supprimer ce «Mademoiselle Lange»? On dirait que je suis une cliente ou je ne sais qui. (Elle remarqua le petit carton qu'il tenait discrètement à la main et sur lequel était inscrit le nom d'Alvirah Meehan.) Vous êtes venu chercher quelqu'un d'autre?

– Une seule personne. Elle devrait être déjà sortie, comme les autres passagers de première classe.

On économise rarement sur le billet d'avion quand on peut s'offrir une semaine à trois mille dollars à Cypress Point, se dit Elizabeth. Avec Jason, elle inspecta les passagers qui débarquaient. Jason leva son carton devant plusieurs femmes élégamment vêtues qui passaient devant lui, mais elles n'y prêtèrent pas attention. «Pourvu qu'elle n'ait pas raté l'avion», murmura-t-il au moment où la dernière passagère apparaissait sans se presser au bout du couloir. C'était une femme corpulente, de cinquante-cinq ans environ, avec un large visage aux traits anguleux couronné d'une maigre chevelure châtain tirant sur le roux. La robe imprimée dans les tons violet et rose valait sûrement une fortune, mais lui allait affreusement mal. Elle la boudinait à la taille et aux hanches et remontait sur les genoux. Elizabeth sut intuitivement que cette femme était Mme Alvirah Meehan.

Apercevant son nom sur le carton, elle s'approcha vivement d'eux avec un sourire à la fois ravi et soulagé, et serra vigoureusement la main de Jason.

– C'est moi, annonça-t-elle. Bon Dieu, je suis drôlement contente de vous voir ! J'avais une peur bleue qu'il y ait une confusion et que personne ne soit venu m'attendre.

– Nous n'oublions jamais un seul de nos clients.

Elizabeth sentit un frémissement agiter ses lèvres devant l'expression ahurie de Jason. Visiblement, Mme Meehan ne ressemblait pas à l'habituelle clientèle de Cypress Point.

– Madame, voulez-vous me confier votre ticket de bagages ?

– Très gentil de votre part. Je déteste attendre les valises. C'est la barbe après un voyage. Bien sûr, Willy et moi nous prenons d'habitude le Greyhound, et les bagages arrivent tout de suite, mais quand même… Je n'ai pas emporté grand-chose. Je voulais acheter des vêtements, mais mon amie May m'a dit : « Alvirah, attends de voir comment sont habillées les autres femmes. Ces endroits de luxe ont tous des boutiques… Tu payeras le maximum, mais au moins tu auras ce qu'il faut, tu vois ce que je veux dire. » (Elle confia le talon du ticket de bagages à Jason et se tourna vers Elizabeth.) Je me présente, Alvirah Meehan. Est-ce que vous allez à l'institut, vous aussi ? En tout cas, vous n'avez pas l'air d'en avoir besoin, mon chou !

Quinze minutes plus tard, elles avaient pris place dans la rutilante limousine grise. Alvirah s'installa confortablement dans les coussins recouverts de brocart et poussa un soupir de contentement.

– Ouf! ça va mieux.

Elizabeth regarda ses mains. Nouées et calleuses, c'étaient des mains de femme qui travaillait dur. Les ongles peints d'un rouge écarlate étaient courts et épais bien que manucurés. La curiosité détourna un instant Elizabeth du souvenir de Leila – il y avait quelque chose d'étonnamment sincère et attirant chez cette femme. Qui était-elle? Qu'est-ce qui l'amenait à Cypress Point?

– Je ne m'y habitue toujours pas, poursuivit Alvirah avec entrain. Dans une minute, je vais me retrouver dans mon living en train de me tremper les pieds dans une cuvette. Je peux vous l'avouer, faire le ménage dans cinq maisons différentes par semaine, c'est pas de la rigolade. Et le vendredi, c'est l'enfer – six gosses, tous des malotrus, avec une mère encore pire qu'eux. Et puis, on a gagné à la loterie. On avait tous les numéros gagnants. Willy et moi, on pouvait pas y croire. «Willy, j'ai dit, on est riches.» Et il a hurlé: «Un peu qu'on est riches!» Vous ne l'avez pas lu dans les journaux le mois dernier? Quarante millions, et on avait pas un rond la minute avant.

– Vous avez gagné quarante millions de dollars à la loterie?

– Je suis étonnée que vous ne l'ayez pas vu. Nous sommes les plus gros gagnants de toute l'histoire de la loterie dans l'État de New York. Qu'est-ce que vous en pensez?

– C'est merveilleux, dit Elizabeth avec sincérité.

– Eh bien, je n'ai pas mis longtemps à savoir ce que je voulais faire en premier: m'offrir une cure à Cypress Point. Dix ans que j'en entendais parler. J'en rêvais, j'imaginais ce que ça devait être… côtoyer toutes ces célébrités. D'habitude, il faut attendre des mois pour une réservation, mais j'en ai une comme ça! (Elle fit claquer ses doigts.)

Min savait reconnaître la valeur publicitaire d'une Alvirah Meehan en train de raconter au monde entier que le rêve de toute sa vie était un séjour à Cypress Point, pensa Elizabeth. Min savait toujours agir exactement comme il fallait.

La voiture s'engageait sur l'autoroute de la Côte. «On

m'avait dit que la route était superbe, dit Alvirah. Elle n'a rien de sensationnel.

– Elle devient magnifique un peu plus loin, murmura Elizabeth.

Alvirah se redressa sur son siège et se tourna vers Elizabeth en l'examinant.

– À propos, je suis tellement bavarde que je n'ai pas retenu votre nom.

– Elizabeth Lange.

Les grands yeux bruns, grossis par des lunettes à monture épaisse, s'élargirent.

– Je sais qui vous êtes. Vous êtes la sœur de Leila LaSalle. C'était une de mes actrices préférées. Je sais tout sur Leila et sur vous. Votre arrivée à New York avec votre sœur, quand vous n'étiez qu'une petite fille, est une si belle histoire. Deux soirs avant sa mort, j'ai assisté à une répétition générale de sa dernière pièce. Oh, je suis désolée – je ne voulais pas vous faire de la peine…

– Ce n'est rien. J'ai seulement un horrible mal de tête. Peut-être qu'un peu de repos…

Elizabeth tourna la tête vers la fenêtre et se tamponna les yeux. Pour comprendre Leila, il fallait avoir vécu cette enfance, ce voyage à New York, la peur et les déceptions… Et il fallait savoir que si elle semblait merveilleuse quand on la lisait dans *People*, ce n'était pas du tout une belle histoire…

Le trajet en car de Lexington à New York dura quatorze heures. En boule sur son siège, Elizabeth dormait, la tête sur les genoux de Leila. Elle avait un peu peur, et se sentait triste à la pensée que maman ne les trouverait pas en rentrant à la maison, mais elle savait que Matt dirait : « Allez, bois un verre, mon chou », et il entraînerait maman dans la chambre, et un moment après ils seraient en train de rire et de pousser des cris, et les ressorts du lit craqueraient et grinceraient…

Leila lui énonça les États qu'elles traversaient : Maryland, Delaware, New Jersey. Puis les champs firent place à d'horribles réservoirs et il y eut de plus en plus de voitures sur la route. Dans le Lincoln Tunnel, l'autocar ne cessa de s'arrêter et de repartir. Elizabeth sentit son estomac gargouiller. Leila s'en aperçut.

– Mon Dieu, Moineau, ne sois pas malade maintenant. On n'en a plus que pour quelques minutes.

Elle avait hâte de quitter le car, de pouvoir respirer l'air frais et pur. Mais il faisait lourd et chaud dehors, plus chaud encore que chez elles. Fatiguée, énervée, Elizabeth faillit se plaindre. L'air épuisé de Leila la retint.

Elles venaient à peine de quitter le quai quand un homme vint au-devant de Leila. Il était mince, avec des cheveux noirs et bouclés, dégarnis sur le front, de longues rouflaquettes et des petits yeux bruns qui louchaient quand il souriait.

– Je suis Lon Pedsell, dit-il. Êtes-vous le modèle envoyé par l'agence Arbitron du Maryland ?

Bien sûr, Leila n'était pas le modèle en question, mais elle s'arrangea pour ne pas répondre carrément non.

– Il n'y avait personne d'autre de mon âge dans ce car, fit-elle d'un ton vague.

– Et il ne fait aucun doute que vous êtes mannequin.

– Je suis actrice.

Le visage de l'homme s'éclaira comme si Leila venait de lui offrir un cadeau.

– C'est une chance pour moi, et pour vous aussi, j'espère. Je suis sûr que vous seriez parfaite comme modèle. C'est payé cent dollars pour la séance.

Leila posa ses bagages par terre et serra l'épaule d'Elizabeth. Sa façon de dire : « Laisse-moi faire. »

– Je vois que vous acceptez, dit Lon Pedsell. Venez. Ma voiture est dans la rue.

L'endroit où il les conduisit surprit Elizabeth. En écoutant Leila parler de New York, elle avait toujours cru que sa sœur travaillait dans les beaux quartiers. Mais Lon Pedsell les emmena dans une rue crasseuse à six blocs du terminus des autocars. Il y avait plein de gens assis sur les porches, le trottoir était jonché d'ordures.

– Je vous prie de m'excuser, mais j'habite ici provisoirement. J'ai résilié le bail de mon ancien appartement et le nouveau est en train d'être aménagé.

Son studio se trouvait au cinquième étage et il

y régnait le même désordre que chez maman. Lon haletait car il avait insisté pour porter les deux grosses valises.

– Je vais donner un Coca à votre sœur, dit-il à Leila. Comme ça, elle pourra sagement regarder la télévision pendant que nous travaillerons.

Elizabeth aurait juré que Leila ne savait pas sur quel pied danser.

– Pour quel genre de photos voulez-vous me faire poser ? demanda-t-elle.

– C'est pour une nouvelle collection de maillots de bain. En fait, l'agence m'a chargé de faire les essais. La fille qu'ils choisiront posera ensuite pour une série d'annonces publicitaires. Vous êtes vernie de m'avoir rencontré aujourd'hui. J'ai idée que vous êtes juste le type de fille qu'ils cherchent.

Il les conduisit dans la cuisine. C'était un réduit minable avec un petit poste de télévision sur le rebord de la fenêtre au-dessus de l'évier. Il servit un Coca-Cola à Elizabeth et du vin à Leila et à lui.

– Je préfère un Coca, dit Leila.

– Comme vous voulez. (Il alluma la télévision.) Maintenant, Elizabeth, je vais fermer la porte afin de pouvoir me concentrer. Reste ici et amuse-toi bien.

Elizabeth regarda trois émissions. Parfois, elle entendait Leila dire à voix haute : «Je n'aime pas ça», mais elle ne semblait pas effrayée, juste un peu contrariée. Au bout d'un moment, Leila sortit.

– J'ai fini, Moineau. (Puis elle se tourna vers Lon.) Savez-vous où nous pourrions trouver une chambre meublée ?

– Voulez-vous rester chez moi ?

– Non. Donnez-moi seulement mes cent dollars.

– Si vous signez cette décharge…

Il sourit à Elizabeth pendant que Leila signait.

– Tu peux être fière de ta grande sœur. Elle va devenir un top-modèle.

Leila lui tendit le papier.

– Donnez-moi mes cent dollars.

– C'est l'agence qui vous payera. Voilà leur carte.

Allez-y demain matin et ils vous donneront un chèque.

– Mais vous avez dit…

– Leila, il faut que vous appreniez les règles du métier. Ce ne sont pas les photographes qui paient les modèles. C'est l'agence, quand on lui remet la décharge.

Il ne proposa pas de les aider à descendre leurs valises.

Un hamburger et un milk-shake dans un restaurant appelé Chock Fulls O'Nuts leur remontèrent le moral. Leila avait acheté un plan de New York et un journal. Elle parcourut les annonces immobilières.

– Voilà un appartement qui me semble parfait: *Dernier étage, quatorze chambres, vue spectaculaire, terrasse.* Un jour, Moineau. Tu verras…

Elles trouvèrent une annonce pour un appartement à partager. Leila regarda sur le plan.

– Cela n'a pas l'air trop mal situé, dit-elle. 95ᵉ Rue et West End Avenue, ce n'est pas très loin, et nous pouvons prendre le bus.

L'appartement leur convenait, mais le gentil sourire de la propriétaire disparut en apprenant qu'Elizabeth faisait partie du lot.

«Pas d'enfants», fit-elle froidement.

Il en fut de même partout où elles se présentèrent. À 7 heures du soir, Leila finit par demander à un chauffeur de taxi s'il connaissait un endroit où loger qui fût bon marché mais convenable et où l'on accepterait Elizabeth. Il lui proposa une chambre meublée dans Greenwich Village.

Le lendemain matin, elles se rendirent à l'agence de mannequins dans Madison Avenue pour réclamer l'argent de Leila. La porte était fermée et une pancarte indiquait : METTEZ VOTRE DOSSIER DANS LA BOÎTE AUX LETTRES. La boîte aux lettres contenait déjà une demi-douzaine d'enveloppes en papier kraft. Leila pressa sur la sonnette. Une voix répondit dans l'interphone :

– Avez-vous un rendez-vous ?

– Je viens me faire payer, dit Leila.

Elle commença à parlementer avec la femme qui finit par crier : «Allez vous faire voir.» Leila pressa à nouveau sur la sonnette, insista jusqu'à ce que l'on ouvrît la porte. Elizabeth eut un mouvement de recul. La femme qui se tenait devant elle avait de lourds cheveux sombres relevés en tresses sur la tête, des yeux d'un noir de jais, et un visage blême de colère. Elle n'était pas jeune, mais très belle. À côté de son tailleur de soie blanc, le short bleu passé d'Elizabeth et sa chemise polo déteinte faisaient piteux effet. Et Leila, qui lui avait paru ravissante lorsqu'elles avaient quitté la maison, semblait déguisée maintenant.

– Écoutez, dit la femme, si vous voulez déposer votre dossier, personne ne vous empêche de le faire. Mais si vous tentez encore une fois de vous introduire ici, j'appelle la police.

Leila lui mit le papier du photographe sous le nez.

– Vous me devez cent dollars et je ne partirai pas sans eux.

La femme le lut et éclata de rire.

– Vous êtes vraiment trop bête ! Ces fumistes distribuent le même truc à toutes les jobardes qui débarquent de leur province. Où vous a-t-il trouvée ? Au terminus de l'autocar, je parie ? Et ça s'est terminé au lit, hein ?

– Non. (Leila s'empara du papier, le déchira et écrasa les morceaux sous son talon.) Viens, Moineau. Ce type s'est peut-être fichu de moi, mais ce n'est pas la peine de donner à cette garce le plaisir de rire de nous.

Elizabeth voyait bien que Leila était au bord des larmes et qu'elle ne voulait pas le montrer. Elle s'avança vers la femme.

– C'est vous qui êtes méchante, dit-elle. Cet homme n'a pas fait de mal, et s'il a fait travailler ma sœur pour rien, vous devriez en être désolée, et non vous moquer de nous. (Elle pivota sur ses talons et prit Leila par la main.) Viens.

Elles se dirigeaient vers l'ascenseur quand la femme les appela.

– Revenez, vous deux.

Elizabeth et Leila ne se retournèrent pas.

– Je vous ai dit de revenir, cria-t-elle.

Deux minutes plus tard, elles étaient assises dans son bureau.

44

– On peut faire quelque chose de vous, dit-elle à Leila. Mais cet accoutrement… Vous ignorez le b-a-ba du maquillage ; et vous avez besoin d'une bonne coupe de cheveux ; il vous faudra des photos. Avez-vous posé nue pour ce salaud ?

– Oui.

– Bravo ! Mettons que je vous propose un jour pour un spot publicitaire pour Cadum, et on a toutes les chances de voir apparaître votre photo dans une revue de cul… Il n'a pas pris de film au moins ?

– Non. Du moins, pas à ma connaissance.

– C'est déjà ça. À partir de maintenant, c'est moi qui m'occupe de vos photos.

Elles quittèrent l'agence dans un brouillard. Leila avait une liste de rendez-vous dans un salon de beauté pour le lendemain. Puis elle devait rencontrer la directrice de l'agence chez le photographe. « Appelez-moi Min, avait-elle dit. Et ne vous en faites pas pour les vêtements. J'apporterai ce dont vous avez besoin. »

Elizabeth était tellement heureuse que ses pieds touchaient à peine le sol, mais Leila resta silencieuse. Elles descendirent Madison Avenue à pied. Une foule élégante se pressait sur le trottoir. Le soleil brillait ; il y avait des marchands de hot-dogs et de bretzels à chaque coin de rue ; les bus et les voitures klaxonnaient aux carrefours ; sans se préoccuper des feux, les piétons se faufilaient à travers les embouteillages. Elizabeth se sentit chez elle.

– Je suis contente d'être ici, dit-elle.

– Moi aussi, Moineau. Et c'est toi qui m'as tirée d'affaire. Je t'assure, je me demande qui est la plus responsable de nous deux… Et cette Min est quelqu'un de gentil. Mais, écoute-moi bien, il y a une leçon que j'ai tirée de mon salaud de père, des pauvres mecs qui tournent autour de maman, et de cette ordure qui nous a bien eues, hier : Moineau, je ne ferai plus jamais confiance à un homme.

Elizabeth ouvrit les yeux. La voiture filait silencieusement devant Pebble Beach Lodge, le long de la route bordée d'arbres d'où l'on apercevait de majestueuses
demeures entre des haies de bougainvillées et d'azalées.
Elle ralentit à un tournant, et l'arbre qui donnait son nom
à l'institut de Cypress Point apparut.

Un instant désorientée, Elizabeth releva ses cheveux
sur son front et regarda autour d'elle. À côté d'elle,
Alvirah Meehan souriait d'un air béat.

– Vous deviez être éreintée, pauvre petite, dit-
elle. Vous avez dormi pratiquement tout le temps depuis
que nous avons quitté l'aéroport. (Elle secoua la tête en
regardant par la fenêtre.) C'est vraiment superbe, maintenant !

La voiture franchit les grilles en fer forgé et longea
l'allée sinueuse qui conduisait à la résidence principale,
une longue demeure de deux étages, aux murs recouverts
de stuc beige et aux volets bleu pâle. Plusieurs piscines
étaient dispersées dans le parc, près des bungalows. À
l'extrémité nord-est de la propriété, un bassin olympique
occupait le centre d'une terrasse dallée où des tables
étaient disposées çà et là à l'ombre de parasols. Deux
constructions identiques en pisé s'élevaient de part et
d'autre de la piscine.

– Ce sont les bâtiments de l'institut réservés aux
hommes et aux femmes, expliqua Elizabeth.

La clinique, une réplique en plus petit de la maison
principale, se trouvait sur la droite. Une succession
d'allées bordées de hautes haies fleuries conduisaient chacune à une entrée particulière. On accédait aux salles de
soins par des portes suffisamment espacées pour éviter
aux uns et aux autres de se rencontrer.

Tandis que la limousine suivait lentement la courbe
de l'allée, Elizabeth étouffa un cri de surprise. Entre la
résidence et la clinique, à l'arrière-plan, se dressait un
édifice de dimension démesurée et qu'elle voyait pour
la première fois.

La façade de marbre noir, flanquée d'imposantes

colonnes, lui donnait l'air menaçant d'un volcan prêt à se réveiller. Ou d'un mausolée, pensa Elizabeth.

– Qu'est-ce que c'est ? demanda Alvirah Meehan.

– Une réplique de thermes romains. On terminait à peine les fondations lors de mon dernier séjour, il y a deux ans. Jason, sont-ils déjà ouverts ?

– Pas encore, mademoiselle Lange. Les travaux n'en finissent pas.

Leila avait toujours critiqué ce projet de maison thermale.

« Encore la folie des grandeurs d'Helmut qui finira par ruiner Min, disait-elle. Il ne sera pas heureux avant d'avoir mis sa femme sur la paille. »

La voiture s'arrêta devant le perron de la résidence principale. Jason se précipita pour leur ouvrir la portière. Alvirah Meehan remit tant bien que mal ses chaussures et s'extirpa péniblement de son siège.

– Oh, regardez, fit-elle, voilà Mme von Schreiber. Je la reconnais pour l'avoir vue en photo. Dois-je l'appeler « baronne » ?

Elizabeth ne répondit pas. Elle tendit les bras vers Min qui descendait les marches de la véranda d'un pas rapide et royal. Leila s'amusait souvent à comparer la démarche de Min à l'entrée du *Queen Elizabeth II* dans un port. Min portait une robe imprimée d'Adolpho d'une sublime simplicité. Sa somptueuse chevelure brune était ramenée en torsade au-dessus de sa tête. Elle se précipita vers Elizabeth et la serra farouchement dans ses bras.

– Tu es beaucoup trop mince, s'exclama-t-elle. En maillot de bain, je parie que tu n'as que la peau sur les os. (Elle l'étreignit à nouveau et tourna son attention vers Alvirah.) Mme Meehan. La femme la plus chanceuse du monde. Nous sommes enchantés de vous avoir parmi nous ! (Elle examina Alvirah de la tête aux pieds.) En deux semaines, le monde pensera que vous êtes née avec quarante millions de dollars dans votre berceau.

Alvirah Meehan paraissait aux anges.

– Elizabeth, Helmut t'attend dans le bureau. J'accompagne Mme Meehan jusqu'à son bungalow, et je te rejoindrai ensuite.

Elizabeth pénétra docilement dans la résidence,

traversa le hall d'entrée dallé de marbre, passa devant le salon, la salle de musique, les grandes salles à manger, et monta l'escalier en spirale qui menait aux appartements privés. Min et son mari partageaient une succession de pièces qui donnaient à la fois sur la façade et sur les côtés de la propriété. Des fenêtres, Min pouvait observer les allées et venues des clients et du personnel. Au dîner, il lui arrivait fréquemment de gourmander un de ses hôtes. «Vous auriez dû vous trouver dans la salle de gymnastique lorsque je vous ai vu lire dans le jardin!» Elle avait également un don secret pour remarquer le moindre moment d'inattention chez un membre du personnel.

Elizabeth frappa doucement à la porte de l'étage de la direction. Ne recevant aucune réponse, elle ouvrit. Comme toutes les pièces à Cypress Point, les bureaux étaient meublés avec un goût exquis. Une aquarelle abstraite de Will Moses occupait presque la totalité du mur au-dessus du divan vert d'eau. Un tapis d'Aubusson aux couleurs chatoyantes ornait les carreaux de céramique sombre du sol. Un bureau d'époque Louis XV occupait la réception, mais personne ne s'y tenait. Elle ne put réprimer un sentiment de déception, mais se souvint que Sammy serait de retour demain matin.

Timidement, elle se dirigea vers la porte entrebâillée du bureau que partageaient Min et le baron, et sursauta. À l'autre bout de la pièce, le baron Helmut von Schreiber semblait contempler les photos des hôtes les plus célèbres de son épouse. Elizabeth suivit son regard des yeux et étouffa un cri.

Helmut examinait particulièrement un portrait de Leila pris au cours de son dernier séjour à Cypress Point. Comment ne pas reconnaître le vert vif de sa robe, les vagues de cheveux roux qui encadraient son visage, sa manière de lever une coupe de champagne comme si elle portait un toast?

Les mains d'Helmut étaient nouées derrière son dos. Toute son attitude dégageait une hostilité contenue.

Préférant ne pas montrer qu'elle l'avait surpris, Elizabeth revint sur ses pas, ouvrit et referma bruyamment la porte, puis s'écria:

– Il n'y a personne ?

En le voyant sortir précipitamment de son bureau, elle aurait pu croire qu'elle avait rêvé. C'était un autre homme. Elle retrouvait l'aimable Européen à la courtoisie parfaite qu'elle avait toujours connu, avec son sourire chaleureux, le baiser sur les deux joues, le compliment chuchoté.

– Elizabeth, tu deviens plus belle à chaque fois. Si jeune, si blonde, si divinement grande.

– Grande, c'est indubitable. (Elizabeth recula d'un pas.) Laisse-moi te regarder, Helmut.

Elle l'étudia avec attention ; il ne restait aucune trace de tension dans ses yeux bleu porcelaine. Son sourire était détendu et naturel. Ses lèvres entrouvertes dévoilaient les dents blanches et parfaites. Comment le décrivait Leila ? «*Je t'assure, Moineau, ce type me fait penser à un petit soldat. Crois-tu que Min le remonte tous les matins ? Il a peut-être du sang bleu dans les veines, mais je parie qu'il n'avait pas un radis sur lui avant de s'accrocher à Min.*»

Elizabeth avait protesté. «*C'est un bon chirurgien esthétique, et il est très fort en matière de remise en forme. Cet endroit est célèbre.*»

«*Il est peut-être célèbre*, avait rétorqué Leila, *mais son fonctionnement coûte une fortune, et je mets ma main à couper que les prix astronomiques ne couvrent même pas les frais généraux. Écoute, Moineau, je suis payée pour le savoir, non ? J'ai moi-même épousé deux parasites il n'y a pas si longtemps. Je t'accorde qu'il traite Min comme une reine, mais il pose chaque nuit sa belle tête teinte sur une taie d'oreiller de deux cents dollars, et, en plus de la fortune engloutie dans cet institut, Min a largué un paquet de fric pour retaper son château en ruine en Autriche.*»

Comme tout le monde, Helmut avait paru bouleversé par la mort de Leila, mais Elizabeth se demandait à présent s'il n'avait pas joué la comédie.

– Sois franche. De quoi ai-je l'air ? Tu as l'air si troublée. As-tu trouvé quelques rides supplémentaires ?

Son rire était discret, amusé, bien élevé.

Elle se força à lui sourire à son tour.

– Je te trouve dans une forme superbe, dit-elle. Peut-être suis-je seulement surprise d'être restée si long-temps sans te voir.

– Viens. (La prenant par la main, il l'entraîna vers l'ensemble en rotin Art Déco près des fenêtres en façade. Il fit une grimace en s'asseyant.) J'essaye en vain de convaincre Minna que ces trucs sont faits pour être regardés, et non servir de sièges. Raconte-moi, comment vas-tu ?

– J'ai eu beaucoup de travail.

– Pourquoi as-tu attendu si longtemps avant de venir nous voir ?

Parce que je craignais de retrouver Leila à chaque coin.

– J'ai rencontré Min à Venise il y a trois mois.

– Et Cypress Point évoque trop de souvenirs pour toi, n'est-ce pas ?

– Il évoque beaucoup de souvenirs, en effet. Mais vous m'avez manqué tous les deux. Et j'ai hâte de revoir Sammy. Comment la trouves-tu ?

– Tu la connais. Elle ne se plaint jamais. Mais si tu veux mon avis, elle ne se porte pas très bien. Je crois qu'elle ne se remettra jamais complètement, ni de son opération ni du choc de la mort de Leila. Et elle a plus de soixante-dix ans maintenant. Ce n'est pas un âge très avancé sur le plan physiologique, mais...

La porte extérieure se ferma avec un claquement décidé, et la voix de Min précéda son entrée.

– Helmut, la gagnante de la loterie est arrivée ! Tu vas avoir du pain sur la planche. Il faudra arranger des interviews pour elle. Elle va faire à cet endroit une répu-tation paradisiaque.

Elle franchit la pièce à grandes enjambées et étreignit Elizabeth.

– Si tu savais toutes les nuits blanches que j'ai passées à me soucier de toi ! Combien de temps peux-tu rester ?

– Pas très longtemps. À peine jusqu'à vendredi.

– Cela ne fait que cinq jours !

– Je sais, mais le procureur doit revoir mon témoi-gnage.

C'était bon de sentir des bras aimants autour d'elle.

– Que veut-il donc revoir ?

– Les questions qu'on me posera au procès, que l'avocat de Ted me posera. Je croyais que dire la simple vérité suffirait, mais la défense essayera apparemment de prouver que je me suis trompée sur l'heure du coup de téléphone.

– Pourrais-tu t'être trompée ?

Les lèvres de Min lui effleuraient l'oreille. Étonnée, Elizabeth s'écarta d'elle, à temps pour voir le froncement de sourcils avertisseur d'Helmut.

– Min, crois-tu que si j'avais le plus léger doute…

– Très bien, se reprit hâtivement Min. Ne parlons pas de ça maintenant. Tu n'as que cinq jours. Nous allons te dorloter ; il faut que tu te reposes. Je vais moi-même établir ton emploi du temps. Massage et soins du visage pour commencer.

Elizabeth les quitta quelques minutes plus tard. Les rayons du soleil jouaient sur les plates-bandes de fleurs sauvages qui bordaient l'allée menant au bungalow que Min lui avait attribué. La vue des sorbiers, des haies d'églantiers et de groseilliers l'emplit d'une sensation de calme. Mais cette sérénité passagère ne masquait pas le fait que, malgré les paroles affectueuses, l'accueil chaleureux, Min et Helmut étaient différents.

Ils étaient contrariés, inquiets et hostiles. Et cette hostilité était dirigée contre elle.

3

Syd Melnick apprécia peu le trajet de Beverly Hills jusqu'à Pebble Beach. Pendant quatre heures d'affilée, Cheryl Manning resta muette, immobile comme une statue, dans le siège à côté de lui. Durant les trois premières heures, craignant d'exposer son visage et ses cheveux au vent, elle lui avait interdit de baisser la capote de la voiture. Ce n'est qu'en approchant de Carmel qu'elle voulut être reconnue en ville, et lui permit de décapoter.

De temps à autre, Syd lui jetait un coup d'œil en biais.

Elle était indubitablement très belle. Ses cheveux aile-de-corbeau auréolaient son visage d'une masse de petites bouclettes affriolantes. A trente-six ans, le charme de la jeunesse avait fait place à une élégance sophistiquée et provocante. *Dynastie* et *Dallas* prenaient de la bouteille. Les téléspectateurs se lassaient des histoires d'amour effrénées de tous les milliardaires quinquagénaires. Avec Amanda, Cheryl avait enfin trouvé le rôle qui pouvait faire d'elle une star.

À ce moment-là, Syd se retrouverait lui aussi au sommet de sa carrière d'agent. La notoriété d'un auteur suivait celle de son dernier livre; celle d'un acteur, le succès de son dernier film. Il fallait de gros contrats à un agent pour être considéré comme l'un des tout premiers. Devenir une légende, le nouveau Swifty Lazar, était à portée de sa main. Et cette fois-ci, se promit-il, il ne claquerait pas tout dans les casinos ou aux courses.

Il saurait bientôt si Cheryl avait obtenu le rôle. Juste avant leur départ, Cheryl l'avait poussé à téléphoner à Bob Koenig chez lui. Il y a vingt-cinq ans, Bob, frais émoulu de l'université, et Syd, jeune coursier dans un studio, s'étaient rencontrés sur un plateau d'Hollywood et liés d'amitié. Aujourd'hui, Bob était président de la World Motion Pictures. Il avait l'aspect de la nouvelle race des directeurs de studios: traits rudes et larges épaules. Avec son long visage triste, ses cheveux bouclés dégarnis et un début de bedaine dont ne venait pas à bout l'exercice physique le plus acharné, Syd savait qu'il était l'image type du garçon sorti droit de Brooklyn. Raison supplémentaire d'envier Bob.

Ce matin, Bob s'était montré carrément furieux. «Écoute, Syd, évite de me téléphoner chez moi un dimanche pour me parler boulot! L'essai de Cheryl était excellent. Il nous reste d'autres candidates à auditionner pour le rôle. De toute façon, tu seras prévenu dans les prochains jours. Mais laisse-moi te dire une chose. C'était idiot de vouloir la coller dans cette pièce l'année dernière, immédiatement après la mort de Leila LaSalle; ça lui retombe sur le dos aujourd'hui. M'appeler à la maison un dimanche n'est pas plus malin.»

Syd sentit ses paumes devenir moites au souvenir de

cette conversation. Il avait fait une erreur en abusant d'une amitié. S'il n'y prenait garde, toutes ses relations seraient bientôt «en conférence» quand il téléphonerait.

Et Bob avait raison. Il avait fait une erreur monumentale en voulant introduire Cheryl dans la pièce sans répétition ou presque. La critique l'avait massacrée.

Cheryl se tenait à côté de lui quand il avait appelé Bob. Elle avait entendu qu'ils risquaient de ne pas lui donner le rôle à cause de la pièce. Et bien sûr, cela avait provoqué une explosion de fureur. Ni la première ni la dernière.

Cette foutue pièce! Il avait cru en elle au point d'emprunter un million de dollars! On aurait pu en faire le succès de l'année. C'est alors que Leila s'était mise à boire, à rendre la pièce responsable de tous ses maux...

Le ressentiment lui brûla la gorge. Après tout ce qu'il avait fait pour elle, cette garce s'en était prise à lui chez Elaine's, le vouant à tous les diables devant le ban et l'arrière-ban du spectacle! Et elle savait parfaitement la fortune qu'il avait investie dans la pièce. Il n'espérait qu'une chose, qu'elle se soit rendu compte de ce qui lui arrivait en atterrissant sur le ciment!

Ils traversaient Carmel: des hordes de touristes dans les rues; le soleil brillant; l'atmosphère de détente et d'insouciance. Il prit volontairement le chemin le plus long et se faufila dans les rues les plus encombrées, conscient des commentaires des passants lorsqu'ils reconnaissaient Cheryl.

Elle souriait à présent, tout sucre, tout miel! Elle avait besoin du public comme d'autres ont besoin d'air et d'eau.

Ils atteignirent le péage de Pebble Beach, longèrent Pebble Beach Lodge, Crocker Woodland, jusqu'aux grilles de Cypress Point.

– Dépose-moi à mon bungalow, ordonna Cheryl. Je ne veux rencontrer personne avant de m'être changée.

Elle se tourna vers lui et ôta ses lunettes de soleil. Ses yeux magnifiques étincelèrent.

– Syd, quelles sont mes chances de jouer Amanda?

Il lui répéta la réponse qu'il lui avait faite une douzaine de fois durant le week-end.

– Les plus grandes, mon chou. Les plus grandes.

Pourvu que ce soit le cas, se dit-il en lui-même, sinon c'est la fin.

4

Le *Westwind* vira sur l'aile, tourna et amorça sa descente vers l'aéroport de Monterey. Ted vérifia méthodiquement les instruments du tableau de bord. Le vol s'était bien déroulé depuis Hawaii – une brise régulière, des bancs de nuages qui s'effilaient paresseusement comme de la barbe à papa. C'était curieux ; il aimait les nuages, il aimait les survoler, les traverser, et pourtant il détestait la barbe à papa quand il était enfant. Une contradiction de plus dans sa vie…

Dans le siège du copilote, John Moore bougea, rappel discret de sa présence si Ted préférait lui passer les commandes. Moore était le pilote en chef du groupe Winter depuis dix ans. Mais Ted voulut faire l'atterrissage, savoir s'il était capable de reprendre terre sans secousse. Sortir le train d'atterrissage ou retomber sur ses pieds : c'était la même chose, non ?

Il y a une heure, Craig lui avait suggéré de laisser le manche à balai à John.

– Les cocktails sont servis à votre table préférée dans le coin, m'sieur Winters.

Il avait pris l'accent impayable du maître d'hôtel du Four Seasons.

– Pour l'amour du ciel, avait répliqué sèchement Ted, arrête tes pitreries pour aujourd'hui. Ce n'est vraiment pas de ça que j'ai besoin.

Craig connaissait suffisamment Ted pour savoir que rien ne servait de discuter quand il avait décidé de rester aux commandes.

La piste se rapprochait à toute allure. Ted abaissa lentement le nez de l'appareil. Pendant combien de temps encore serait-il libre de piloter des avions, de voyager, de prendre un verre ou non, de fonctionner comme un être humain ? Le procès devait commencer la semaine suivante. Il n'aimait pas son nouvel avocat. Henry Bartlett était trop imbu de lui-même, trop sûr de son image. Ted imaginait Bartlett dans une annonce du *New Yorker*, tenant une bouteille de scotch à la main, avec la légende : « Voici le seul alcool que je sers à mes invités. »

Les roues touchèrent le sol. La secousse à l'intérieur de l'avion fut à peine perceptible. Ted inversa les réacteurs.

— Bel atterrissage, monsieur, dit calmement John.

Ted passa une main lasse sur son front. Il aurait voulu que John perdît l'habitude de l'appeler « monsieur ». Il aurait préféré qu'Henry Bartlett cessât de l'appeler « Teddy ». Tous les avocats se croient-ils permis de se montrer familiers parce que vous avez besoin de leurs services ? Question intéressante. En des circonstances différentes, il n'aurait jamais rien eu à faire avec un homme comme Bartlett. Mais renvoyer le supposé meilleur avocat d'assises à un moment où vous courez le risque d'une peine de prison de plusieurs années serait manquer du plus élémentaire bon sens. Ted avait toujours cru qu'il était intelligent. Il n'en était plus tellement certain.

Quelques minutes plus tard, ils roulaient en direction de la péninsule de Cypress Point.

— J'ai beaucoup entendu parler de la péninsule de Monterey, disait Bartlett tandis qu'ils s'engageaient sur l'autoroute 68. Je persiste à ne pas comprendre pourquoi nous ne pouvions pas examiner ce procès chez vous dans le Connecticut ou dans votre appartement à New York ; mais c'est vous qui payez la note de frais.

— Nous sommes ici parce que Ted a besoin de la détente que peut lui procurer Cypress Point, dit Craig, sans se soucier de dissimuler l'agacement qui perçait dans sa voix.

Ted était assis à droite dans le spacieux siège arrière, Henry à côté de lui. Craig avait pris le siège en face d'eux, près du bar. Il baissa la tablette du bar et prépara un dry-martini qu'il tendit à Ted avec un sourire ironique.

— Tu connais le règlement de Min sur l'alcool, dit-il. Tu ferais mieux de siffler ça en vitesse.

Ted secoua la tête.

– Siffler un verre ne m'a pas toujours porté chance. Aurais-tu une bière fraîche là-dedans?

– Teddy, cessez de faire continuellement allusion à cette nuit comme si vous n'en aviez pas un souvenir précis.

Ted toisa Henry Bartlett, notant les cheveux grisonnants, les manières polies, la touche d'accent anglais dans la voix.

– Mettons les choses au point, dit-il. Vous n'avez pas, je répète, vous n'avez pas à m'appeler Teddy. Mon nom, au cas où vous ne l'auriez pas lu sur le chèque confortable de vos honoraires, est Andrew Edward Winters. Si vous le trouvez trop difficile à retenir, vous pouvez m'appeler Andrew. C'est ce que faisait ma grand-mère. Faites un signe de tête si vous m'avez compris.

– Calme-toi, Ted, dit doucement Craig.

– Je serai beaucoup plus calme quand nous aurons établi certaines règles de base, Henry et moi.

Il sentit sa main se contracter sur son verre. Il était à bout de nerfs. Pendant les mois qui avaient suivi son inculpation, il était parvenu à garder les idées claires dans sa maison de Maui, il s'était consacré à l'étude de l'expansion urbaine et des tendances de la population, dressant les plans des hôtels, stades et grands magasins qu'il construirait lorsque toute cette histoire serait terminée. D'une certaine façon, il avait tout fait pour se persuader que rien n'était perdu, qu'Elizabeth se rendrait compte qu'elle s'était trompée sur l'heure du coup de téléphone, que ce soi-disant témoin oculaire serait déclaré mentalement déficient...

Mais Elizabeth s'en tenait à sa déposition, le témoin oculaire ne démordait pas de son témoignage, et la menace du procès planait au-dessus de lui. Ted n'avait pas supporté de voir son premier avocat prêt à accepter un verdict de culpabilité. C'était pourquoi il avait engagé Henry Bartlett.

– Très bien, laissons ça de côté pour le moment, dit sèchement Henry Bartlett. (Il se tourna vers Craig.) Si Ted ne veut pas de ce martini, je le prendrai volontiers.

Ted accepta la bière que Craig lui tendait et regarda par la fenêtre. Bartlett avait-il raison ? Était-ce déraisonnable d'avoir voulu qu'ils se réunissent ici plutôt qu'à New York ou dans le Connecticut ? Mais il éprouvait toujours un sentiment de calme et de bien-être chaque fois qu'il se retrouvait à Cypress Point. L'endroit évoquait pour lui les étés de son enfance.

La voiture s'arrêta à la barrière de Pebble Beach et le chauffeur paya le péage. Les propriétés qui donnaient sur la mer apparurent. Autrefois, Ted avait fait le projet d'acheter une maison ici. Kathy et lui avaient pensé qu'il serait agréable d'y passer les vacances avec Teddy. Mais Teddy et Kathy n'étaient plus.

Sur la gauche, le Pacifique miroitait, clair, superbe sous les rayons tardifs du soleil. Se baigner dans le coin était imprudent, à cause du courant, mais comme il aurait aimé plonger dans l'Océan, sentir l'eau salée le laver ! Se sentirait-il un jour innocenté, cesserait-il de voir et de revoir les photos du corps brisé de Leila ? Elles occupaient continuellement ses pensées, agrandies à l'extrême, comme des panneaux d'affichage sur l'autoroute. Et ces derniers mois, le doute s'était installé.

– Arrête de ressasser toujours la même chose, Ted, dit doucement Craig.

– Et cesse de toujours chercher à lire dans mes pensées, rétorqua Ted. (Puis, avec un faible sourire :) Excuse-moi.

– Ce n'est rien.

Le ton de Craig était chaleureux et réconfortant.

Craig avait toujours eu le don de dénouer les situations, songea Ted. Ils s'étaient rencontrés à Dartmouth. À dix-sept ans, Craig avait l'air d'un gros Suédois blond. À trente-quatre, il était mince et musclé. Ses traits lourds et vigoureux seyaient mieux à l'homme adulte qu'à l'adolescent. Craig avait obtenu une bourse partielle pour entrer à l'université, mais il avait dû travailler comme un forçat afin de pouvoir payer le reste de ses études – plongeur, réceptionniste, garçon de salle… aucun travail ne le rebutait.

Et il s'est toujours trouvé sur mon chemin, se rappela Ted. Après l'université, il était tombé sur Craig dans les toilettes de la direction de la Winters. « Pourquoi ne m'as-tu jamais dit que tu cherchais un job dans le groupe ? » Il n'aurait su affirmer s'il était content de le revoir. « Parce que si je réussis, je préfère ne le devoir à personne d'autre qu'à moi-même. »

Vous ne pouviez pas lutter contre cet argument. Et il avait réussi, jusqu'à devenir vice-président. Si je vais en prison, pensa Ted, c'est lui qui dirigera la baraque. Je me demande s'il y songe. Ses propres élucubrations mentales le dégoûtèrent. Je ressemble à un rat acculé à un mur !

Ils passèrent devant Pebble Beach Lodge, le terrain de golf, Crocker Woodland, arrivèrent devant les grilles de Cypress Point.

– Vous allez comprendre pourquoi nous tenions à venir ici, dit Craig à Henry. (Il regarda Ted.) On va mettre au point un système de défense en béton. Tu sais que cet endroit t'a toujours porté bonheur. (Puis il jeta un coup d'œil par la fenêtre, se raidit.) La barbe ! le cabriolet décapotable – il ne manquait que Cheryl et Syd !

Il se tourna d'un air sombre vers Henry Bartlett.

– Je commence à croire que vous aviez raison. Nous aurions mieux fait d'aller dans le Connecticut.

5

Min avait réservé à Elizabeth le bungalow qu'occupait habituellement Leila, l'un des plus luxueux. Mais Elizabeth n'était pas sûre d'apprécier son intention. Tout dans ces pièces criait le nom de Leila : les housses vert émeraude, sa couleur préférée, le profond fauteuil recouvert d'un ottoman assorti – Leila s'y affalait après chaque cours de gymnastique : « Seigneur, Moineau, ils veulent ma mort ! » –, l'élégant secrétaire marqueté – « Moineau, te souviens-tu des meubles chez notre pauvre maman ? Des vieilleries achetées aux puces. »

Une femme de chambre avait déjà défait ses valises

pendant qu'elle se trouvait avec Min et Helmut. Un maillot de bain une pièce bleu et un peignoir en tissu éponge ivoire étaient étalés sur le lit. Épinglé au revers du peignoir, l'emploi du temps pour l'après-midi : 16 heures, massage ; 17 heures, soins du visage.

Le bâtiment qui abritait les installations réservées aux femmes se trouvait à une extrémité de la piscine olympique – c'était une longue construction de style espagnol bâtie en pisé. Rien à l'extérieur ne laissait deviner le tourbillon d'activité qui régnait à l'intérieur ; femmes de tous âges, minces et grosses, qui se hâtaient en peignoir, soucieuses de ne pas manquer leur prochain rendez-vous.

Elizabeth dut s'armer de courage à l'idée de revoir des visages familiers – des habituées qui venaient tous les trois mois suivre une cure de remise en forme et qu'elle avait connues pendant les étés où elle travaillait à Cypress Point. Elle entendait déjà les condoléances, les paroles de commisération : « Je n'aurais jamais cru Ted Winters capable… »

Mais elle ne reconnut pas une seule silhouette familière dans les groupes qui allaient et venaient des salles de gymnastique aux cabines de soins. L'établissement semblait moins bondé que d'habitude. En période de pointe, une soixantaine de femmes s'y bousculait ; l'établissement des hommes en contenait à peu près autant. On était loin du compte.

Elle se souvint du code des couleurs attribué à chaque porte : rose pour les cabines de soins du visage ; jaune pour les massages ; violet pour les enveloppements d'algues ; blanc pour les cabines de vapeur ; bleu pour les douches sous-marines. Les salles de gymnastique étaient situées derrière la piscine couverte et lui parurent plus grandes. Il y avait davantage de jacuzzis individuels dans le solarium. Elizabeth regretta qu'il fût trop tard pour se tremper dans un bain bouillonnant, ne serait-ce que deux ou trois minutes.

Ce soir, se promit-elle, elle irait nager dans la piscine.

Gina, sa masseuse, faisait partie de l'ancienne équipe et se montra sincèrement ravie de la revoir.

– Vous allez revenir travailler à l'institut, j'espère ? Non ? Dommage.

Les cabines de massage avaient été refaites. Min s'arrêterait-elle un jour de dépenser de l'argent dans cet endroit ? Mais les nouvelles tables étaient luxueusement rembourrées, et Elizabeth se détendit peu à peu sous les mains expertes de Gina.

Gina lui pétrissait les muscles des épaules.

– Vous n'êtes qu'un nœud.

– Ça ne m'étonne pas.

– Ce ne sont pas les raisons qui vous manquent.

C'était la manière de Gina de lui exprimer sa compassion. Elizabeth savait qu'à moins d'entamer elle-même la conversation, Gina resterait silencieuse. Min avait instauré pour règle de bavarder avec les clients seulement s'ils en éprouvaient l'envie. « Mais ne leur cassez pas les oreilles avec vos propres problèmes, répétait-elle aux réunions hebdomadaires du personnel. Ils n'intéressent personne. »

Les impressions de Gina sur la marche de l'établissement pouvaient être utiles.

– Il n'y a pas un monde fou aujourd'hui, commença-t-elle. Ils sont tous sur le terrain de golf, ou quoi ?

– Si seulement c'était le cas. Écoutez, cela fait deux ans que le nombre de clients diminue. Détendez-vous, Elizabeth, votre bras ressemble à un morceau de bois.

– Deux ans ! Que s'est-il passé ?

– Que vous dire ? Tout a commencé avec ce mausolée de malheur. Les gens ne payent pas de telles fortunes pour regarder s'accumuler des montagnes de terre ou entendre taper toute la journée. Et les travaux ne sont pas encore terminés. Pouvez-vous me dire en quoi on avait besoin de thermes romains ?

Elizabeth se rappela les réflexions de sa sœur.

– C'est ce que disait Leila.

– Elle avait raison. Retournez-vous maintenant. (Gina tendit habilement la serviette.) Écoutez, vous portez le même nom qu'elle. Vous rendez-vous compte de la publicité que Leila a faite pour cet endroit ? Les gens venaient dans l'espoir de la voir. À elle seule, c'était une réclame ambulante. Et elle ne cessait de raconter qu'elle avait rencontré Ted Winters à Cypress Point. Aujourd'hui... je ne sais pas... les choses ont tellement changé. Le baron dépense de l'argent comme un malade – vous avez vu les nouveaux jacuzzis ? Les travaux à l'intérieur des thermes n'en finissent plus. Et Min essaye de rogner sur les coûts. C'est une véritable plaisanterie. Il investit dans un bain romain, et elle nous dit de ne pas gaspiller les serviettes !

L'esthéticienne chargée des soins du visage était nouvelle, japonaise. L'impression de relaxation apportée par le massage fut complète après un nettoyage de peau, un jet de vapeur et un masque chaud. Elizabeth glissa dans le sommeil. La voix douce de la jeune femme la réveilla.

– Vous avez bien dormi ? Je vous ai laissée vous reposer quarante minutes. Vous aviez l'air si bien, et j'avais tout mon temps.

6

Tandis que la femme de chambre défaisait ses valises, Alvirah Meehan inspecta ses nouveaux appartements. Elle passa d'une pièce à l'autre, attentive à chaque détail, préparant en esprit ce qu'elle allait dicter sur son magnétophone flambant neuf.

– Ce sera tout, madame ?

La femme de chambre se tenait à la porte du petit salon.

– Oui, merci.

Alvirah s'efforça de prendre le ton de sa patronne du mardi, Mme Stevens. Un peu bêcheur, mais gentil.

À la minute où la porte se referma derrière la femme de chambre, elle se précipita pour sortir son magnétophone d'une pochette volumineuse. Le journaliste du *New York Globe* lui avait appris comment le faire fonctionner. Elle s'installa sur le divan du living-room et commença :

« Bon. Me voilà arrivée à l'institut de remise en forme de Cypress Point, et croyez-moi, c'est plutôt bath ! Pour mon premier enregistrement, je voudrais commencer par remercier M. Evans pour la confiance qu'il m'a faite. Quand il nous a interviewés, Willy et moi, après qu'on a gagné à la loterie, je lui ai avoué que le rêve de ma vie était d'aller à Cypress Point, et il a dit que j'avais le sens du spectaculaire et que les lecteurs du *Globe* adoreraient lire mes commentaires sur les activités d'un établissement thermal de luxe.

« Il a dit que le genre de personnes que j'allais rencontrer seraient à cent lieues d'imaginer que je puisse être journaliste et que j'entendrais un tas de trucs intéressants. Quand j'ai expliqué que j'avais toujours été une vraie fan des vedettes de cinéma, et que j'en savais un paquet sur leurs vies privées, il a dit que je pourrais écrire une série d'articles et, qui sait, peut-être un livre. »

Alvirah sourit béatement et tira sur sa robe violet et rose.

« Un livre, continua-t-elle, s'efforçant de parler dans le micro. Moi, Alvirah Meehan ! Mais quand vous pensez à toutes les célébrités qui écrivent des livres sans le moindre intérêt, je crois que j'en suis capable.

« Pour commencer par le début, je suis arrivée dans une limousine avec Elizabeth Lange. C'est une ravissante jeune femme et elle m'a fait pitié. Elle avait un regard triste, et semblait épuisée. Elle a dormi pratiquement pendant tout le trajet depuis San Francisco. Elizabeth est la sœur de Leila LaSalle, mais elle ne lui ressemble pas. Leila était rousse avec des yeux verts. Elle pouvait être sexy et en même temps avoir l'air d'une reine – un mélange de Dolly Parton et de Greer Garson. Une grande fille toute simple, c'est comme ça que je définirais Elizabeth Lange.

« Elle est un peu trop mince, avec des épaules larges, de grands yeux bleus bordés de cils noirs, et des cheveux couleur de miel qui tombent en vagues sur ses épaules. Elle a de belles dents, et la seule fois où elle a souri, son expression révélait une grande gentillesse. Elle est très grande – un mètre soixante-dix-huit, je suppose. Je parie qu'elle chante. Elle a une voix très agréable, non ce ton étudié que prennent toutes les jeunes starlettes. Je suppose qu'on ne les appelle plus des starlettes. Si j'arrive à me lier avec elle, elle me racontera peut-être

62

des choses intéressantes sur sa sœur et Ted Winters. Je me demande si le *Globe* aimerait que je suive le procès. »

Alvirah s'arrêta, rembobina la bande. L'appareil marchait à merveille. Elle devait sans doute dire un mot sur le décor environnant.

« Mme von Schreiber m'a accompagnée jusqu'à mon bungalow. J'ai failli éclater de rire quand elle a appelé ça un bungalow. Willy et moi avions l'habitude de louer un bungalow à Rockaway Beach, tout près du parc d'attractions. Les murs tremblaient à chaque fois que les montagnes russes amorçaient leur dernière descente, c'est-à-dire toutes les cinq minutes pendant l'été.

« Mon bungalow comprend un salon tendu de chintz bleu pâle et dont le sol est recouvert d'une quantité de tapis d'Orient… ils sont faits à la main – j'ai vérifié… –, une chambre avec un lit à baldaquin, un petit secrétaire, un fauteuil à bascule, une commode, une coiffeuse remplie de cosmétiques et de lotions, et deux énormes salles de bains, chacune avec son propre jacuzzi. Il y a aussi une pièce avec des étagères encastrées, un canapé de vrai cuir, des fauteuils et une table ovale. Au premier étage, il y a encore deux chambres et deux salles de bains, dont je n'ai aucun besoin. Le Luxe ! Je me pince pour y croire.

« La baronne von Schreiber m'a dit que la journée commence à 7 heures du matin par une petite marche rapide à laquelle tout le monde participe. Après quoi on me servira un petit déjeuner basses calories dans ma salle à manger privée. La femme de chambre m'apportera aussi mon emploi du temps quotidien, qui comporte : soins du visage, massage, enveloppement d'algues, boues chaudes – je me demande ce que c'est –, bain de vapeur, séance de pédicure, manucure, soins pour les cheveux. Imaginez ! Après un examen médical, on ajoutera les exercices physiques.

« Pour l'instant, je vais prendre un peu de repos avant de m'habiller pour le dîner. Je mettrai la robe longue couleur arc-en-ciel que j'ai achetée chez Martha sur Park Avenue. Je l'ai montrée à la baronne qui l'a trouvée parfaite, mais elle m'a conseillé de ne pas porter les perles de cristal que j'ai gagnées au stand de tir à Coney Island. »

Alvirah arrêta le magnétophone avec un sourire satisfait. Qui racontait qu'écrire était difficile ? C'était un jeu d'enfant avec un appareil enregistreur. Elle allait oublier ! Elle se leva d'un bond et prit dans un compartiment de la pochette une petite boîte qui renfermait une broche en forme de soleil.

Pas une broche ordinaire, se dit-elle fièrement. Celle-là avait un micro à l'intérieur, et le rédacteur lui avait suggéré de la porter en permanence sur elle afin d'enregistrer les conversations. « Ainsi, avait-il expliqué, personne ne pourra vous reprocher par la suite d'avoir déformé leurs propos. »

7

– Désolé de vous importuner, Ted, mais nous ne pouvons nous offrir le luxe de prendre trop de temps.

Henry Bartlett se renfonça dans son fauteuil au bout de la table de travail.

Ted sentit une veine battre contre sa tempe gauche, des élancements douloureux cogner à un point précis derrière son œil. Il bougea la tête pour éviter les derniers rayons du soleil qui perçaient à travers la fenêtre en face de lui.

Ils se trouvaient dans le petit salon du bungalow de Ted, l'un des pavillons les plus coûteux de Cypress Point. Craig était assis en face de lui, le visage sévère, ses yeux noisette assombris par l'inquiétude.

Henry avait voulu les réunir avant le dîner. « Le temps nous est compté, avait-il dit, et nous ne pouvons aller plus loin avant d'avoir établi une stratégie. »

Vingt ans de prison, pensa Ted sans pouvoir y croire. C'était la peine qui l'attendait. Il aurait cinquante-quatre ans lorsqu'il en sortirait. Tous les vieux films policiers qu'il aimait regarder tard le soir lui revinrent en mémoire. Barreaux de fer, matons, James Cagney dans le rôle du meurtrier enragé… Il s'en délectait.

– Nous avons deux solutions, dit Henry Bartlett. Nous pouvons nous en tenir à notre récit initial…

– Mon récit initial, rectifia sèchement Ted.

– Laissez-moi parler! Vous avez quitté l'appartement de Leila vers 21 h 10. Vous êtes retourné chez vous. Vous avez essayé de téléphoner à Craig. (Il se tourna vers Craig.) C'est vraiment navrant que vous n'ayez pas répondu.

– Je regardais une émission qui m'intéressait particulièrement. J'avais branché le répondeur avec l'intention de rappeler plus tard les personnes qui auraient laissé un message. Et je peux jurer que le téléphone a sonné à 21 h 20, à l'heure exacte où Ted dit avoir appelé.

– Pourquoi n'avez-vous pas laissé de message, Ted?

– Parce que je déteste parler à des machines, et à cette machine en particulier.

Ses lèvres se serrèrent. La détestable habitude qu'avait Craig de prendre la voix d'un valet de chambre japonais sur son répondeur le rendait fou, même si c'était une imitation épatante. Craig était capable d'imiter n'importe qui. Il aurait fait un malheur s'il avait exploité ce don.

– Au fait, pour quelle raison téléphoniez-vous à Craig?

– Je ne sais pas exactement. J'étais saoul. Il me semble que je voulais lui annoncer mon intention de quitter New York pour quelque temps.

– Ça ne nous avance guère. Et il est probable que cela ne nous aurait pas davantage aidés si vous lui aviez parlé. Sauf s'il pouvait affirmer que vous étiez en train de lui téléphoner à 21 h 31 précises.

Craig frappa la table de sa main.

– Je le dirai. Je n'aime pas mentir sous la foi du serment, mais je n'ai pas envie de voir Ted expédié en prison pour un acte qu'il n'a pas commis.

– Trop tard. Vous avez déjà déposé. Si vous changez votre déposition maintenant, cela ne fera qu'aggraver la situation.

Bartlett parcourut rapidement les dossiers qu'il avait sortis de sa serviette. Ted se leva et marcha vers la fenêtre. Il avait projeté d'aller prendre de l'exercice dans la salle de gymnastique réservée aux hommes, mais Bartlett avait insisté pour tenir cette réunion. Il perdait déjà un peu de sa liberté.

Combien de fois était-il venu à Cypress Point avec Leila pendant les trois années qu'ils avaient vécues ensemble ? Huit ou dix probablement. Leila adorait cet endroit. Le caractère tyrannique de Min, les airs prétentieux du baron l'amusaient au plus haut point. Elle aimait se promener le long des falaises. «D'accord, Faucon, si tu n'as pas envie de m'accompagner, va faire ta sacro-sainte partie de golf et nous nous retrouverons plus tard dans ma chambre.» Son clin d'œil malicieux, le regard sensuel, les longs doigts minces qui couraient sur ses épaules. «Seigneur ! Faucon, tu me fais tourner la tête.» Les longues soirées où ils restaient enlacés sur le divan à regarder des films à la télévision. Elle murmurait : «Min pourrait mettre autre chose que ses foutus meubles anciens. Comment veut-elle que l'homme de ma vie s'occupe de moi là-dessus ?» C'était à Cypress Point qu'il avait découvert la Leila qu'il aimait ; la femme qu'elle voulait être.

Que disait Bartlett ?

– Soit nous tentons de contredire carrément Elizabeth Lange et le soi-disant témoin, soit nous essayons de tourner son témoignage à notre avantage.

– Et comment ?

Dieu ! je déteste ce type, pensa Ted. Regardez-le confortablement assis en face de moi, tranquille et à son aise. On dirait qu'il commente une partie d'échecs, et non le reste de ma vie. Une rage irrationnelle faillit l'étouffer. Il lui fallait sortir d'ici. Se trouver dans une pièce avec quelqu'un qu'il n'aimait pas lui donnait déjà une sensation de claustrophobie. Comment pourrait-il partager une cellule avec un autre homme pendant deux ou trois décennies ? C'était impossible. Simplement impossible.

– Vous n'avez aucun souvenir d'avoir hélé un taxi, du trajet jusque dans le Connecticut ?

– Aucun.

– Quel est votre dernier souvenir conscient de cette soirée ?

– J'étais resté avec Leila pendant plusieurs heures. Elle était hystérique, m'accusait de la tromper.

– C'était vrai ?

– Non.

– Alors pourquoi vous accusait-elle ?

– Leila était… terriblement peu sûre d'elle. Elle avait connu des expériences désastreuses avec les hommes et s'était convaincue qu'elle ne pouvait leur faire confiance. Je croyais lui avoir fait oublier ses inquiétudes en ce qui concernait nos relations, mais elle pouvait à tout moment être prise d'un accès de jalousie.

Cette scène dans l'appartement. Leila se précipitant sur lui, lui écorchant la figure ; ses accusations démentielles. Il lui avait pris les poignets pour la retenir. Qu'avait-il ressenti ? De la colère. De la rage. Et du dégoût.

– Vous avez essayé de lui rendre sa bague de fiançailles ?

– Oui, et elle l'a refusée.

– Qu'est-il arrivé ensuite ?

– Elizabeth a téléphoné. Leila s'est mise à sangloter au téléphone, à me crier de m'en aller. Je lui ai dit de raccrocher. Je voulais découvrir la vraie raison de cette crise. Je me suis vite rendu compte que c'était sans espoir et je suis parti. Je suis rentré chez moi. Je crois que j'ai changé de chemise. J'ai essayé d'appeler Craig. Je me souviens d'avoir quitté mon appartement. J'ai oublié tout le reste jusqu'au lendemain, quand je me suis réveillé dans le Connecticut.

– Teddy, vous rendez-vous compte de ce que va faire l'avocat général de votre histoire ? Connaissez-vous le nombre d'individus qui tuent dans un accès de rage, et traversent ensuite une période d'amnésie ? En ma qualité d'avocat, je dois vous dire une chose : cette histoire ne tient pas debout ! Ce n'est pas une défense. Bien sûr, s'il n'y avait pas Elizabeth Lange il n'y aurait aucun problème… Bon Dieu, il n'y aurait même pas de procès ! Je pourrais faire de la bouillie pour les chats de ce soi-disant témoin oculaire. C'est une malade, une véritable dingue. Mais si Elizabeth jure que vous étiez dans l'appartement en train de vous disputer avec Leila à 21 h 30, le témoignage de cette cinglée, qui affirme vous avoir vu pousser Leila par-dessus la terrasse à 21 h ? devient crédible.

– Que faire, alors? demanda Craig.

– Nous prenons le risque, dit Bartlett. Ted accepte la thèse d'Elizabeth. Il se souvient maintenant qu'il est remonté chez Leila. Elle était toujours hystérique. Elle a raccroché brusquement le téléphone et s'est précipitée sur la terrasse. Tous les gens présents chez Elaine's la veille au soir peuvent témoigner de son état émotionnel. Sa sœur admet qu'elle buvait. Elle était déprimée à cause de sa carrière. Elle avait décidé de rompre avec vous. Elle se sentait vidée, à bout. Elle ne serait pas la première à faire le grand saut.

Ted tressaillit. *Le grand saut.* Seigneur! tous les hommes de loi étaient-ils aussi insensibles? Il revit l'image du corps brisé de Leila; les photos brutales de la police. Une sueur froide couvrit tout son corps.

Mais Craig semblait confiant.

– Ça peut marcher. Le témoin aura vu Ted en train de lutter pour sauver Leila, et lorsqu'elle est tombée, Ted a tout oublié. C'est là que survient le choc émotionnel. Cela explique son comportement incohérent dans le taxi.

Ted fixa l'océan par la fenêtre. La mer était inhabituellement immobile, mais le vent ne tarderait pas à se lever. Le calme avant la tempête, pensa-t-il. En ce moment, nous discutons tranquillement. Dans neuf jours, je serai dans la salle du tribunal. *L'État de New York contre Andrew Edward Winters!!!*

– Il y a un hic dans votre belle démonstration, dit-il froidement. Si j'admets que je suis revenu chez Leila, que je l'ai suivie sur la terrasse, je me jette dans la gueule du loup. Supposons que le jury décide que j'avais l'intention de la tuer, et je me retrouve coupable d'homicide volontaire.

– C'est un risque que vous serez peut-être obligé de prendre.

Ted revint à la table, ramassa tous les dossiers de Bartlett et les fourra dans sa serviette. Il avait un sourire mauvais.

– Je ne suis pas certain de pouvoir prendre ce risque. Il doit exister une meilleure solution, et j'ai l'intention de la trouver, quoi qu'il m'en coûte. *Je n'irai pas en prison!*

8

Minna poussa un long soupir.

– Ça fait du bien. Tu es le meilleur masseur que je connaisse.

Helmut se pencha et l'embrassa sur la joue.

– *Liebchen*, j'aime te caresser, ne serait-ce que pour décontracter les muscles de tes épaules.

Ils se trouvaient dans leur appartement privé, qui occupait tout le deuxième étage de la maison principale. Vêtue d'un ample kimono, Min était assise devant sa coiffeuse. Elle avait détaché ses lourds cheveux qui lui retombaient dans le dos. Elle examina son reflet dans le miroir. Elle n'avait rien d'une publicité pour un centre de remise en forme, aujourd'hui. Ces cernes – quand s'était-elle fait retendre la peau autour des yeux ? Cinq ans ? Difficile d'accepter la réalité. Elle avait cinquante-neuf ans. Jusqu'à l'an dernier on lui en donnait dix de moins. Pas plus.

Helmut lui souriait dans la glace. Il posa son menton sur sa tête. Ses yeux avaient ce bleu particulier qui lui rappelait les eaux de l'Adriatique près de Dubrovnik, où elle était née. Il n'y avait pas une ride sur ce long visage distingué au teint parfaitement bronzé, pas un fil gris sur ses tempes. Helmut avait quinze ans de moins qu'elle. Pendant les premières années de leur mariage, cela importait peu. Mais aujourd'hui ?

Elle l'avait rencontré aux thermes de Baden-Baden, après la mort de Samuel. Les cinq années passées au chevet de ce vieil emmerdeur avaient été payantes. Il lui avait laissé douze millions de dollars et cette propriété.

Elle n'avait pas été dupe des soudaines attentions d'Helmut à son égard. Aucun homme ne tombe amoureux d'une femme de quinze années son aînée sans raison particulière. Au début, elle s'était laissé courtiser avec cynisme, mais il n'avait pas mis deux semaines à la séduire et à la convaincre de transformer l'hôtel de

Cypress Point en institut de remise en forme... Elle avait engagé des sommes exorbitantes, qu'Helmut la pressait de considérer comme un investissement. Le jour de l'ouverture, il lui avait demandé de l'épouser.

Elle soupira.

– Qu'y a-t-il, Minna ?

Depuis combien de temps se regardaient-ils dans la glace ?

– Tu le sais très bien.

Il se pencha et l'embrassa sur la joue.

Qu'on le croie ou non, ils avaient été heureux ensemble. Elle n'avait jamais osé lui dire combien elle l'aimait, craignant instinctivement de lui donner une arme, guettant le moindre signe de lassitude de sa part. Mais il ignorait les jeunes femmes qui tournaient autour de lui. Seule Leila avait paru l'éblouir, seule Leila l'avait rendue malade d'angoisse.

Peut-être s'était-elle trompée. À l'en croire, Helmut n'aimait pas Leila, il la détestait même. Leila s'était toujours montrée méprisante avec lui – mais Leila se montrait méprisante avec tous les hommes qu'elle connaissait...

Les ombres s'allongeaient dans la pièce. La brise de mer s'était soudainement rafraîchie. Helmut prit Min par les coudes.

– Repose-toi un peu. Tu vas avoir une carte difficile à jouer dans moins d'une heure.

Min s'accrocha à sa main.

– Helmut, comment crois-tu qu'elle va réagir ?

– Très mal.

– Ne me dis pas ça, gémit-elle. Helmut, tu sais ce que j'essaye de faire, c'est notre seule chance.

9

À dix-neuf heures, le carillon annonça l'heure du cock-tail, et les abords de la résidence s'animèrent. Seuls, par couples, par groupes de trois ou quatre, vêtus d'élégantes tenues du soir, tuniques longues et blazers, les hôtes de Cypress Point gagnèrent la véranda éclairée de lumières tamisées où des serveurs en uniforme beige et bleu servaient des canapés et des cocktails sans alcool.

Elizabeth décida de porter une combinaison de soie vieux rose serrée par une large ceinture rouge, que lui avait offerte Leila pour son anniversaire. Le billet qui avait accompagné ce cadeau restait épinglé à l'intérieur de sa valise, comme un talisman. Leila avait écrit : *La route est longue de mai à décembre. Tout mon amour et un heureux anniversaire à ma petite sœur Capricorne de la part de son vieux Taureau.*

Curieusement, porter cet ensemble, relire ce billet aidèrent Elizabeth à quitter son bungalow et à s'engager dans l'allée qui menait à la résidence. Elle arbora un sourire en apercevant quelques-uns des habitués. Mme Lowell, de Boston, fervente cliente de Min depuis l'ouverture ; la comtesse d'Aronne, fragile vieille dame qui commençait à accuser ses soixante-dix ans. Veuve à dix-huit ans, après l'assassinat de son premier mari, elle s'était remariée quatre fois depuis, mais réclamait après chaque divorce l'autorisation auprès des tribunaux français de reprendre son titre.

– Tu es superbe. C'est moi qui ai aidé Leila à choisir cette combinaison dans une boutique de Rodeo Drive.

La voix de Min résonnait à ses oreilles, le bras de Min s'emparait du sien. Elizabeth se sentit propulsée en avant. L'odeur de la mer se mêlait au parfum des roses. Des voix animées et des rires bourdonnaient autour d'elle sur la véranda. Serber jouait le *Concerto pour violon en mi mineur* de Mendelssohn dans le salon de musique. Leila aurait tout lâché pour assister à un concert de Serber.

Un serveur lui présenta les boissons – du vin sans alcool ou des cocktails de fruits. Elle choisit un verre de vin non alcoolisé. Leila se moquait volontiers du régime draconien imposé par Min. *Écoute, Moineau, la moitié des gens qui viennent dans cette boîte sont des alcooliques notoires. Ils emportent tous leur bouteille dans leurs bagages, mais sont malgré tout obligés de réduire considérablement leur consommation. Si bien qu'ils perdent du poids, et Min en attribue tout le mérite à la cure. Je te parie que le baron garde sa cuvée personnelle dans son bureau !*

J'aurais dû aller à East Hampton, se dit Elizabeth. N'importe où. N'importe où, sauf ici. Elle avait l'impression que la présence de Leila l'envahissait, comme si sa sœur essayait de l'atteindre...

– Elizabeth. (Min semblait nerveuse.) La comtesse te parle.

– Je suis confuse.

Elizabeth saisit la main aristocratique qui se tendait vers elle.

La comtesse lui adressa un sourire chaleureux.

– J'ai vu votre dernier film. Vous avez un talent d'actrice certain, *ma chérie*.

La comtesse d'Aronne était assez fine pour sentir qu'Elizabeth n'avait pas envie de parler de Leila.

– J'ai eu de la chance, c'était un beau rôle. (Ses yeux s'agrandirent soudain.) Min, ce sont bien Syd et Cheryl dans l'allée, n'est-ce pas ?

– Oui. Ils ont téléphoné ce matin. J'ai oublié de t'en parler. Leur présence ne t'ennuie pas, j'espère ?

– Bien sûr que non. C'est seulement...

Sa voix hésita. Elle se souvenait encore avec embarras de la façon dont Leila avait humilié Syd au cours de la fameuse soirée chez Elaine's. Syd avait fait de Leila une star. Qu'importaient les erreurs des dernières années, elles comptaient peu en comparaison de tous les rôles qu'il lui avait obtenus...

Elizabeth se raidit inconsciemment. D'un autre côté, Syd avait gagné une fortune sur les cachets de Leila. Cheryl avait tout essayé pour reprendre Ted. Si seulement elle était parvenue à ses fins, pensa Elizabeth, Leila serait peut-être encore en vie...

Ils l'avaient aperçue. L'un comme l'autre eurent l'air aussi surpris qu'elle. La comtesse murmura :

– Pas cette affreuse petite cocotte de Cheryl Manning...

Ils montaient les dernières marches. Elizabeth observa Cheryl sans parti pris. Ses cheveux formaient un halo des plus seyants autour de son visage. Ils lui semblèrent beaucoup plus sombres qu'à leur dernière rencontre. Leur dernière rencontre ? C'était aux obsèques de Leila.

Elizabeth dut se rendre à l'évidence : Cheryl n'avait jamais paru plus belle. Son sourire était éblouissant ; son célèbre regard couleur d'ambre se fit caressant. La façon dont elle accueillit Elizabeth aurait trompé un observateur non averti.

– Elizabeth, ma chérie, je n'aurais jamais rêvé te retrouver ici, c'est merveilleux ! Comment s'est passé le tournage ?

Puis ce fut au tour de Syd. Syd, avec son regard cynique et sa mine d'enterrement. Elle savait qu'il avait mis un million de dollars de sa poche dans la pièce de Leila – de l'argent qu'il avait probablement emprunté. Leila l'appelait le Trafiquant. *Bien sûr, il se défonce pour moi, Moineau, mais c'est parce que je lui rapporte un paquet de fric. Le jour où je cesserai de représenter un capital pour lui, il marchera sur mon cadavre.*

Un frisson glacé la parcourut en sentant le baiser de pure forme que Syd déposait sur sa joue.

– Tu es magnifique ; je vais être obligé de te piquer à ton agent. Je ne m'attendais pas à te revoir avant la semaine prochaine.

La semaine prochaine. Bien sûr. La défense allait sans doute se servir de Cheryl et de Syd pour témoigner de l'état émotionnel de Leila, le soir où ils s'étaient tous retrouvés chez Elaine's.

– Tu es venue remplacer une des monitrices de gym ? interrogea Cheryl.

– Elizabeth est ici parce que je l'ai invitée, intervint sèchement Min.

Elizabeth se demanda pourquoi Min semblait tellement nerveuse. Elle jetait des regards inquiets autour d'elle, et sa main agrippait le coude d'Elizabeth comme si elle craignait de la perdre.

On offrit des boissons aux nouveaux arrivants. La comtesse et ses amis vinrent peu à peu se joindre à eux. L'animateur d'une célèbre émission de TV salua cordialement Syd.

– La prochaine fois que tu nous refiles un de tes clients, fais en sorte qu'il ne soit pas ivre.

– Il est toujours ivre.

Puis elle entendit une voix familière derrière elle, une voix stupéfaite :

– Elizabeth, quelle surprise !

Elle se retourna et sentit les bras de Craig l'entourer – les bras forts, sûrs, de l'homme qui s'était rué chez elle quand il avait entendu le flash des informations, qui s'était tenu à ses côtés dans l'appartement de Leila, la soutenant pendant qu'elle sanglotait, qui l'avait aidée à répondre aux questions de la police, avait fini par retrouver Ted...

Elle avait revu Craig trois ou quatre fois dans l'année. Il était passé la voir pendant qu'elle tournait un film.

– Je ne peux pas me trouver dans la même ville que toi sans venir t'embrasser.

Malgré leur volonté tacite d'éviter de parler du procès, ils ne passaient jamais un dîner sans y faire allusion. C'était par Craig qu'elle avait appris que Ted séjournait à Maui, qu'il était devenu terriblement irritable, ne s'occupait pratiquement plus de ses affaires et ne voyait plus ses amis. C'était Craig, inévitablement, qui lui avait posé la question : « En es-tu vraiment certaine ? »

À leur dernière rencontre, elle s'était écriée : « Comment peut-on être tout à fait certain de quelque chose ou de quelqu'un ? » et elle lui avait demandé de ne plus venir la voir jusqu'à la fin du procès. « Je sais vers qui ta fidélité te porte. »

Mais que signifiait sa présence à Cypress Point ? Elle aurait cru qu'il serait avec Ted pour la préparation du procès. C'est alors qu'elle *le* vit qui gravissait les marches de la véranda.

Elle sentit sa bouche se dessécher, ses jambes flageoler ; son cœur battait si fort qu'elle l'entendait lui marteler les oreilles. Elle était tant bien que mal parvenue à effacer son image de son esprit, et il restait toujours indistinct dans ses cauchemars – elle ne voyait que les mains meurtrières en train de pousser Leila par-dessus la rambarde, les yeux sans pitié qui la regardaient tomber...

Il avait toujours la même prestance. Andrew Edward Winters III, ses cheveux bruns que soulignait la veste blanche, ses traits vigoureux, réguliers, son teint bronzé par son exil volontaire à Maui.

L'indignation et la haine donnèrent à Elizabeth l'envie de se jeter sur lui, de le pousser en bas des marches comme il avait poussé Leila, de griffer ce beau visage comme l'avait griffé Leila dans un effort pour lui échapper. Un goût amer lui emplit la bouche et elle dut refréner la nausée qui lui montait aux lèvres.

– Regardez qui est là ! s'exclama Cheryl.

En un clin d'œil, bousculant les gens autour d'elle, son écharpe de soie rouge flottant derrière elle, elle s'élança dans les bras de Ted.

Transformée en statue, Elizabeth les dévisagea. Elle avait l'impression de regarder dans un kaléidoscope. Des fragments épars de couleurs et d'impressions tournoyaient devant elle. Le blanc de la veste de Ted ; le rouge de la robe de Cheryl ; les cheveux bruns de Ted ; ses longues mains bien dessinées qui tenaient les épaules de Cheryl tout en cherchant à l'écarter de lui.

À l'audience, elle l'avait frôlé en passant devant lui, furieuse de s'être laissé abuser par son numéro de fiancé frappé par le désespoir. Il avait levé la tête et l'avait vue. La consternation s'était peinte sur son visage – à moins que ce fût encore de la comédie. Détachant son bras des doigts de Cheryl, il monta les dernières marches. Incapable de faire un mouvement, elle était vaguement consciente du silence soudain de l'assistance autour d'eux, des murmures et des rires de ceux, plus loin, qui ne s'étaient encore rendu compte de rien, des derniers accords du violon, des effluves fleuris mêlés à l'odeur de la mer qui montaient jusqu'à eux.

Il semblait vieilli. Les rides apparues à l'époque de la mort de Leila s'étaient creusées et marquaient profondément son visage. Leila l'avait tant aimé, et il l'avait tuée ! Une bouffée de haine lui monta au cœur. Le chagrin intolérable, l'affreuse sensation de perte, le remords qui la minait comme un cancer parce qu'elle avait fait défaut à Leila au dernier moment. Cet homme en était la cause.

– Elizabeth…

Comment osait-il lui parler ? Brusquement tirée de son

immobilité, elle pivota sur elle-même, traversa la véranda en vacillant et pénétra dans le hall d'entrée. Elle entendit un cliquetis de talons derrière elle. Min l'avait suivie. Elizabeth se tourna vers elle avec violence.

– Va au diable, Min. Qui crois-tu duper ?

– Viens par ici. (Min désignait le salon de musique d'un signe de tête. Elle ne parla pas avant d'avoir refermé la porte derrière elles.) Elizabeth, je sais ce que je fais.

– Ah oui ?

Avec le sentiment aigu d'avoir été trahie, Elizabeth regarda Min droit dans les yeux. Elle comprenait la raison de sa nervosité, à présent. Elle qui paraissait savoir se dominer en toute occasion, qui donnait l'image d'une femme capable de résoudre tous les problèmes, elle tremblait comme une feuille.

– Elizabeth, lorsque je t'ai rencontrée à Venise, tu m'as toi-même avoué que quelque chose au fond de toi ne parvenait pas à croire Ted capable de tuer Leila. Je me fous des apparences. Je le connais depuis plus longtemps que toi – des années de plus… Tu te trompes. N'oublie pas que j'étais aussi chez Elaine's ce soir-là. Écoute, Leila avait perdu les pédales. Ni plus ni moins. Et tu le sais ! Tu dis avoir mis ton réveil à l'heure, le lendemain. Tu étais très inquiète. Es-tu tellement infaillible pour être certaine de l'avoir remis à l'heure exacte ? Au moment où Leila t'a appelée, juste avant de mourir, étais-tu en train de regarder l'heure ? Essaye de voir Ted comme un être humain, non comme un monstre. Souviens-toi de tout ce qu'il a fait pour Leila.

L'exaltation empourprait le visage de Min. Sa voix forte, véhémente, retentissait dans la pièce. Elle prit Elizabeth par le bras.

– Tu es l'un des êtres les plus sincères que je connaisse. Depuis que tu es enfant, tu as toujours dit la vérité. Peux-tu envisager froidement qu'une erreur de ta part aura pour conséquence d'envoyer Ted pourrir en prison pour le reste de sa vie ?

Le son mélodieux du carillon résonna à travers la pièce. Le dîner allait être servi. Elizabeth força Min à la relâcher, revoyant sans raison le geste de Ted repoussant Cheryl quelques minutes auparavant.

– Min, la semaine prochaine, des jurés vont décider lequel d'entre nous dit la vérité. Tu crois pouvoir tout diriger, mais tu n'es pas dans ton élément cette fois-ci... Demande qu'on m'appelle un taxi.

– Elizabeth, tu ne peux pas partir !

– Vraiment ? As-tu un numéro où je puisse joindre Sammy ?

– Non.

– Quand exactement doit-elle revenir ?

– Demain soir après dîner. (Min joignit les mains.) Elizabeth, je t'en prie.

Elizabeth entendit la porte s'ouvrir derrière elles. Elle se retourna brusquement. Helmut se tenait dans l'embrasure. Il s'avança, posa sa main sur son bras.

– Elizabeth. (Sa voix était douce, pressante.) J'ai voulu prévenir Minna. Elle avait le fol espoir qu'en revoyant Ted, tu te souviendrais des jours heureux, de son amour pour Leila. Je l'ai suppliée de n'en rien faire. Ted est aussi bouleversé que toi.

– Il peut l'être ! Laisse-moi, s'il te plaît !

Le ton d'Helmut se fit encore plus apaisant.

– Elizabeth, c'est le Labor Day, la semaine prochaine. La région sera bourrée de touristes, d'étudiants qui viennent profiter des derniers jours avant la reprise des cours. Tu ne trouveras pas une seule chambre dans les alentours. Reste ici. Attends le retour de Sammy demain soir. Ensuite, tu pourras partir s'il le faut.

Il avait raison, pensa Elizabeth. Carmel et Monterey étaient La Mecque du tourisme pendant les derniers jours d'août.

– Elizabeth, je t'en prie, implorait Min. J'ai été idiote. Je pensais, je croyais que si tu voyais Ted... non pas au tribunal, mais ici... je regrette.

Elizabeth sentit la colère la quitter, une sensation de vide, de lassitude extrême, la remplacer. Min était Min. On ne la changerait pas. Elle se souvint du temps où elle avait expédié Leila contre son gré à un casting pour des annonces de produits de beauté. Min s'était mise en colère :

– Écoute, Leila, ne me raconte pas qu'ils n'ont rien à en faire. Vas-y. Impose-toi. Tu es exactement le modèle qu'ils recherchent. C'est à toi de forcer la chance dans ce métier.

Leila avait emporté le morceau et elle était devenue le modèle exclusif de cette société de cosmétiques pendant les trois années suivantes.

Elizabeth haussa les épaules.

– Dans quelle salle à manger doit dîner Ted ?

– La salle Cypress, répondit Helmut avec optimisme.

– Syd et Cheryl ?

– La même.

– Et moi ?

– Nous avions l'intention de t'inviter à la même table que nous. Mais la comtesse aimerait que tu te joignes à elle et à ses amis.

– Très bien. Je resterai jusqu'à l'arrivée de Sammy.

Elizabeth lança un regard dur à Min qui retint un mouvement de recul.

– Min, c'est à moi de te prévenir maintenant, dit-elle. Ted est l'homme qui a assassiné ma sœur. N'essaye pas d'arranger une autre rencontre « accidentelle » entre lui et moi.

10

Cinq ans auparavant, pour tenter de résoudre les dissensions entre fumeurs et non-fumeurs, Min avait séparé la spacieuse salle à manger en deux par une cloison vitrée. La salle Cypress était réservée aux non-fumeurs ; la salle Océan accueillait les deux. Chacun s'installait à sa guise, excepté les invités priés de partager la table d'Helmut et de Min.

Lorsque Elizabeth apparut sur le seuil de la porte, la comtesse d'Aronne lui fit signe de la rejoindre. Elle se rendit immédiatement compte que ses regards porteraient sur la table de Min dans l'autre pièce, et ce fut avec un sentiment de déjà vu qu'elle les aperçut tous assis ensemble : Min, Helmut, Syd, Cheryl, Ted, Craig.

Les deux autres personnes à la table de Min étaient Mme Meehan, la gagnante de la loterie, et un homme d'un certain âge à l'air distingué. À plusieurs reprises, elle surprit son regard posé sur elle.

Elle ne sut comment elle parvint à terminer sa côtelette et sa salade, ni à soutenir la conversation avec la comtesse et ses amis. Comme attirée par un aimant, elle se surprit à plusieurs reprises en train de regarder Ted.

La comtesse ne manqua pas de s'en apercevoir.

– C'est un très bel homme, en dépit de tout, n'est-ce pas ? Oh, je suis navrée, ma chérie. Je m'étais promis de ne pas y faire allusion. Mais je ne peux vous cacher que je connais Ted depuis sa plus tendre enfance. Ses grands-parents l'amenaient souvent ici, quand cet endroit était un hôtel.

Comme toujours, Ted était le centre de l'attention générale. Il y avait une aisance parfaite dans chacun de ses mouvements, dans sa manière de pencher aimablement la tête vers Mme Meehan, de sourire à ceux qui venaient le saluer à sa table, de laisser Cheryl glisser sa main dans la sienne, puis de se dégager sans avoir l'air de rien. Ce fut avec soulagement qu'elle le vit quitter la table de bonne heure accompagné de Craig et de l'autre homme.

Elle ne s'attarda pas pour le café servi dans le salon de musique. Elle préféra sortir discrètement sur la véranda et prendre l'allée qui menait à son bungalow. La brume s'était levée et les étoiles criblaient le ciel. Le grondement du ressac couvrait les faibles accents du violoncelle. Il y avait toujours un programme musical après dîner.

Un sentiment profond de solitude submergea Elizabeth, une indéfinissable tristesse que n'expliquaient pas entièrement la mort de Leila, la présence incongrue de ces gens qui avaient fait partie de sa vie. Syd, Cheryl, Min. Elle les connaissait tous depuis l'âge de dix-huit ans, quand elle était l'inséparable petite sœur. Le baron, Craig, Ted.

Ils évoquaient des souvenirs lointains, ces hommes et ces femmes qu'elle avait considérés comme de proches amis et qui serreraient les rangs contre elle aujourd'hui, qui sympathisaient avec le meurtrier de Leila, témoigneraient pour lui à New York...

Quand elle atteignit son bungalow, Elizabeth eut une minute d'hésitation et décida de rester un moment dehors. Le mobilier de la véranda était confortable – une balancelle capitonnée et des chaises longues assorties. Elle s'assit à un bout de la balancelle et la fit doucement osciller, contemplant les lumières de la grande maison dans la demi-obscurité, songeant dans le calme de la nuit à ce groupe si étrangement rassemblé ce soir.

Rassemblé à la demande de qui ?

Et pourquoi ?

11

– Pour un dîner de neuf cents calories, ce n'était pas si mauvais.

Henry Bartlett revint de son bungalow avec une élégante mallette de cuir qu'il déposa sur la table dans le petit salon de Ted. Il l'ouvrit, découvrant un mini-bar portatif, et en sortit la bouteille de Courvoisier et des verres à cognac.

– Messieurs ?

Craig accepta d'un signe de tête. Ted refusa.

– Je croyais que vous connaissiez le règlement de l'établissement : « Pas d'alcool. »

– Quand je – préférez-vous que je dise vous ? – paye plus de sept cents dollars par jour, c'est moi qui décide ce que je peux boire ou non.

Il remplit généreusement les deux verres, en tendit un à Craig et marcha jusqu'à la grande porte vitrée coulissante. Une pleine lune laiteuse et une nuée d'étoiles scintillantes éclairaient la masse noire de l'Océan ; le grondement des vagues attestait de la force du ressac.

– Je n'ai jamais compris pourquoi Balboa avait appelé cette mer l'océan Pacifique, fit remarquer Bartlett. (Il se tourna vers Ted.) Retrouver Elizabeth Lange ici pourrait être la chance de votre vie. C'est une fille intéressante.

Ted attendit. Craig tournait le pied de son verre dans sa main. Bartlett prit l'air pensif.

– Intéressante à plusieurs titres, et plus particulièrement pour une chose qu'aucun de vous n'a remarquée. Toute la gamme possible d'expressions s'est imprimée sur son visage au moment où elle vous a vu, Teddy. Tristesse. Hésitation. Haine… Elle a beaucoup réfléchi et mon impression est qu'elle est arrivée à la conclusion que cette histoire n'est pas claire.

– Vous ne savez pas de quoi vous parlez, dit froidement Craig.

Henry ouvrit la porte coulissante. Le fracas de l'Océan le fit tressaillir.

– Vous entendez ça ? s'exclama-t-il. Pas facile de se concentrer avec un bruit pareil ! Écoutez, je suis payé une fortune pour sortir Ted de ce pétrin. L'une des meilleures façons d'y parvenir est de connaître les éléments qui nous sont favorables et ceux qui jouent contre nous.

Un courant d'air frais l'interrompit. Il referma brusquement la porte et revint à la table.

– La disposition des tables m'a permis d'apprendre pas mal de choses, ce soir. J'ai passé une bonne partie du dîner à examiner Elizabeth Lange. Un visage expressif en dit long. Elle ne vous a pas quitté des yeux, Teddy. S'il est une femme prise dans le dilemme amour-haine, c'est bien elle. Maintenant mon boulot est de trouver comment nous pouvons faire jouer cet élément en votre faveur.

12

Syd raccompagna Cheryl jusqu'à son bungalow. Elle était anormalement silencieuse. Il savait que ce dîner avait été une épreuve pour elle. Elle ne s'était jamais remise d'avoir été plaquée par Ted. Et ce soir, elle avait dû se sentir ulcérée de constater que, même sans Leila, Ted ne faisait pas attention à elle. Curieusement, la gagnante de la loterie avait fait diversion. Alvirah Meehan savait tout sur les séries télévisées, et elle lui avait déclaré qu'elle était parfaite pour le rôle d'Amanda. « Vous savez comment il vous arrive d'imaginer une vedette dans un rôle, avait-elle dit. J'ai lu *Till Tomorrow* quand c'est sorti en livre de poche et j'ai dit : "Willy, ça ferait un formidable feuilleton à la télévision, et s'il y a une personne au monde pour le rôle d'Amanda, c'est Cheryl Manning." » Bien sûr, il était regrettable qu'elle eût ajouté plus tard que Leila était son actrice préférée.

Le long des allées, les lanternes japonaises jetaient des ombres sur les cyprès. La nuit était étoilée, mais le temps allait changer si l'on en croyait la météo, et l'on sentait déjà dans l'air cette pointe d'humidité qui annonçait l'habituel brouillard de la péninsule de Monterey. Contrairement à ceux qui considéraient Pebble Beach comme le paradis sur terre, Syd s'était toujours senti mal à l'aise au milieu des cyprès, avec leurs formes bizarrement tordues. Pas étonnant qu'un poète les eût comparés à des fantômes. Il frissonna.

Il prit naturellement le bras de Cheryl au moment où ils quittaient l'allée principale pour se diriger vers son bungalow. Il espéra qu'elle allait parler, mais elle n'ouvrit pas la bouche. De toute façon, il avait suffisamment supporté sa mauvaise humeur pour la journée ; mais alors qu'il s'apprêtait à lui dire bonsoir, elle l'interrompit :

— Entre un moment.

Étouffant un bougonnement, il la suivit. Elle n'était pas près de lui ficher la paix.

— Où as-tu planqué la vodka ? demanda-t-il.

— Dans mon coffret à bijoux. C'est le seul endroit où ces crétines de femmes de chambre ne fouinent pas.

Elle lui lança la clé et s'installa sur le divan recouvert d'un satin à rayures. Il servit deux vodkas avec des glaçons et prit place en face d'elle, sirotant son verre, la regardant tremper ses lèvres dans le sien avec affection. Elle finit par le regarder en face.

— Que penses-tu de la soirée ?

— Peux-tu préciser le sens de ta question ?

Elle lui jeta un regard méprisant.

– Ne fais pas l'andouille. Quand Ted ne se surveille pas, il a l'air d'un zombie. Il est évident que Craig est mort d'angoisse. Min et le baron ont l'air d'une paire de funambules sur une corde glissante. Cet avocat n'a pas quitté Elizabeth des yeux, et elle n'a cessé de lorgner notre table pendant tout le dîner. J'ai toujours pensé qu'elle en pinçait pour Ted. Quant à cette idiote de gagnante de la loterie, si Min me place à côté d'elle demain soir, je l'étrangle !

– Sois un peu raisonnable, nom de Dieu ! Tu vas sans doute obtenir le rôle. Parfait. Il reste toujours le risque que la série ne voie jamais le jour. Un petit risque, je te l'accorde, mais un risque quand même. Dans ce cas, tu auras besoin d'un rôle au cinéma. Ce n'est pas ça qui manque, mais les films ont besoin de subventions. Cette bonne femme peut investir un maximum de fric. Continue à lui faire du charme.

Cheryl plissa les yeux.

– Ted pourrait accepter de financer un film pour moi. Il m'a lui-même dit qu'il trouvait injuste de m'avoir collé cette pièce sur le dos, l'an dernier.

– Écoute-moi bien : Craig est beaucoup plus prudent que Ted. Et si Ted va en prison, c'est lui qui dirigera la boîte. Autre chose. Tu es folle de croire qu'Elizabeth est amoureuse de Ted. Si c'était vrai, pourquoi voudrait-elle l'expédier en tôle ? Elle n'a qu'une chose à faire, dire qu'elle s'est trompée sur l'heure et que Ted a toujours été merveilleux avec Leila. Point final. Non-lieu.

Cheryl termina sa vodka et tendit impérieusement son verre vide. Syd se leva, le remplit à nouveau et ajouta une dose généreuse de vodka dans le sien.

– Les hommes ne remarquent jamais rien, dit-elle tandis qu'il posait le verre sur la table. Te souviens-tu de l'enfant qu'était Elizabeth ? Réservée et polie, mais si tu lui posais une question directe, tu obtenais une réponse directe. Elle ne cherchait jamais de faux-fuyants. Elle ne savait pas mentir, tout simplement. Elle ne s'est jamais menti à elle-même, et elle est malheureusement incapable de mentir dans l'intérêt de Ted. Mais avant la fin du procès, elle va remuer ciel et terre pour trouver une preuve concrète de ce qui est arrivé cette nuit-là. Ça peut la rendre très dangereuse. Autre chose, Syd. As-tu entendu cette excitée d'Alvirah Meehan raconter qu'elle avait lu dans un magazine qu'on entrait chez Leila comme dans un moulin ? Que Leila donnait ses clés à tous ses amis ?

Cheryl se leva du divan, marcha vers Syd, s'assit à côté de lui et posa sa main sur ses genoux.

– Tu avais une clé de son appartement, n'est-ce pas, Syd ?

– Toi aussi.

– Oui. Leila prenait un malin plaisir à me traiter avec condescendance, sachant que je n'avais pas les moyens de m'offrir une pièce dans cet immeuble, et encore moins un duplex. Mais à l'heure où elle est morte, le barman du Jockey Club peut témoigner que je prenais un verre au bar. Le type avec qui j'avais rendez-vous pour dîner était en retard. C'était toi, ce type, mon très cher. Combien avais-tu mis dans cette foutue pièce ?

Syd sentit ses doigts se crisper, son corps se raidir.

– Où veux-tu en venir ?

– L'après-midi avant la mort de Leila, tu m'as dit que tu allais la voir, la supplier de revenir sur sa décision. Tu avais fichu au moins un million dans cette pièce. De l'argent à toi ou emprunté, Syd ? Tu m'as fait engager pour jouer cette nullité, comme tu aurais envoyé un agneau se faire massacrer. Pourquoi ? Parce que tu risquais *ma* carrière dans l'espoir que la pièce avait encore une petite chance de marcher. Et ma mémoire s'améliore avec l'âge. Tu es *toujours* à l'heure. Or, tu es arrivé avec un quart d'heure de retard, ce soir-là. Tu es entré au Jockey Club à 21 h 45. Blanc comme un linge. Tes mains tremblaient. Tu as renversé un verre sur la table. Leila est morte à 21 h 31. Son appartement se trouvait à moins de dix minutes à pied du Jockey Club.

Cheryl lui prit le visage entre ses deux mains.

– Syd, je veux ce rôle. Débrouille-toi pour que je l'aie. Si je l'obtiens, je te le promets, avec un verre dans le nez ou non, j'oublierai à jamais que tu étais en retard ce soir-là, que tu avais une clé de l'appartement de Leila et que Leila t'avait virtuellement conduit à la ruine. Maintenant tire-toi. J'ai besoin de dormir pour être belle.

13

Min et Helmut gardèrent le sourire jusqu'à ce qu'ils se retrouvent seuls dans leur appartement. Puis, sans un mot, ils se tournèrent l'un vers l'autre. Helmut prit Min dans ses bras. Ses lèvres lui effleurèrent la joue. Avec une habileté éprouvée, il lui massa le cou.

– *Liebchen.*

– Helmut, est-ce aussi catastrophique que je le crains ? Il prit une voix douce.

– Minna, j'ai essayé de te prévenir qu'inviter Elizabeth était une erreur. Tu la sous-estimes. À présent, elle est furieuse contre toi, mais ce n'est pas tout. Tu lui tournais le dos pendant le dîner, tu n'as pas pu remarquer les regards qu'elle nous lançait de sa table. On aurait dit qu'elle nous voyait pour la première fois.

– Je croyais qu'en revoyant Ted... tu sais combien elle tenait à lui... J'ai toujours pensé qu'elle était amoureuse de lui.

– Je sais. Mais ça n'a pas marché. Ne parlons plus de cette soirée, Minna. Allons nous coucher. Je vais te préparer une tasse de lait chaud avec un somnifère. Demain, tu auras repris le dessus.

Min sourit tristement et se laissa conduire dans sa chambre, appuyée contre lui, sa tête blottie dans le creux de son épaule. Dix ans après, elle aimait toujours son odeur, le parfum subtil de son eau de Cologne, le contact de sa veste impeccablement coupée. Dans ses bras, elle oubliait son précédent mari, avec ses mains froides et son irascibilité.

Lorsque Helmut revint avec le lait chaud, il la trouva installée dans son lit, adossée aux oreillers de soie où s'étalaient ses cheveux dénoués. La lueur d'admiration qu'elle vit se refléter dans les yeux de son mari quand il lui tendit sa tasse la combla.

– *Liebchen*, murmura-t-il, je voudrais que tu saches

85

à quel point je t'aime. Après tant d'années, c'est difficile à croire, n'est-ce pas ?

C'était le moment ou jamais.

– Helmut, tu me caches quelque chose. Qu'est-ce que c'est ?

Il haussa les épaules.

– Tu le sais très bien. On ouvre des thalassothérapies dans toute la région. Les riches sont changeants, inconstants... Le coût des thermes a dépassé mes prévisions, je dois l'admettre... Néanmoins, je suis sûr que le jour où nous les ouvrirons...

– Helmut, promets-moi une chose. Quoi qu'il arrive, nous ne toucherons pas au compte en Suisse. Je préférerais abandonner Cypress Point. À mon âge, je ne puis me permettre de me retrouver ruinée.

Helmut s'efforça de maîtriser sa voix.

– Nous n'y toucherons pas, Minna. Je te le promets.

Il lui tendit un somnifère, s'assit sur le bord du lit, attendant qu'elle ait fini de boire son verre de lait.

– Tu ne te couches pas ? murmura-t-elle.

Sa voix était somnolente.

– Pas encore. Je vais lire un peu. C'est ma façon de combattre l'insomnie.

Après qu'il eut éteint la lumière et quitté la chambre, Min ferma les yeux. Elle eut une dernière pensée consciente avant de sombrer dans le sommeil. «Helmut, implora-t-elle dans un murmure, que me caches-tu ?»

14

Elizabeth vit les dîneurs quitter la résidence les uns après les autres. Dans quelques minutes tout serait silencieux, les rideaux tirés, les lumières éteintes. La journée commençait tôt à Cypress Point. Après des heures d'exercices physiques, de soins et de traitements, rares étaient ceux qui traînaient passé dix heures du soir.

Elle soupira en voyant une silhouette quitter l'allée

principale et tourner dans sa direction. Elle sut instinctivement que c'était Mme Meehan.

– J'ai pensé que vous vous sentiriez un peu seulette, dit Alvirah en s'installant sans y être invitée dans l'une des chaises longues. Le dîner était excellent, n'est-ce pas ? On n'imaginerait jamais que les calories sont comptées. Croyez-moi, je ne pèserai pas quatre-vingt-trois kilos si j'avais mangé comme ça toute ma vie.

Elle remonta son châle sur ses épaules.

– Ce truc n'arrête pas de glisser. (Elle regarda autour d'elle.) C'est une belle nuit, hein ? Avec toutes ces étoiles. Ils doivent avoir drôlement moins de pollution ici que dans Queens. Et l'Océan. J'adore ce bruit. Qu'est-ce que je disais ? Ah oui – le dîner. Vous auriez dû voir ma tête quand le serveur – est-ce que c'était un maître d'hôtel ? – m'a passé ce plateau, avec ces grands couverts. Vous savez, chez moi, on se contente de piquer dans le plat. Je veux dire, pas besoin d'une cuillère et d'une fourchette pour attraper trois haricots verts, ou une côtelette de mouton riquiqui. Alors je me suis rappelé comment se sert Greer Garson quand on lui passe cet incroyable plateau d'argent dans *Valley of Decision*, et je m'en suis pas trop mal sortie. Heureusement qu'il y a les films pour vous tirer d'affaire !

Elizabeth sourit sans le vouloir. Il y avait une telle sincérité chez cette femme. C'était une qualité que l'on trouvait rarement à Cypress Point.

– Je suis sûre que vous avez été parfaite.

Alvirah fit mine d'arranger sa broche.

– À dire vrai, je ne pouvais pas quitter Ted Winters des yeux. J'étais toute prête à le détester, mais il s'est montré si gentil avec moi. Bon Dieu, cette Cheryl Manning, elle est sacrément culottée. Elle devait détester Leila, non ?

Elizabeth s'humecta les lèvres.

– Qu'est-ce qui vous fait penser cela ?

– Je venais de dire qu'à mon avis Leila deviendrait une légende comme Marilyn Monroe, et elle a répliqué que s'il suffisait d'être une ivrogne invétérée pour entrer dans la légende, Leila avait toutes ses chances.

Alvirah se sentit le cœur serré en rapportant ces

paroles à la sœur de Leila. Mais, comme elle l'avait souvent lu, un bon journaliste doit savoir vous tirer les vers du nez.

– Comment les autres ont-ils réagi ? demanda calmement Elizabeth.

– Ils ont tous éclaté de rire, sauf Ted Winters. Il a dit qu'il trouvait ce genre de propos écœurant.

– Ne me dites pas que Min et Craig ont trouvé ça drôle ?

– Je ne peux l'affirmer, fit précipitamment Alvirah. Les gens rient parfois quand ils sont embarrassés. Mais cet avocat qui accompagne Ted Winters a prononcé une phrase du genre : « Je vois que Leila n'est pas très populaire à cette table. »

Elizabeth se leva.

– C'était gentil à vous d'être passée me dire bonsoir, madame Meehan. Je vais me changer, maintenant. J'aime faire un plongeon dans la piscine avant d'aller me coucher.

– Je sais. Ils en ont parlé à table. Craig – est-ce bien ainsi que s'appelle l'assistant de M. Winters ?

– Oui.

– Craig a demandé à la baronne combien de temps vous comptiez encore rester. Elle a répondu que vous ne partiriez sans doute pas avant après-demain, parce que vous attendiez quelqu'un du nom de Sammy.

– C'est exact.

– Et Syd Melnick a ajouté qu'il avait l'intuition que vous feriez tout pour les éviter. Alors la baronne a dit que l'on pouvait toujours trouver Elizabeth en train de nager dans la piscine olympique vers dix heures du soir. Je constate qu'elle avait raison.

– Elle sait que j'aime nager. Savez-vous comment retourner à votre bungalow, madame Meehan ? Sinon, je vous raccompagnerai. Vous pouvez vous tromper de chemin dans le noir.

– Non, ne vous inquiétez pas. J'ai été contente de parler avec vous.

Alvirah se leva et, ignorant l'allée, coupa à travers la pelouse pour rejoindre son bungalow. Elle était déçue qu'Elizabeth ne lui ait rien dit de particulièrement intéressant pour ses articles. Mais d'autre part, elle avait obtenu un tas de renseignements pendant le dîner. Elle pourrait en tout cas écrire un article substantiel sur la jalousie !

Ses lecteurs seraient sûrement intéressés de savoir que les meilleurs amis de Leila LaSalle se comportaient tous comme s'ils étaient ravis qu'elle fût morte !

15

Il tira méticuleusement les stores et éteignit la lumière. Il était pressé. C'était peut-être trop tard, mais il avait dû attendre jusqu'à maintenant avant de se risquer dehors. Il frissonna en ouvrant la porte. L'air s'était rafraîchi, et il ne portait que son maillot de bain et un T-shirt noir.

Les alentours étaient silencieux, à peine éclairés par les lanternes mises en veilleuse le long des allées et dans les arbres. Il lui fut facile de rester caché dans l'ombre tout en se hâtant vers la piscine olympique. Y serait-elle encore ?

Elizabeth avait l'intention de rester à Cypress Point jusqu'à l'arrivée de Sammy demain soir. Cela ne lui donnait qu'un jour et demi – jusqu'à mardi matin – pour la supprimer.

Il s'arrêta devant les buissons qui délimitaient l'aire de la piscine. Dans l'obscurité il distinguait vaguement la silhouette qui nageait avec des mouvements rapides et sûrs d'un bout du bassin à l'autre. Il évalua méthodiquement ses chances de succès. L'idée lui était venue en entendant Min dire qu'Elizabeth se trouvait toujours à la piscine aux alentours de 10 heures du soir. Même les nageurs expérimentés ont des accidents. Une crampe soudaine, personne à portée de voix si elle criait, aucune marque, aucun signe de lutte… Son plan consistait à se glisser dans le bassin pendant qu'elle était à l'autre bout, à attendre le moment où elle passerait près de lui pour se jeter sur elle, et à la

maintenir sous l'eau jusqu'à ce qu'elle cesse de se débattre.
Il quitta prudemment l'abri des buissons. Il faisait assez
sombre pour passer inaperçu.

Il avait oublié à quel point elle nageait vite. Malgré sa
minceur, on aurait dit qu'elle avait les muscles des bras
en acier. Et si elle était capable de résister assez longtemps
pour attirer l'attention ? Elle portait probablement un de
ces damnés sifflets que Min vous obligeait à mettre autour
du cou quand vous nagiez seul.

Ses yeux s'étrécirent de colère et de frustration tandis
qu'il s'accroupissait aux abords de la piscine, prêt à bon-
dir, sans être véritablement certain que ce fût le bon
moment. Elle nageait plus vite que lui… Dans l'eau, elle
aurait peut-être le dessus…

Il ne pouvait s'offrir le luxe d'une seconde erreur.

IN AQUA SANITAS. Les Romains avaient gravé ces
mots sur les murs de leurs thermes. Si je croyais en la
réincarnation, je penserais que j'ai vécu en ces temps-
là, pensa Elizabeth tout en se mouvant rapidement d'un
bord à l'autre de la piscine dans le noir. Quand elle avait
commencé à nager, on voyait encore non seulement le
pourtour du bassin, mais les abords de la piscine avec
les chaises longues et les tables disposées devant les haies.
Maintenant ce n'étaient plus que de vagues formes dans
l'obscurité.

Le mal de tête persistant qui l'avait tourmentée pendant toute la soirée commençait à s'estomper ; une fois
de plus elle éprouva l'impression d'apaisement et de
détente que lui procurait le contact de l'eau. « Crois-tu
que ça a commencé dans le ventre de maman ? avait-elle
dit un jour en riant à Leila. Cette sensation de liberté
totale lorsque je suis dans l'eau. »

La réponse de Leila l'avait bouleversée : « Peut-être
maman était-elle heureuse lorsqu'elle t'attendait,
Moineau. J'ai toujours pensé que ton père était le sénateur Lange. Ce fut le grand amour entre lui et maman
après que mon cher père eut mis les voiles. Quand
c'était moi qui étais dans son ventre, je crois savoir qu'ils
me considéraient comme une "erreur". »

C'était Leila qui avait suggéré à Elizabeth de prendre

Lange comme nom de scène. « Ce devrait être ton véritable nom, Moineau, avait-elle dit. J'en suis sûre. »

Dès que Leila avait commencé à gagner sa vie, elle avait envoyé un chèque à maman tous les mois. Un jour le chèque lui avait été retourné non encaissé par le dernier petit ami de maman. Maman était morte d'alcoolisme aigu.

Elizabeth toucha le bord opposé du bassin, rassembla ses genoux sur sa poitrine et se retourna d'un coup, passant du dos crawlé à la brasse sans faire une éclaboussure. Était-il possible que la peur qu'éprouvait Leila à l'idée de se lier avec quelqu'un ait pris naissance au moment de la conception ? Un minuscule protoplasme peut-il être sensible à l'hostilité du climat environnant, et cette sensation colorer une vie tout entière ? N'était-ce pas grâce à Leila qu'Elizabeth n'avait jamais connu l'atroce impression d'être rejetée par ses parents ? Elle se souvint de ce que disait sa mère : « Quand je suis sortie de l'hôpital avec le bébé, Leila me l'a pris des bras. Elle a voulu installer le berceau dans sa chambre. Elle n'avait que onze ans, mais c'est elle qui est devenue la vraie mère de cette enfant. Je voulais l'appeler Laverne, mais elle s'y est opposée. Elle a dit : "Son nom est Elizabeth !" » Raison de plus de lui être reconnaissante, pensa Elizabeth.

L'imperceptible clapotis qui accompagnait ses mouvements couvrait le bruit étouffé des pas à l'autre bout de la piscine. Elle se prépara à repartir dans l'autre sens. Sans raison apparente, elle se mit à nager plus vite, comme si elle percevait un danger.

La silhouette indistincte glissait sans bruit d'un bord à l'autre. Il calcula froidement la vitesse de ses mouvements. Le minutage était essentiel. La saisir par-derrière quand elle passerait, plaquer son corps sur le sien, lui maintenir la tête sous l'eau jusqu'à ce qu'elle cesse de lutter. Combien de temps cela lui prendrait-il ? Une minute ? Deux ? Et s'il ne parvenait pas à la maîtriser ? Il fallait que l'on crût à une noyade accidentelle.

Une idée lui vint à l'esprit, et un sourire mauvais étira ses lèvres dans l'obscurité. Comment n'avait-il pas pensé

plus tôt à l'équipement de plongée? Le masque lui per-
mettrait de l'attirer et de la retenir au fond de la piscine
le temps nécessaire. La combinaison de plongée, les
gants, le masque, les lunettes formaient le meilleur des
déguisements, si l'on venait à le voir traverser la pelouse.

Il la regarda nager vers l'échelle de bains, dut refréner
son envie de se débarrasser d'elle tout de suite. Demain
soir, se promit-il. Il s'approcha imperceptiblement tandis
qu'elle posait un pied sur la dernière marche de l'échelle.
Plissant les yeux, il tenta de la suivre du regard pendant
qu'elle enfilait son peignoir et longeait l'allée vers son bun-
galow.

Demain soir, il l'attendrait à cet endroit même. Le len-
demain matin, quelqu'un découvrirait son corps au fond
de la piscine, tout comme un ouvrier avait trouvé le corps
de Leila dans la cour.

Et il n'aurait plus rien à craindre.

Lundi 31 août

CITATION DE LA JOURNÉE :

Une femme spirituelle est un trésor ; une beauté spirituelle est une force.

GEORGE MEREDITH

Bonjour, très chers hôtes !

Nous espérons que vous avez dormi comme des anges. La météo nous promet une autre superbe journée à Cypress Point.

Un petit rappel. Certains d'entre vous oublient de remplir le menu de leur déjeuner. Nous serions navrés d'être obligés de vous faire attendre après les exercices et soins de la matinée. Soyez gentils, prenez un petit moment pour cocher vos choix avant de quitter votre chambre.

Dans un moment, nous serons heureux de vous accueillir pour notre marche matinale. Venez vite vous joindre à nous.

Et n'oubliez pas, un jour à Cypress Point est une succession d'heures exquises dédiées à votre beauté, à faire de vous celui ou celle que tout le monde rêve de côtoyer et d'aimer.

Baron et baronne Helmut von Schreiber.

1

Elizabeth se réveilla avant l'aube lundi matin. Nager ne lui avait pas procuré l'effet bénéfique habituel. Des rêves interrompus l'avaient agitée pendant une grande partie de la nuit, fragments qui apparaissaient et s'évanouissaient par intermittence. Elle les revoyait tous : maman, Leila, Ted, Craig, Syd, Cheryl, Sammy, Min, Helmut – même les deux maris de Leila, ces escrocs qui avaient traversé sa vie et profité de son succès pour assurer leur propre carrière ; un acteur et un producteur soi-disant membre de la haute société new-yorkaise...

À 6 heures, elle sortit de son lit, releva les stores et retourna se blottir sous les couvertures. Il faisait frisquet, mais elle aimait regarder le soleil se lever. Les premières lueurs de l'aube avaient une qualité particulière, une sorte de calme absolu. Seul le cri des mouettes troublait le silence.

À 6 h 30, on frappa un petit coup à sa porte. Vicky, la femme de chambre qui lui apportait son verre de jus de fruits matinal, travaillait à Cypress Point depuis des années. C'était une femme robuste d'une soixantaine d'années qui arrondissait la pension de son mari en « apportant les roses du petit déjeuner à des bouquets flétris », disait-elle avec humour. Elles se saluèrent comme de vieilles amies.

– Ça paraît bizarre de se retrouver du côté des clients, fit remarquer Elizabeth.

– C'est bien le moins. Je vous ai vue dans *Hilltop*. Vous êtes une actrice formidable.

– Il vaudrait peut-être mieux que j'enseigne la gymnastique aquatique.

– Et Lady Di pourrait reprendre un job à la maternelle. À d'autres !

Elle attendit que la procession quotidienne appelée la «marche de Cypress» fût commencée pour faire son jogging. Lorsqu'elle sortit, les marcheurs, conduits par Min et le Baron, avaient déjà atteint l'allée qui menait au bord de la mer. Le parcours commençait par le tour de la propriété, les bois de Crocker et de Cypress Point, puis serpentait le long du terrain de golf de Pebble Beach, tournait autour du club et retournait à l'institut. En tout, cela faisait une marche d'une cinquantaine de minutes, suivie par le petit déjeuner.

Une fois les marcheurs hors de vue, Elizabeth partit dans la direction opposée. Il était encore tôt, et il y avait peu de monde. Elle aurait préféré courir le long de la côte, d'où l'on avait une vue ininterrompue sur l'Océan, mais elle aurait risqué de rencontrer les autres.

Si seulement Sammy était de retour, pensa-t-elle en accélérant l'allure. Je pourrais lui parler et prendre un avion cet après-midi. Elle aurait voulu fuir cet endroit. Si l'on en croyait Alvirah Meehan, Cheryl avait traité Leila d'«ivrogne invétérée» hier soir. Et mis à part Ted, son meurtrier, ils s'étaient tous esclaffés.

Min, Helmut, Syd, Cheryl, Craig, Ted. Ceux qui avaient été les plus chers amis de Leila ; ceux qui avaient pleuré à son enterrement. Oh, Leila ! songea Elizabeth. Les vers d'une chanson qu'elle avait apprise dans son enfance lui revinrent en mémoire :

> *Parmi tous ceux qui te trahissent,*
> *Une épée au moins te défendra,*
> *Un cœur fidèle te louera.*

«Je chanterai tes louanges, Leila !» Des larmes lui piquèrent les yeux, qu'elle essuya impatiemment. Elle se mit à courir plus vite, comme pour distancer ses pensées. La brume du petit matin s'évaporait sous les rayons du soleil ; les épais buissons qui bordaient les maisons le long de la route étaient baignés de rosée ; les mouettes tournoyaient au-dessus de sa tête et repartaient en plongeant vers le rivage. Comment Alvirah Meehan pouvait-elle se montrer aussi perspicace ? Il y avait une qualité d'attention exceptionnelle chez cette femme, qui dépassait la simple excitation de se trouver ici.

Elle passait devant le parcours du golf de Pebble Beach. Des joueurs matinaux étaient déjà sur le terrain. Elle avait pris des leçons à l'université. Leila n'y avait jamais joué. Elle promettait à Ted de s'y mettre un jour. Elle ne l'aurait jamais fait, pensa Elizabeth, et un sourire effleura ses lèvres ; Leila était trop impatiente pour traîner derrière une balle pendant quatre ou cinq heures…

Essoufflée, elle ralentit. Je ne me sens pas d'attaque, pensa-t-elle. Aujourd'hui elle s'offrirait le programme complet de remise en forme. Façon utile de passer le temps. Elle fit demi-tour en direction de Cypress Point – et entra littéralement en collision avec Ted.

Il lui saisit les bras pour l'empêcher de tomber. La respiration coupée, elle se débattit, cherchant à le repousser.

– Lâche-moi. (Sa voix monta.) Je te dis de me lâcher.

Ils étaient seuls. Il transpirait, son T-shirt collait à son corps. La montre que Leila lui avait donnée brillait au soleil.

Il la relâcha. Tremblant de la tête aux pieds, elle le regarda. Il la fixait d'un air impénétrable.

– Elizabeth, il faut que je te parle.

Il ne faisait même pas semblant d'être là par hasard.

– Tu diras ce que tu as à dire au tribunal.

Elle voulut passer devant lui, mais il lui barra la route. Elle recula machinalement d'un pas. Voilà donc ce que Leila avait éprouvé à la fin : cette impression d'être prise au piège !

– Écoute-moi.

On aurait dit qu'il devinait sa peur et s'en irritait.

– Elizabeth, tu ne m'as pas laissé une seule chance. Je sais que les apparences sont contre moi. Peut-être – et c'est ce que j'ignore – peut-être as-tu raison, peut-être suis-je revenu chez Leila. J'étais ivre, furieux, mais je m'inquiétais aussi terriblement à son sujet. Réfléchis : si tu as raison, si je suis véritablement remonté chez elle, si cette femme a raison lorsqu'elle dit m'avoir vu en train de lutter avec ta sœur, ne peux-tu au moins m'accorder le bénéfice du doute, supposer que j'essayais de la sauver ? Tu sais combien Leila était déprimée ce jour-là. Elle ne savait plus ce qu'elle faisait.

– Si tu es remonté... Es-tu en train d'admettre que tu as pu effectivement remonter chez elle ?

Elizabeth eut l'impression qu'un poids lui comprimait la poitrine. L'air lui sembla lourd et moite, chargé d'une odeur mêlée de cyprès mouillé et de terre humide. Ted mesurait un mètre quatre-vingt-trois, mais les cinq centimètres de différence entre leurs tailles ne comptaient pas tandis qu'ils se toisaient du regard. Elle remarqua à nouveau les rides qui marquaient les coins de ses yeux et de sa bouche.

– Elizabeth, je sais ce que tu ressens à mon égard, mais il *faut* que tu comprennes une chose. J'ai oublié ce qui s'est passé ce soir-là. J'étais complètement saoul ; dans un état affreux. Ces derniers temps, des bribes de souvenirs me remontent à la mémoire. J'ai la vague impression de me retrouver devant la porte de l'appartement de Leila, de l'ouvrir. Peut-être as-tu raison, peut-être m'as-tu réellement entendu crier après elle. *Mais je ne me rappelle plus rien à partir de ce moment-là.* C'est la vérité. Question suivante : crois-tu que, ivre ou non, je sois capable de meurtre ?

Une profonde tristesse assombrissait ses yeux. Il se mordit les lèvres et tendit les mains d'un geste implorant.

– Alors, Elizabeth ?

Elle l'évita d'un mouvement rapide et courut vers l'entrée de l'institut. Le procureur l'avait prévu. Si Ted renonçait à démentir qu'il se trouvait sur la terrasse avec Leila, il dirait qu'il tentait de la sauver.

Elle ne jeta pas un regard derrière elle avant d'avoir atteint les grilles. Ted n'avait pas tenté de la suivre. Immobile à l'endroit même où il l'avait quitté, il la fixait, les poings sur les hanches.

Elle sentait encore l'étau brûlant de ses mains sur ses bras. Le procureur lui avait dit autre chose : sans son témoignage, Ted serait libre.

2

À 8 heures du matin, Dora «Sammy» Samuels quitta la maison de sa cousine Elsie au volant de sa voiture et s'engagea avec un soupir de soulagement sur la route qui menait de Napa Valley à Monterey. Avec un peu de chance, elle y serait vers 2 heures de l'après-midi. À l'origine, elle avait prévu de partir en fin d'après-midi et Elsie s'était montrée contrariée de la voir changer d'avis. Mais elle était impatiente de se retrouver à Cypress Point et de parcourir le reste du courrier.

C'était une femme maigre et nerveuse de soixante et onze ans, avec des cheveux gris foncé serrés en chignon sur sa nuque. Une paire de lunettes vieillottes et sans monture était posée sur le bord de son petit nez étroit. Une rupture d'anévrisme avait failli la tuer il y a un an et demi, et elle gardait une apparence de fragilité depuis son opération, mais elle s'était jusqu'à présent catégoriquement refusé à prendre sa retraite.

Elle avait passé un week-end déprimant. Sa cousine s'était toujours montrée méprisante à l'égard de son travail auprès de Leila. «Répondre à d'insipides lettres d'admirateurs! disait-elle. J'aurais cru qu'avec ton intelligence tu trouverais une meilleure occupation. Pourquoi ne fais-tu pas de l'enseignement bénévole?»

Dora avait depuis longtemps renoncé à expliquer à Elsie qu'après trente-cinq ans d'enseignement la vue d'un livre de classe ne lui procurait plus aucun plaisir, que les huit années passées auprès de Leila avaient été les plus passionnantes de toute sa vie sans histoire.

En la voyant fouiller dans le sac du courrier de Leila, Elsie s'était indignée. «Tu ne vas tout de même pas me dire que, dix-sept mois après la mort de cette femme, tu écris encore à ses admirateurs! Es-tu devenue folle?»

Non, je ne suis pas folle, se dit Dora tout en roulant lentement à travers la région des vignobles. C'était une journée chaude, nonchalante. Des cars bondés de touristes venus faire la tournée des propriétés viticoles la dépassaient.

Il était inutile d'expliquer à Elsie qu'envoyer un mot personnel à des gens qui avaient aimé Leila apaisait d'une certaine façon le sentiment de perte qu'elle éprouvait depuis sa disparition. Elle ne lui avait pas dit non plus la raison pour laquelle elle avait apporté le gros sac du courrier. Elle voulait vérifier s'il contenait d'autres lettres anonymes que celle qu'elle y avait déjà trouvée.

Cette dernière avait été expédiée trois jours avant la mort de Leila. La lettre et l'adresse sur l'enveloppe étaient composées de mots découpés dans des magazines et des journaux. On pouvait y lire :

Leila,

Combien de fois devrai-je Vous l'écrire ? Quand Comprendrez-vous une bonne fois pOur toutes Que Ted en a marre de vous ? Sa nouvelle amie eSt ravissante et bien plus jeune que vous. Je Vous ai déjà éCrit qu'il vIent de lui offrir le collier D'Émeraudes aSsorti au bRacelet Qu'Il vous avait donné. Il est dix fois pLus beau et coûte deux fois pLus cher. On m'a dit que vOtre pIèce est une Nullité. VOus deVriez apprendrE vOtre texTe. A bientÔt.

Votre Ami.

Penser à cette lettre et à celles qui avaient dû la précéder raviva son indignation. Leila, Leila, murmurat-elle. Qui pouvait te vouloir tant de mal ?

Mieux que tous, elle connaissait la vulnérabilité de Leila, elle savait que l'aisance qu'elle affichait, l'image flamboyante qu'elle offrait au public étaient la façade d'une femme profondément peu sûre d'elle.

Elle se souvint du jour où Elizabeth était partie faire ses études à l'étranger, peu de temps après ses débuts de secrétaire au service de Leila. Elle avait vu Leila revenir de l'aéroport, seule, abattue, en larmes. «Mon Dieu, Sammy, je n'arrive pas à envisager de rester sans voir Moineau pendant des mois. Mais une pension suisse! Ce sera merveilleux pour elle, non? Autre chose que Lumber Creek High, mon ancienne école.» Puis elle avait ajouté d'une petite voix hésitante: «Sammy, je ne fais rien ce soir. Voulez-vous rester avec moi, nous irons manger quelque chose ensemble?»

Les années s'étaient trop vite écoulées, regretta Dora tandis qu'un autre car la dépassait en klaxonnant impatiemment. Aujourd'hui, le souvenir de Leila était particulièrement présent: Leila et son tempérament excessif, qui dépensait son argent aussi vite qu'elle le gagnait; ses deux mariages... Dora l'avait suppliée de ne pas se remarier, la seconde fois. «*La leçon ne t'a donc pas suffi avec le premier?* avait-elle dit. *Tu ne peux t'offrir un autre parasite.*»

Leila, les bras autour des genoux. «*Sammy, il n'est pas si mal. Il me fait rire, c'est déjà un avantage.*»

«*Engage un clown, si tu veux rire.*»

L'étreinte de Leila. «*Oh, Sammy, promets que tu seras toujours aussi franche. Tu as probablement raison, mais je crois que je vais l'épouser quand même.*»

Se débarrasser du clown lui avait coûté deux millions de dollars.

Leila avec Ted. «*Sammy, cela ne peut pas durer. C'est l'homme le plus merveilleux qui existe au monde. Que trouve-t-il en moi?*»

«*Es-tu folle? As-tu cessé de te regarder dans la glace?*»

Leila, toujours si inquiète pendant les premiers jours de tournage. «*Sammy, je suis mauvaise dans ce rôle. Je n'aurais pas dû l'accepter.*»

«*Et puis quoi encore! J'ai vu les rushes. Tu es magnifique.*»

Elle avait reçu un oscar pour ce rôle.

Mais elle avait joué dans trois mauvais films au cours des dernières années. Son souci pour sa carrière était devenu une obsession. Son amour pour Ted égalait sa terreur de le perdre. C'est alors que Syd l'avait poussée à accepter cette pièce. « Sammy, je n'ai même pas à jouer. Je n'ai qu'à être moi-même. J'adore ce rôle. »

Puis tout avait basculé, songea Dora. À la fin, nous l'avons laissée toute seule. J'étais malade ; Elizabeth partie en tournée avec sa propre pièce ; Ted constamment absent pour ses affaires. Et une personne qui connaissait bien Leila s'était employée à la harceler de lettres anonymes, à réduire en miettes son ego, à la pousser à boire…

Dora se rendit compte que ses mains tremblaient. Elle chercha sur la route un panneau indiquant un restaurant. Peut-être se sentirait-elle mieux après avoir pris une tasse de thé. Dès son arrivée à Cypress Point, elle se mettrait à dépouiller le reste du courrier.

Elle savait qu'Elizabeth trouverait le moyen de remonter jusqu'à l'auteur des lettres.

3

En regagnant son bungalow, Elizabeth trouva un billet de Min épinglé avec son emploi du temps à son peignoir plié sur le lit. Elle lut :

« Ma chère Elizabeth,

« J'espère de tout mon cœur que tu profiteras d'une pleine journée de soins et d'exercices physiques. Comme tu le sais, Helmut fait toujours passer un petit examen médical à tous nos nouveaux hôtes avant qu'ils ne commencent leurs activités. J'ai réservé son premier rendez-vous pour toi.

« Je t'en prie, sache que ton bonheur et ton bien-être importent énormément pour moi. »

Elizabeth reconnut la grande écriture fleurie de Min. Elle vérifia rapidement son emploi du temps. 8 h 45 :

entretien avec le Dr Helmut von Schreiber; 9 heures: danse aérobique; 9 h 30: massage; 10 heures: trampoline; 10 h 30: aérobic aquatique pour confirmés – c'était le cours qu'elle enseignait elle-même lorsqu'elle travaillait ici; 11 heures: soins du visage; 11 h 30: bains d'algues. L'emploi du temps de l'après-midi comprenait peeling, manucure, yoga, pédicure, et deux autres cours de gymnastique aquatique…

Elle aurait préféré éviter Helmut, mais ne voulait pas faire d'histoires. Son entretien avec lui fut bref. Il vérifia sa tension et son pouls, examina sa peau sous une lampe forte.

– Tu as un visage dessiné à la perfection, lui dit-il. Tu fais partie de ces femmes qui ont la chance d'embellir en vieillissant. Cela tient à ton ossature.

Puis, comme s'il pensait tout haut, il murmura:

– Si ravissante que fût Leila, elle avait une beauté fragile. Au cours de son dernier séjour ici, je lui avais conseillé de suivre un traitement au collagène, et nous avions également projeté une petite intervention chirurgicale autour des yeux. Le savais-tu?

– Non.

Avec un pincement au cœur, Elizabeth regretta que Leila ne se soit pas confiée à elle. À moins qu'Helmut ne mentît?

– Je suis désolé, dit-il doucement. Je n'aurais pas dû parler d'elle. Si tu t'étonnes qu'elle ne t'en ait rien dit, sache que Leila s'inquiétait des trois années qui la séparaient de Ted. J'avais beau lui assurer que cela ne change rien pour deux personnes qui s'aiment – j'étais bien placé pour le savoir –, elle ne pouvait s'empêcher de se tourmenter. Et te voir devenir de plus en plus jolie en grandissant, tandis qu'elle découvrait sur elle les petits signes de l'âge, n'arrangeait rien.

Elizabeth se leva. Comme tous les autres bureaux, celui-ci avait l'aspect d'un salon joliment aménagé. Les imprimés bleu et vert qui recouvraient canapés et fauteuils reposaient l'œil, les stores étaient relevés pour permettre aux rayons du soleil de pénétrer dans la pièce. La vue embrassait à la fois le green du golf et l'Océan.

Elle savait qu'Helmut l'examinait avec attention. Ses

compliments exagérés étaient le sucre pour faire avaler la pilule. Il laissait entendre que Leila s'était mise à la considérer comme une rivale. Pourquoi? Se souvenant de l'hostilité avec laquelle il regardait la photo de Leila alors qu'il se croyait seul, elle se demanda s'il ne tentait pas de se venger de ses moqueries en insinuant que sa beauté commençait à se faner.

Le visage de sa sœur jaillit brusquement dans son souvenir: sa bouche ravissante; son sourire éblouissant; ses yeux d'émeraude; sa splendide chevelure rousse, comme une coulée de cuivre sur ses épaules. Pour se calmer, elle fit mine de lire l'une des annonces publicitaires pour Cypress Point accrochées au mur. Une phrase attira son œil: *un papillon sur un nuage*. Pourquoi cette phrase lui sembla-t-elle familière?

La ceinture de son peignoir s'était détachée. Tout en la renouant, elle se tourna vers Helmut.

– Si un dixième des femmes qui dépensent une fortune dans cet endroit avait ne serait-ce qu'une miette de la beauté de Leila, vous n'auriez plus qu'à fermer boutique, mon cher baron.

Il ne répliqua pas.

L'établissement des femmes était plus animé que la veille. Elizabeth passa de la salle de gymnastique aux cabines de soins, aussi heureuse de s'être dépensée que de se détendre maintenant sous les mains expertes de la masseuse et de l'esthéticienne. Elle croisa Cheryl à plusieurs reprises dans les intervalles entre les séances. *Une ivrogne invétérée*. Elle fut à peine polie, mais la jeune femme ne sembla pas le remarquer. Elle avait l'air préoccupé.

Pourquoi pas? Ted était sur les lieux et Cheryl le trouvait visiblement toujours à son goût.

Elle retrouva Alvirah Meehan dans le même cours de danse aérobique – une Alvirah étonnamment alerte, avec un bon sens du rythme. Pourquoi diable portait-elle cette broche en forme de soleil sur son peignoir? Elizabeth remarqua qu'elle la tripotait chaque fois qu'elle adressait la parole à quelqu'un. Elle remarqua aussi, non sans amusement, les vains efforts de Cheryl pour l'éviter.

Elle déjeuna dans son bungalow, préférant ne pas courir le risque de rencontrer Ted à nouveau à l'une des tables autour de la piscine. Pendant qu'elle mangeait sa salade de fruits frais et buvait lentement un thé glacé, elle téléphona à la compagnie aérienne et changea sa réservation. En partant de San Francisco le lendemain, elle attraperait le vol de 10 heures pour New York.

Elle avait eu hâte de quitter New York. Il lui tardait de partir d'ici, à présent.

Elle enfila son peignoir et se prépara à regagner l'institut pour commencer les séances de l'après-midi. Pendant la matinée entière, elle s'était évertuée à chasser l'image de Ted de son esprit. Elle le revoyait, à présent. Ravagé par le chagrin. Furieux. Implorant. Vindicatif. Toute la gamme des expressions s'était inscrite sur son visage. Passerait-elle le reste de sa vie à le fuir, après le procès – et le verdict ?

4

Alvirah se laissa tomber sur son lit avec un soupir de bonheur. Elle aurait volontiers fait un petit somme, mais savait qu'il était important d'enregistrer ses impressions pendant qu'elles étaient fraîches dans son esprit. Elle se cala sur ses oreillers, prit le magnétophone et commença :

« Il est 4 heures de l'après-midi et je me repose dans mon bungalow. J'ai terminé ma première journée de remise en forme à Cypress Point, et j'avoue que je suis sur les rotules. Pas une minute de répit. Une bonne marche pour commencer ; puis retour dans mon bungalow où la femme de chambre m'a apporté mon emploi du temps pour la journée avec le plateau du petit déjeuner. Un œuf poché, deux biscottes de pain complet et du café. L'emploi du temps, inscrit sur une étiquette que vous épinglez à votre peignoir, consistait en deux cours de gymnastique aquatique, un cours de yoga, une séance de soins du visage, un massage, deux cours de danse, une douche au jet, quinze minutes dans un bain de vapeur et un bain à remous…

«Les cours de gymnastique aquatique sont très curieux. Il faut pousser un ballon dans l'eau; ça paraît enfantin, mais j'ai des sacrées courbatures dans les épaules et dans les cuisses. Le cours de yoga s'est bien passé, si ce n'est que j'ai un mal de chien à mettre mes jambes dans la position de la chandelle. Le cours de danse m'a bien plu. À vrai dire, j'ai toujours été une bonne danseuse, et même si cela ne consiste qu'à sautiller d'un pied sur l'autre en balançant ses jambes sur le côté, j'ai fait honte à des femmes plus jeunes que moi. J'étais peut-être douée pour devenir une "chorus girl".

«La douche au jet ressemble à s'y méprendre au canon à eau. On vous envoie un jet puissant sur tout le corps pendant que vous vous cramponnez, toute nue, à une barre de métal en espérant rester en vie. Mais il paraît que ça casse la cellulite. Si c'est vrai, je veux bien avoir deux séances par jour.

«La clinique est un endroit particulièrement intéressant. De l'extérieur, elle ressemble à la maison principale, mais le décor est très différent à l'intérieur. Toutes les salles de soins possèdent une entrée privée, à laquelle on accède par un chemin bordé de haies. Le principe est que les gens ne se rencontrent pas dans leurs allées et venues. Je me fiche comme une guigne que la terre entière sache qu'on va me faire des injections de collagène pour supprimer les rides autour de ma bouche, mais je comprends très bien que Cheryl Manning puisse être furieuse si toute l'assistance sait qu'elle se fait tirer la peau!

«Ce matin, j'ai eu un entretien avec le baron von Schreiber à propos de mon traitement au collagène. C'est un homme charmant. Très séduisant. J'ai été vraiment flattée quand il m'a baisé la main. Si j'étais sa femme, je crois que j'aurais la frousse de le perdre, surtout si j'avais quinze ans de plus que lui. Je crois que *c'est bien* quinze ans, mais je vérifierai quand j'écrirai mon article.

«Le baron a examiné mon visage sous une lampe très forte. D'après lui, j'ai un grain de peau remarquablement serré et, en dehors des soins habituels du visage et d'un masque desquamant, il préconise seulement quelques injections de collagène. Je lui ai expliqué que le jour où j'avais fait ma réservation, sa réceptionniste, Dora Samuels, m'avait conseillé de faire vérifier que je n'étais pas allergique au collagène. Les analyses sont négatives, mais j'ai avoué au baron que j'avais une peur bleue des piqûres.

« Il s'est montré très gentil. Il a dit que je n'étais pas la seule, que l'infirmière me donnerait une double dose de Valium, et que ça ne me ferait pas plus mal qu'une morsure de moustique.

« Une chose encore. Il y a de superbes tableaux dans le bureau du baron, mais j'ai surtout remarqué l'annonce publicitaire pour l'institut qui a paru dans des magazines comme *Architectural Digest, Town and Country* et *Vogue*. Il m'a dit qu'on en trouvait une reproduction dans chacun des bungalows. Le texte est vraiment très bien écrit.

« Le baron a paru content de mes compliments. Il a dit qu'il avait participé à sa rédaction. »

5

Ted passa la matinée dans la salle de gymnastique réservée aux hommes. Craig à ses côtés, il rama, pédala et fit consciencieusement le tour de tous les appareils de musculation.

Ils décidèrent de finir par un plongeon dans la piscine où ils retrouvèrent Syd en train de faire des longueurs de bassin. Ted leur proposa une course à trois. Bien qu'il eût nagé tous les jours à Hawaii, il termina très peu devant Craig. Même Syd n'arriva qu'à un mètre derrière lui.

– Tu tiens la grande forme, s'étonna-t-il. (Il avait toujours considéré Syd comme le contraire d'un sportif.)

– J'ai eu tout le temps de m'entraîner. Rester assis

derrière un bureau à attendre les coups de fil devient vite lassant.

D'un commun accord, ils se dirigèrent vers les chaises longues les plus à l'écart de la piscine pour éviter les oreilles indiscrètes.

– C'est une surprise de te trouver à Cypress Point, Syd. Quand nous nous sommes rencontrés, la semaine dernière, tu ne m'as pas dit que tu comptais venir.

Craig le regardait sans aménité.

Syd haussa les épaules.

– J'ignorais également que vous veniez tous. L'idée ne vient pas de moi. C'est Cheryl qui a pris cette décision. (Il jeta un coup d'œil vers Ted.) Elle a dû apprendre que tu serais dans le coin.

– Min aurait mieux fait de se taire…

Syd interrompit Craig. D'un doigt, il fit signe au garçon qui allait de table en table en présentant des boissons non alcoolisées.

– Un Perrier.

– Trois, dit Craig.

– Tu tiens à le boire à ma place ? interrogea sèchement Ted. Ce sera un Coca pour moi, ajouta-t-il à l'intention du serveur.

– Tu ne bois jamais de Coca, fit doucement remarquer Craig. (Ses yeux bleu pâle étaient pleins d'indulgence. Il corrigea la commande.) Apportez-nous deux Perrier et un jus d'orange.

Syd préféra ignorer leur petit jeu.

– Min ne bavarde pas, mais ignores-tu qu'il y a des membres du personnel payés pour renseigner les journalistes ? Bettina Scuda a téléphoné à Cheryl hier matin. Elle lui a sans doute susurré que tu étais dans les parages. Quelle importance d'ailleurs ? Elle est prête à tout pour toi. Cela te surprend ? Tu n'as qu'à t'en servir. Elle meurt d'envie de témoigner en ta faveur, au procès. S'il est quelqu'un capable de convaincre un jury du comportement hystérique de Leila chez Elaine's, c'est bien Cheryl. Et je la soutiendrai.

Il posa une main amicale sur l'épaule de Ted.

– Toute cette histoire est dégueulasse. Nous allons t'aider à t'en sortir. Tu peux compter sur nous.

– En clair, ça veut dire donnant-donnant, résuma Craig tandis qu'ils regagnaient le bungalow de Ted. Ne tombe pas dans le piège. Il a peut-être perdu un million de dollars dans cette damnée pièce, mais tu en as perdu quatre et c'est lui qui t'a poussé à investir.

– Je l'ai fait parce que j'avais lu la pièce et qu'elle reflétait à mes yeux l'essence même de Leila ; l'auteur avait créé un personnage à la fois drôle, vulnérable, obstiné et chaleureux. Leila aurait dû faire un triomphe.

– Ce fut une erreur de quatre millions de dollars, dit Craig. Désolé, Ted, mais tu me payes pour te conseiller.

Henry Bartlett passa la matinée dans le bungalow de Ted à relire les minutes de l'audience et à téléphoner à son bureau de Park Avenue.

– Au cas où nous plaiderions la folie passagère, nous aurons besoin d'une masse de documentation sur des cas similaires qui furent gagnés par la défense dans le passé, leur dit-il.

Il portait une chemise de coton à col ouvert et des bermudas kaki. Le Sahib ! pensa Ted. Il se demanda si Bartlett jouait au golf en knickers.

La table du petit salon était recouverte de feuilles annotées.

– Te souviens-tu que c'est sur cette table même que nous jouions au scrabble avec Leila et Elizabeth ? demanda-t-il à Craig.

– Leila et toi, vous gagniez toujours. Elizabeth était condamnée à jouer avec moi. Comme le disait Leila : « Les bouledogues ne savent pas l'orthographe. »

– Qu'est-ce que cela signifiait ? demanda Henry.

– Oh, Leila attribuait des surnoms à tous ses amis, expliqua Craig. Le mien était le Bouledogue.

– Je ne suis pas certain que j'aurais été flatté.

– Détrompez-vous. Quand Leila vous donnait un surnom, cela voulait dire que vous faisiez partie de son cercle d'intimes.

Pas sûr, songea Ted. Les surnoms distribués par Leila avaient toujours une signification à double tranchant. Faucon : un prédateur exercé à chasser et à tuer.

109

Bouledogue : un chien trapu, au poil court, à la mâchoire carrée, et qui ne lâche pas facilement prise.

– Commandons le déjeuner, dit Henry. On a du pain sur la planche.

Tout en mangeant son club-sandwich, Ted raconta sa rencontre avec Elizabeth.

– Vous pouvez oublier votre suggestion d'hier, dit-il à Henry. C'est bien ce que je pensais. Si j'admets être remonté chez Leila, ils m'enverront en tôle dès la fin de la déposition d'Elizabeth.

L'après-midi fut long. Ted écouta Henry Bartlett développer la thèse de la folie passagère.

– Leila vous avait publiquement rejeté ; elle venait de laisser tomber une pièce dans laquelle vous aviez investi quatre millions de dollars. Le lendemain, vous l'avez implorée de revenir sur sa décision. Elle a continué à vous insulter, à vous entraîner à boire.

– Je pouvais déduire cette somme de mes impôts, l'interrompit Ted.

– Vous le savez. Moi aussi. Mais le juré qui court derrière ses remboursements de voiture n'en croira rien.

– Je refuse d'admettre que j'aie pu tuer Leila. Je ne veux même pas l'envisager.

Le visage de Bartlett s'empourpra.

– Ted, comprenez que j'essaye de vous sortir de là, nom de Dieu ! D'accord, vous aviez prévu la réaction d'Elizabeth Lange. Refusons donc d'admettre que vous êtes remonté au quarantième étage. Si nous rejetons la thèse de l'amnésie, il nous faudra détruire à la fois le témoignage d'Elizabeth et celui du témoin oculaire. L'un ou l'autre : nous y parviendrons peut-être. Les deux : sûrement pas.

– Il y a une possibilité que j'aimerais explorer, suggéra Craig. Nous avons obtenu une information psychiatrique sur ce soi-disant témoin. J'avais suggéré au premier avocat de Ted de mettre un détective sur sa trace et d'avoir des renseignements plus précis sur cette femme. Je persiste à croire que c'est une bonne idée.

– En effet. (Les yeux de Bartlett disparurent derrière le rideau de ses paupières.) Cela aurait dû être fait depuis longtemps.

Ils parlent de moi, pensa Ted. Ils envisagent les moyens de gagner mon éventuelle liberté comme si je n'étais pas là. Une colère sourde attisa son envie de les envoyer promener. Les mettre dehors ? L'avocat censé gagner son procès ? L'ami qui lui avait prêté ses yeux, ses oreilles et sa voix durant ces derniers mois ? Mais je ne veux pas qu'ils décident de ma vie sans moi, pensa Ted avec un goût d'amertume aux lèvres. Je ne leur reproche rien, mais je n'arrive pas à leur faire confiance. De toute façon, c'est à moi de me prendre en charge.

Bartlett s'adressait à Craig.

– Connaissez-vous une agence ?

– Deux ou trois. Nous les avons utilisées pour le groupe lors de problèmes internes qu'il nous fallait résoudre discrètement.

Il nomma les agences de détectives.

Bartlett hocha la tête.

– Voyez laquelle mettre sur ce cas. Je veux savoir si Sally Ross a coutume de boire ; si elle a des amis auxquels elle se confie ; si elle leur a parlé du procès ; si l'un d'eux se trouvait avec elle le soir où Leila LaSalle est morte. Rappelez-vous, personne ne met en doute sa parole lorsqu'elle affirme qu'elle était chez elle, et qu'elle a regardé par hasard la terrasse de Leila au moment précis où cette dernière est passée par-dessus bord.

Il jeta un regard vers Ted.

– Avec ou sans l'aide de Teddy.

Quand Craig et Henry le quittèrent enfin à 16 h 45, Ted se sentit vidé. Il alluma la télévision et l'éteignit par réflexe. Regarder un feuilleton ne lui éclaircirait pas les idées. Marcher lui ferait peut-être du bien, respirer l'écume salée de l'Océan, passer devant la maison de ses grands-parents où il avait vécu tant de jours heureux dans son enfance.

Il choisit finalement de prendre une douche, entra dans la salle de bains et resta un long moment à contempler son reflet dans la glace qui couvrait la moitié du mur au-dessus du vaste lavabo. Des touches de gris sur les tempes. Des signes de tension autour des yeux. Une raideur dans la bouche. *Le stress marque le mental autant que le physique*. Il avait entendu un pontife de la psychologie énoncer ce précepte lors d'une émission télévisée. « Sans blague ! » murmura-t-il en lui-même.

Craig lui avait proposé de partager un bungalow à deux. Ted était resté silencieux et il n'avait pas insisté.

La vie serait plus simple si chacun comprenait que vous avez besoin d'un minimum d'espace. Il se dévêtit et mit ses vêtements dans le panier à linge. Un sourire effleura ses lèvres. C'était Katy, sa femme, qui lui avait ôté l'habitude de laisser tomber ses vêtements n'importe où, quand il se déshabillait. « Je me fiche que ta famille soit riche, s'indignait-elle. C'est dégoûtant de demander à un autre être humain de ramasser ton linge. » « Mais c'est du linge de luxe. » Son visage dans ses cheveux. Le parfum qu'elle utilisait, une eau de Cologne à vingt dollars. « Inutile de te ruiner. Je suis incapable de mettre des parfums de luxe. C'est plus fort que moi. »

La douche froide dissipa son mal de tête. Revigoré, Ted enfila le peignoir en éponge, sonna la femme de chambre et commanda un thé glacé. Il aurait aimé s'asseoir dehors sur la terrasse, mais la crainte d'avoir à lier conversation avec quelqu'un le retint. Cheryl. Elle était capable de passer « par hasard » devant le bungalow de Ted. Bon Dieu ! oublierait-elle jamais leur liaison éphémère ? Elle était belle, elle l'avait amusé pendant un certain temps, et possédait l'obstination nécessaire pour se frayer un chemin – mais, avec ou sans procès, il n'avait aucune envie de renouer avec elle.

Il s'installa sur le canapé d'où il pouvait admirer l'Océan, regarder les mouettes décrire des courbes au-dessus du bouillonnement de l'écume, insensibles à la puissance du courant, hors de portée des vagues prêtes à les écraser contre les rochers.

Une sueur froide l'envahit subitement à la pensée de l'imminence du procès. Il se leva d'un bond et ouvrit brutalement la porte qui donnait sur la terrasse latérale.

Les derniers jours d'août apportaient une exquise sensation de fraîcheur. Il posa ses mains sur la rambarde.

Quand s'était-il aperçu que Leila et lui finiraient par

rompre ? Sa méfiance des hommes était devenue into-lérable. Était-ce pour cette raison qu'il avait passé outre aux conseils de Craig et investi des millions dans la pièce ? Avait-il inconsciemment espéré que, le succès aidant, elle comprendrait qu'elle n'était pas faite pour être la femme d'un homme d'affaires, pour fonder une famille ? Leila était une actrice – avant tout et pour toujours. Elle *disait* qu'elle désirait un enfant, mais c'était un leurre. Elle avait satisfait son instinct maternel en élevant Elizabeth.

Le soleil baissait sur le Pacifique. L'air s'emplissait du crissement des criquets. Le soir. La perspective du dîner. Il voyait déjà l'expression des visages autour de la table. Min et Helmut, sourires factices, regards inquiets. Craig qui essayait de lire dans ses pensées. Syd, nerveux et méfiant. Auprès de qui s'était-il endetté pour cette pièce ? Combien espérait-il lui emprunter ? Combien valait son témoignage ? Cheryl, déployant toute sa science de la séduction. Alvirah Meehan avec ses yeux fouineurs, qui tripotait sans arrêt cette affreuse broche. Henry, l'œil rivé sur Elizabeth à travers la séparation vitrée. Et Elizabeth, le visage froid et méprisant, qui les observait tous.

Ted baissa les yeux. Le bungalow était construit sur une butte et la terrasse surplombait une masse de buis-sons aux fleurs rouges trois mètres plus bas. Des images se formèrent devant lui et il rentra hâtivement à l'inté-rieur.

Il tremblait encore quand la femme de chambre apporta le thé glacé. Sans se soucier de la délicate cour-tepointe de satin, il s'affala sur le grand lit double. Il aurait voulu que le dîner fût terminé, que la nuit et tout ce qui l'accompagnait fussent passés.

Un sourire amer se dessina sur ses lèvres. Pourquoi ce désir de voir la soirée s'écouler ? Quels dîners servent-ils en prison ?

Il ne manquerait pas de temps pour le découvrir.

Dora arriva à Cypress Point à 14 heures, déposa ses bagages dans sa chambre et se rendit directement à son bureau, à la réception.

Min l'avait autorisée à garder les sacs du courrier non dépouillé dans le cabinet où étaient rangés les dossiers. Dora prenait généralement un paquet de lettres à la fois, qu'elle rangeait dans le dernier tiroir de son bureau. Elle savait que la vue du courrier de Leila horripilait Min. Aujourd'hui, peu lui importait que Min fût contrariée ou non. Il lui restait la fin de sa journée de congé pour rechercher d'autres lettres.

Pour la énième fois, elle parcourut la lettre anonyme. Plus elle la relisait, plus elle était convaincue qu'elle devait contenir au moins un élément de vérité. Aussi heureuse qu'elle eût été avec Ted, Leila s'était souvent montrée déprimée, irritable et d'humeur changeante pendant le tournage des trois ou quatre derniers films. Dora avait remarqué l'impatience grandissante de Ted lors de ses éclats. Avait-il commencé à s'intéresser à une autre femme ?

C'était exactement ce qu'aurait cru Leila si elle avait ouvert une lettre ou une série de lettres de ce type. Cela expliquerait l'angoisse, la tendance à boire, l'abattement des derniers mois. Leila disait souvent : « Il n'y a que deux personnes en qui je peux avoir confiance sur terre, Moineau et Faucon. Et toi, maintenant, Sammy. » Dora s'était sentie flattée. « Quant au Queen Elizabeth II – surnom dont Leila gratifiait Min –, c'est une amie à la vie à la mort, pourvu qu'elle en tire profit et que ça n'entre pas en conflit avec les caprices du Petit Soldat. »

Dora entra dans le bureau. Heureusement, Min et Helmut n'étaient pas là. Dehors, le soleil brillait, la brise était légère. Au loin, sur les levées rocheuses qui surplombaient l'océan, luisaient les algues aux ramures vertes et rousses qui poussaient à la fois sous l'eau et à l'air libre. Elizabeth et Ted avaient représenté l'eau et l'air pour Leila.

Elle pénétra dans la pièce du classement. Avec la

passion de Min pour la décoration, même ce petit réduit était luxueusement aménagé avec ses classeurs d'un jaune lumineux faits sur mesure, son sol en carreaux de céramique couleur terre de Sienne et un grand buffet XVIIᵉ transformé en armoire à fournitures.

Il restait encore deux sacs de lettres, de la modeste feuille quadrillée déchirée dans un cahier d'écolier au plus somptueux des papiers japons parfumés. Dora en prit une liasse et l'apporta sur son bureau.

Les passer en revue lui prit du temps. Elle n'était pas certaine de trouver une lettre identique à la première. Elle commença par les lettres déjà ouvertes, celles que Leila avait lues. Au bout de quarante minutes, elle n'était toujours parvenue à rien. La plupart des lettres était sans surprise. *Vous êtes mon actrice préférée... J'ai donné votre nom à ma fille... Je vous ai vue dans le programme de Johnny Carson. Vous étiez si belle et si drôle...* Mais s'y ajoutaient aussi plusieurs lettres singulièrement critiques. *C'est la dernière fois que je dépense cinq dollars pour vous voir. Quel film minable... Lisez-vous vos scénarios, Leila, ou acceptez-vous n'importe quoi ?*

Sa concentration était telle qu'elle ne remarqua pas l'arrivée de Min et d'Helmut à 16 heures. Elle leva les yeux et les vit devant son bureau. Avec un sourire naturel, elle glissa subrepticement la lettre dans la pile.

Min était visiblement bouleversée. Elle ne sembla pas se rendre compte que Dora était arrivée en avance.

– Sammy, allez me chercher le dossier sur les thermes.

Lorsque Dora rapporta la chemise en carton, Helmut voulut la lui prendre des mains, mais Min le devança. Elle était blême. Helmut lui caressa le bras.

– Min, je t'en prie, tu en fais une montagne.

Min l'ignora.

– Venez dans mon bureau, dit-elle à Dora.

– Le temps de mettre un peu d'ordre.

Dora désigna son bureau.

– Laissez. Vous rangerez plus tard.

Il n'y avait rien à faire. Si elle tentait de glisser la lettre anonyme dans le tiroir de son bureau, Min demanderait à la voir. Dora tapota ses cheveux et suivit Min et Helmut. Il se passait quelque chose de grave, qui se rapportait sans doute à cette satanée maison thermale.

Assise à sa table de travail, Min commença à parcourir le dossier. Il contenait pour la plupart des factures de l'entrepreneur. *Cinq cent mille dollars, trois cent mille, vingt-cinq mille…* Elle continua à lire, la voix de plus en plus perçante. *Et maintenant, quatre cent mille dollars d'acompte avant de poursuivre les travaux à l'intérieur.* Elle reposa brutalement les papiers et les frappa du poing.

Dora alla précipitamment prendre un verre d'eau glacée dans le réfrigérateur du bureau. Helmut contourna la table, posa ses mains sur les tempes de Min, murmurant: «Chut, Minna, calme-toi. Tu vas faire monter ta tension.»

Dora tendit le verre à Min, non sans lancer un regard méprisant à Helmut. Ce panier percé mettrait sa femme sur la paille avec sa folie des grandeurs! Lorsque Min avait suggéré d'ajouter simplement une thalassothérapie indépendante à l'arrière de la propriété, il aurait dû l'écouter. Elle avait cent fois raison. Tout le monde faisait des cures de thalassothérapie aujourd'hui, les secrétaires comme les gens du monde. Au lieu de ça, ce prétentieux avait persuadé Min de construire des thermes! «Nous serons célèbres dans le monde entier», ne cessait-il de répéter tout en entraînant Min à s'endetter. Dora connaissait aussi bien qu'eux les finances de Cypress Point. On ne pouvait pas continuer sur ce rythme. Elle interrompit les propos apaisants d'Helmut.

– Arrêtez dès maintenant les travaux de la maison thermale, proposa-t-elle d'un ton catégorique. L'extérieur est terminé, l'endroit a belle allure. Racontez que le marbre que vous avez spécialement commandé pour l'intérieur n'a pu être livré. Personne ne verra la différence. L'entreprise a été payée jusqu'à aujourd'hui, n'est-ce pas?

– Presque, admit Helmut. (Il gratifia Dora d'un sourire reconnaissant, comme si elle venait de dénouer une situation inextricable.) Dora a raison, Minna. Il faut renoncer à terminer les thermes, pour l'instant.

Min l'ignora.

– Je veux revoir ces chiffres.

Pendant la demi-heure qui suivit, ils restèrent absorbés,

comparant commandes, devis et factures. À un moment donné Min, suivie d'Helmut, quitta la pièce pendant quelques minutes. Mon Dieu, faites qu'ils ne passent pas près de mon bureau! pria Dora. Elle savait qu'à la minute où elle serait plus calme, Min s'irriterait de voir du désordre dans le hall de réception.

En fin de compte, Min jeta les plans originaux sur son bureau.

– Je veux parler à ce crétin de conseiller juridique. J'ai l'impression que l'entrepreneur s'autorise des dépassements pour chaque tranche de travaux.

– L'entrepreneur est un homme compréhensif, dit Helmut. Interrompons le chantier pour le moment. Dora a raison. En attendant la cargaison de marbre de Carrare, nous agissons en puristes et tournons la situation à notre avantage. On ne nous en admirera que plus. *Liebchen*, ignores-tu que l'éveil du désir compte autant que son accomplissement?

Dora fut soudain consciente d'une autre présence dans la pièce. Elle leva les yeux. Sa ravissante silhouette appuyée contre le chambranle de la porte, Cheryl les regardait d'un air amusé.

– J'arrive peut-être à un mauvais moment? dit-elle d'un ton joyeux. (Sans attendre la réponse, elle s'avança d'un pas nonchalant et se pencha sur l'épaule de Dora.) Oh, je vois que vous étudiez les plans de la maison thermale.

Elle les examina à son tour.

– Quatre piscines, bains turcs, saunas, cabines de massage, salles de repos? J'adore l'idée de faire un somme après des ébats épuisants dans des bains de sels minéraux! À propos, ne craignez-vous pas qu'alimenter les bains en eau minérale ne vous coûte une fortune? Avez-vous l'intention de la faire venir par pipe-line de Baden-Baden? (Elle s'étira avec grâce.) On dirait que vous disposez d'un joli capital tous les deux. Ted partage mon opinion, vous savez. D'ailleurs, il me demandait souvent mon avis avant que Leila ne jette son dévolu sur lui. Je vous quitte. À tout à l'heure, au dîner.

À la porte, elle se retourna.

– Oh, tant que j'y pense, Min, j'ai laissé ma note sur

le bureau de Dora. Je suis sûre qu'on l'a déposée par inadvertance dans mon bungalow. Je sais bien que tu avais l'intention de m'inviter, ma chérie.

Cheryl avait laissé sa note sur son bureau. Cela signifiait qu'elle avait fouillé dans le courrier. C'était son genre. Elle avait probablement vu la lettre adressée à Leila.

Min regarda Helmut, des larmes de frustration dans les yeux.

– Elle sait que nous traversons une mauvaise passe, et elle est capable de prévenir la presse entière ! Qui plus est, nous voilà avec une invitée de plus – et tu peux compter sur elle pour se comporter comme chez elle !

D'un geste rageur, Min rassembla les factures et les replaça dans le dossier.

Dora le lui prit des mains et alla le ranger à sa place. Le cœur battant, elle regagna la réception. Les lettres de Leila étaient éparpillées sur son bureau ; la lettre anonyme avait disparu.

Consternée, elle tenta d'évaluer le mal que pouvait provoquer cette lettre. Pouvait-on l'utiliser pour faire chanter Ted ? Son auteur avait-il voulu la reprendre, craignant qu'on en retrouve l'origine ?

Ce n'est qu'une fois assise à son bureau qu'elle remarqua la note de Cheryl, posée contre son bloc-calendrier.

Cheryl avait griffonné en travers de la feuille : *Payé.*

7

À 18 h 30 le téléphone sonna dans le bungalow d'Elizabeth. C'était Min.

– Elizabeth, je voudrais t'avoir à notre table, ce soir. Ted, son avocat, Craig, Cheryl et Syd dînent tous les cinq dehors.

Elle était redevenue la Min d'autrefois, qui n'admettait aucun refus. Puis, sans laisser à Elizabeth le temps de répondre, elle prit un ton plus doux.

– Tu vas repartir demain. Tu nous as manqué.

– Est-ce une autre de tes ruses, Min ?

– J'ai eu tort de t'avoir imposé cette rencontre hier soir. Je te demande sincèrement de me pardonner.

Min semblait lasse et un sentiment de compassion s'empara d'Elizabeth malgré elle. Si Min choisissait de croire en l'innocence de Ted, c'était son droit. Les mettre face à face, elle et Ted, était une idée ridicule et révoltante, mais bien dans son style.

– Tu m'assures qu'aucun d'entre eux ne sera dans la salle à manger ?

– Promis. Viens te joindre à nous, Elizabeth. Tu pars demain. Je t'ai à peine vue.

Supplier n'était pas dans les habitudes de Min. Par ailleurs, Elizabeth n'était pas certaine d'envisager gaiement la perspective d'un dîner solitaire.

Elle avait consciencieusement rempli son programme de l'après-midi : deux cours de stretching, une séance de pédicure et de manucure, pour terminer par un cours de yoga. Pendant ce dernier, elle avait essayé de libérer son esprit, mais malgré ses efforts pour se concentrer, elle entendait la question de Ted : *Si je suis véritablement remonté… que j'essayais de la sauver ?*

– Elizabeth… ?

Elizabeth serra le téléphone dans sa main et regarda autour d'elle, embrassant du regard les couleurs en camaïeu du luxueux bungalow. «Le vert Leila», comme l'appelait Min. Cheryl avait voulu imposer son point de vue hier soir, mais Min avait sûrement aimé Leila. Elizabeth s'entendit accepter l'invitation.

La spacieuse salle de bains comprenait une baignoire encastrée dans le sol, avec bain à remous, douche et jet de vapeur. Elle choisit la manière favorite de Leila de se relaxer : vapeur et remous. Les yeux clos, la tête reposant confortablement sur un appuie-tête en éponge, elle sentit peu à peu la tension se dissiper.

Min avait dû engloutir tous les millions de son premier mari dans cet endroit. Elizabeth s'était rendu compte que cette inquiétude était partagée par les membres les plus anciens du personnel. Rita, la manucure, lui avait tenu à peu près le même discours que la masseuse. «Je vous le dis, Elizabeth, Cypress Point n'a plus le même attrait depuis la mort de Leila. Les amateurs de célébrités vont à La Costa, à présent. Bien sûr, on voit toujours débarquer quelques noms illustres, mais la vérité est que la moitié ne paye pas.»

Au bout de vingt minutes, la vapeur s'arrêta automatiquement. Elizabeth s'obligea à prendre une douche froide, puis se drapa dans un confortable peignoir et enroula une serviette autour de sa tête. Elle avait négligé autre chose, dans l'accès de colère qui s'était emparé d'elle à la vue de Ted. Si Min avait sincèrement aimé Leila – son désespoir après sa mort n'était pas feint –, qu'en était-il d'Helmut? L'hostilité avec laquelle il contemplait la photo de Leila, sa façon d'insinuer qu'elle était moins belle qu'avant… Pourquoi ce venin? Pas seulement parce que Leila s'amusait à le traiter de «petit soldat». Lui-même en riait lorsqu'il lui arrivait d'entendre Leila plaisanter. Elle se souvint du soir où il était arrivé pour dîner chez Leila, vêtu d'une ample cape militaire.

«Je l'ai vue dans la vitrine, en passant devant une boutique de déguisements, et je n'ai pas pu résister», avait-il expliqué sous les applaudissements de l'assistance. Leila avait éclaté de rire en l'embrassant. «Tu es un type épatant, monsieur le baron», avait-elle dit…

Alors, pourquoi ce ressentiment? Elizabeth se sécha les cheveux, les brossa en arrière et les noua en lourd chignon sur la nuque. Tout en appliquant son maquillage, une touche de rouge sur les lèvres et sur les joues, elle entendait la voix de Leila: «Seigneur, Moineau, tu deviens plus jolie chaque jour. Tu as de la veine que maman se soit trouvée dans les bras du sénateur Lange quand tu as été conçue. Tu imagines si tu avais été la fille de Matt?»

Elle avait participé à une tournée théâtrale, l'été dernier, et, lors de leur passage dans le Kentucky, s'était rendue au siège du principal journal de Louisville pour y rechercher des articles concernant Everett Lange. Sa notice nécrologique remontait à quatre ans, à cette époque. On y donnait des détails sur sa famille, ses études, son mariage avec une jeune fille de la haute société, son succès au Congrès. Sur une photographie, elle avait retrouvé une version masculine de ses propres traits… Sa vie aurait-elle été différente si elle avait connu son père ? Elle chassa cette pensée.

Il était de règle de s'habiller pour le dîner, à Cypress Point. Elle choisit une simple tunique en jersey de soie blanche avec une cordelière en guise de ceinture et des sandales argentées. Elle se demanda si Ted et les autres s'étaient rendus au Cannery à Monterey. C'était le restaurant qu'il préférait.

Il y a trois ans, Leila étant partie à l'improviste tourner des prises de vues supplémentaires, Ted avait emmené Elizabeth dîner au Cannery. Ils étaient restés pendant des heures à bavarder ; il lui avait parlé des étés qu'il passait chez ses grands-parents à Monterey, du suicide de sa mère lorsqu'il avait douze ans, du mépris à jamais ancré dans son cœur pour son père. Et il lui avait parlé de l'accident de voiture qui avait coûté la vie à sa femme et à son enfant. « J'étais brisé, incapable de fonctionner. Pendant près de deux ans, j'ai erré comme un véritable zombie. Sans Craig, j'aurais abandonné la direction du groupe à quelqu'un d'autre. C'est lui qui a tout pris en main. Il s'est substitué à moi. »

Le lendemain, il lui avait dit : « Toi aussi, tu sais écouter. »

Il semblait gêné de lui avoir dévoilé une part de lui-même.

Elle attendit que l'heure des cocktails fût écoulée pour quitter son bungalow. Dans l'allée qui menait à la maison principale, elle s'arrêta pour contempler le spectacle qui s'offrait à elle. La façade éclairée, les groupes vêtus avec élégance, qui buvaient, parlaient, riaient, se séparaient, se rejoignaient.

Elle fut frappée par l'étonnante pureté des étoiles sur la voûte noire du ciel, le halo lumineux des lanternes de l'allée soulignant avec art les buissons fleuris taillés en haies, le calme clapotis des vagues qui venaient mourir sur le rivage ; et, derrière la maison, l'ombre menaçante des thermes, monument de marbre noir luisant dans le reflet des lumières.

Elle se sentait déracinée. En Europe, il lui avait été plus facile d'oublier la sensation de solitude, de désaffection qui semblait faire partie de son existence.

Dès la fin du tournage, elle était rentrée chez elle, pressée de retrouver le havre de son appartement, le visage familier de New York, mais dix minutes avaient suffi pour qu'elle eût envie de s'enfuir, et elle s'était raccrochée à l'invitation de Min comme une noyée. Aujourd'hui, elle comptait les heures avant de pouvoir regagner New York. Se sentirait-elle un jour chez elle ?

Le procès la délivrerait-elle ? Savoir qu'elle avait participé à la condamnation du meurtrier de Leila parviendrait-il à la soulager, lui permettrait-il de se tourner vers d'autres êtres, de commencer une nouvelle vie ?

– Excusez-nous.

Un jeune couple marchait derrière elle. Elle reconnut un joueur de tennis classé tête de série. Depuis combien de temps leur barrait-elle le passage ?

– Pardon, j'étais dans la lune.

Elle fit un pas sur le côté et ils la dépassèrent, un sourire indifférent aux lèvres. Elle les suivit lentement jusqu'au bout de l'allée, monta les marches de la véranda et se dirigea rapidement vers le coin le plus éloigné. Elle ne se sentait pas d'humeur à bavarder.

Min et Helmut allaient de l'un à l'autre avec l'aisance que donne l'habitude de recevoir. Min resplendissait dans une longue robe de satin jaune et ses pendants d'oreilles en diamant.

Comme toujours, Helmut était d'une élégance irréprochable dans une veste de soie bleu marine sur un pantalon de flanelle grise. Il débordait de charme, s'inclinait, souriait, levait un sourcil parfaitement arqué – le gentleman accompli.

Mais pour quelle raison haïssait-il Leila ?

Ce soir, la couleur pêche dominait dans la salle à manger : nappes et serviettes de lin pêche, centres de table piqués de roses pêche, porcelaine à filet doré et pêche. La table de Min était dressée pour quatre. En s'approchant, Elizabeth vit le maître d'hôtel toucher le bras de Min et lui indiquer le téléphone sur une table à l'écart.

Lorsque Min revint à sa place, elle semblait contrariée. Elle parut néanmoins sincère en accueillant Elizabeth.

– Tu nous consacres enfin un peu de temps ! J'avais espéré vous faire une heureuse surprise, à toi et à Sammy. Elle est revenue plus tôt que prévu. Elle n'a sans doute pas vu mon billet où je la prévenais de ta présence. Je l'ai invitée à se joindre à nous pour le dîner, mais elle vient de téléphoner pour dire qu'elle ne se sentait pas très bien. Elle viendra te voir à ton bungalow après dîner.

– Est-elle malade ? s'inquiéta Elizabeth.

– Elle a parcouru un long trajet en voiture. J'espère qu'elle a pris la peine de manger.

Il était évident que Min ne désirait pas s'étendre sur le sujet.

Elizabeth observa la façon dont Min surveillait son monde d'un œil exercé. Malheur au serveur qui ne se comportait pas selon les règles, qui faisait du bruit, renversait un plat ou cognait une chaise ! Il lui vint soudain à l'esprit que ce n'était pas dans les habitudes de Min d'inviter Sammy à sa table. Aurait-elle deviné qu'Elizabeth avait une raison particulière d'attendre l'arrivée de Sammy, et cherché à savoir laquelle ?

Et Sammy aurait-elle habilement évité le piège ?

– Je suis désolée d'être en retard. (Alvirah Meehan tira sa chaise sans attendre l'aide du serveur.) L'esthéticienne a voulu me maquiller, dit-elle l'air ravi. Que pensez-vous du résultat ?

Alvirah portait une longue tunique beige au col orné de motifs perlés qui valait à coup sûr une véritable fortune.

– Je l'ai achetée à la boutique, expliqua-t-elle. Vous avez des choses ravissantes. J'ai également acheté tous les produits de beauté que la maquilleuse m'a conseillés. Elle s'est montrée si complaisante.

Amusée, Elizabeth observa le visage de Min. On était *invité* à se joindre à la table de Min et d'Helmut – chose que Mme Meehan paraissait ignorer. Min aurait pu le lui expliquer et la placer à une autre table. Mais Mme Meehan occupait le bungalow le plus cher de l'institut ; elle achetait manifestement tout ce qui lui tombait sous les yeux, et l'offenser eût certes manqué de finesse. Un sourire forcé sur les lèvres, Min approuva :

– Vous êtes ravissante. Demain, je me ferai un

plaisir de vous aider personnellement à choisir d'autres tenues.

– Ce serait très aimable de votre part. (Alvirah joua avec sa broche et se tourna vers Helmut.) Baron, je dois vous dire que j'ai relu votre publicité – celle que vous avez accrochée dans le bungalow.

– Oui ?

Helmut semblait-il subitement sur ses gardes, ou était-ce un effet de l'imagination d'Elizabeth ?

– Eh bien, j'avoue que tout ce que vous racontez sur cet endroit est on ne peut plus vrai. Vous vous souvenez de cette phrase : « À la fin d'un week-end ici, vous vous sentirez libre et léger comme un papillon sur un nuage » ?

– C'est quelque chose comme ça, en effet.

– Mais c'est vous qui l'avez écrite, vous me l'avez dit vous-même.

– J'ai dit que j'avais participé à la rédaction de l'annonce. Nous avons une agence.

– C'est absurde, Helmut. Mme Meehan approuve le texte de cette publicité, et elle a raison. En effet, madame, mon mari a un véritable sens créatif. C'est lui qui rédige en personne le billet de bienvenue quotidien, et lorsque nous avons transformé l'hôtel en centre de remise en forme, il y a dix ans, il a refusé le texte publicitaire que l'agence nous avait proposé pour le réécrire lui-même. Cette annonce a remporté de nombreux prix et c'est pourquoi nous l'avons fait encadrer et accrochée dans chaque bungalow.

– Elle vous a sûrement attiré un bon nombre de célébrités. J'aimerais bien être une mouche sur le mur pour les entendre raconter leurs histoires… (Elle adressa à Helmut un large sourire.) Ou un papillon flottant sur un nuage.

Ils dégustaient leur mousse de fruits basses calories quand Elizabeth se rendit compte avec quelle habileté Mme Meehan était parvenue à faire parler Min et Helmut. Ils lui avaient raconté des histoires qu'elle-même n'avait jamais entendues auparavant : sur ce millionnaire excentrique qui était arrivé en bicyclette le jour de l'ouverture, royalement suivi par sa Rolls Royce, ou cet avion affrété par un cheik d'Arabie pour venir récupérer l'un des bijoux que l'une de ses quatre épouses avait oublié sur une table près de la piscine…

Ils étaient sur le point de quitter la table quand Alvirah posa une dernière question.

– Quel a été le plus fascinant des hôtes de Cypress Point ?

Sans hésitation, sans même se regarder, ils répondirent de concert :

– Leila LaSalle.

Pour une raison inconnue, Elizabeth frissonna.

Elle ne s'attarda pas pour le café ou le programme musical. Dès qu'elle eut regagné son bungalow, elle téléphona à Sammy. Personne ne répondit dans l'appartement. Surprise, elle composa le numéro de son bureau à la réception.

La voix de Sammy vibrait d'excitation lorsqu'elle répondit.

– Elizabeth, j'ai cru m'évanouir en apprenant ta présence ici. Non, je vais très bien. J'arrive tout de suite.

Dix minutes plus tard, Elizabeth étreignait tendrement la petite femme farouchement fidèle qui avait partagé avec elle les dernières années de la vie de Leila.

Assises en face l'une de l'autre sur les canapés assortis, elles s'examinèrent attentivement. Dora avait beaucoup changé.

– Je sais, dit-elle avec un sourire désabusé, je n'ai pas l'air brillant.

– Tu n'as pas l'air bien, Sammy, dit Elizabeth. Réponds-moi franchement. Que se passe-t-il ?

Dora haussa les épaules.

– Je me sens tellement coupable. Tu n'étais pas là, tu ne pouvais voir combien Leila changeait de jour en jour. J'ai pu le constater lorsqu'elle est venue me voir à l'hôpital. Quelque chose la minait, mais elle refusait d'en parler. J'aurais dû te prévenir. J'ai l'impression de l'avoir laissée seule avec elle-même. Et maintenant, c'est comme si elle me demandait de découvrir la vérité. Je n'y renoncerai pas avant d'y être arrivée.

Elizabeth était au bord des larmes. Elle joignit les mains.

– Sammy, réponds-moi. Y a-t-il un risque que je me trompe à propos de Ted ? Je n'ai aucun doute sur l'heure, et s'il a poussé Leila du haut de la terrasse, il doit payer. Mais se pourrait-il qu'il ait voulu la retenir ? Pourquoi était-elle si bouleversée ? Pourquoi buvait-elle ? Tu sais à quel point elle avait horreur des gens qui s'enivraient. Ce soir-là, peu avant qu'elle ne meure, je me suis montrée dure avec elle. J'ai voulu la choquer, lui faire comprendre à quel point elle se faisait du mal. Si j'avais manifesté plus de compréhension… Sammy, si seulement je lui avais demandé *pourquoi* !

D'un mouvement spontané, elles se rapprochèrent l'une de l'autre. Dora entoura Elizabeth de ses bras maigres, sentit le tremblement de ce jeune corps et se souvint de l'adolescente qui avait tant aimé sa grande sœur.

– Oh, Moineau, dit-elle, reprenant involontairement le petit nom que Leila donnait à Elizabeth, que penserait Leila en nous voyant toutes les deux dans cet état ?

– Elle dirait : « Arrêtez de gémir et faites quelque chose. »

Elizabeth tamponna ses yeux et s'efforça de sourire.

– Exactement. (À petits gestes rapides, Dora arrangea les fines mèches de cheveux qui s'obstinaient à glisser de son chignon.) Reprenons depuis le début. Leila avait-elle commencé à se comporter bizarrement avant que tu ne partes en tournée ?

Elizabeth se concentra, éliminant les souvenirs superflus.

– Son divorce avait été prononcé peu avant mon départ. Elle avait passé la journée avec son comptable. C'était la première fois que je la voyais inquiète pour des questions d'argent. Elle a dit quelque chose comme : « Moineau, j'ai gagné un paquet de fric, et si tu veux savoir la vérité, je suis quasiment au bord de la ruine, aujourd'hui. » Je lui ai répliqué que ses deux parasites de maris l'avaient mise dans ce pétrin, mais qu'épouser un milliardaire comme Ted ne me paraissait pas être « au bord de la ruine ». Elle m'a alors demandé : « Ted est vraiment amoureux de moi, n'est-ce pas ? » Et je lui ai dit de cesser de poser ce genre de question idiote. « Continue à douter de lui et tu finiras par le faire fuir. Il est fou de toi. Maintenant, va gagner les quatre millions de dollars qu'il vient d'investir sur toi. »

– Et qu'a-t-elle dit ?

– Elle s'est mise à rire – tu sais, de son grand rire éclatant – puis elle a conclu : « Tu as raison comme d'habitude, Moineau. » Elle adorait cette pièce.

– Ensuite, tu es partie, je suis tombée malade, et Ted s'est absenté pour ses affaires. C'est alors que quelqu'un a entrepris de la détruire. (Dora chercha dans la poche de son cardigan.) La lettre dont je t'ai parlé a été volée sur mon bureau, aujourd'hui. Mais juste avant ton coup de téléphone, j'en ai trouvé une autre dans le courrier de Leila. Pas plus que la première, elle n'a eu l'occasion de la lire – elle était encore cachetée – mais elle est significative.

Horrifiée, Elizabeth lut et relut les mots irrégulièrement collés :

Leila,

Pourquoi ne pas admettre que Ted essaye
de vous plaquer ? Sa nouvelle amie
en a assez d'attendre.
Ces quatre millions de Dollars représentent
son Baiser d'adieu. Et c'est plus que vous
ne valez. Ne vous y trompez pas, ma belle,
ça veut dire DEHORS. La pièce est nulle,
et vous avez dix ans de trop
pour le rôle.

Votre ami.

Dora vit Elizabeth devenir pâle comme un linge.

– Leila ne l'avait pas lue ? demanda-t-elle d'une voix blanche.

127

– Non, mais elle a dû en recevoir d'autres.

– Qui a pu dérober celle que tu avais trouvée en premier ?

Brièvement, Dora la mit au courant de la scène entre Min et Helmut à propos des thermes et de l'arrivée inopinée de Cheryl.

– Je sais que Cheryl est allée jusqu'à mon bureau. Elle y a déposé sa note. Mais n'importe qui a pu prendre la lettre.

– Ce serait bien le genre de Cheryl. (Elizabeth prit la lettre par un coin, répugnant à la tenir.) On doit pouvoir y relever des indices.

– Des empreintes ?

– Oui. De plus, les caractères d'imprimerie ont un code. Il serait utile d'apprendre dans quels magazines et journaux ces mots ont été découpés. Attends. (Elizabeth alla dans sa chambre, en revint avec une pochette de plastique et y glissa soigneusement la lettre.) Je trouverai où la faire analyser. (Elle se rassit, les bras serrés autour des genoux.) Sammy, te souviens-tu exactement de ce que disait l'autre lettre ?

– Je crois que oui.

– Écris-le. Il y a du papier dans le secrétaire.

Dora écrivit, ratura, recommença et finit par tendre la feuille à Elizabeth.

– C'est ça, à une virgule près.

« Leila,
« Combien de fois devrai-je vous l'écrire ? Quand comprendrez-vous une bonne fois pour toutes que Ted en a marre de vous ? Sa nouvelle amie est ravissante et bien plus jeune que vous. Je vous ai déjà dit qu'il vient de lui offrir le collier d'émeraudes assorti au bracelet qu'il vous avait donné. Il est dix fois plus beau et coûte deux fois plus cher. On m'a dit que votre pièce est une nullité. Vous devriez apprendre votre texte. À bientôt.

Votre ami. »

Elizabeth lut et relut la lettre.

– Ce bracelet, Sammy, quand Ted l'a-t-il offert à Leila ?

128

-- Un peu après Noël. Pour l'anniversaire de leur première rencontre. Elle m'avait demandé de le mettre au coffre, car elle commençait les répétitions et savait qu'elle ne le porterait pas.

– Voilà où je veux en venir. Combien de gens ont eu connaissance de ce bracelet ? Ted le lui a donné au cours d'un dîner. Qui y assistait ?

– Toujours les mêmes. Min. Helmut. Craig. Cheryl. Syd. Toi et moi.

– Et le même groupe connaissait la somme investie par Ted dans la pièce. Rappelle-toi, il ne voulait pas qu'on en parle. Sammy, as-tu fini de dépouiller le courrier ?

– En plus de celui que j'ai ouvert cet après-midi, il reste un autre gros sac. Il contient environ six ou sept cents lettres.

– Je viendrai t'aider, demain matin. Sammy, réfléchis. Qui aurait eu intérêt à écrire ces lettres ? Min et le baron n'avaient rien à voir avec la pièce et tout à gagner à voir Ted et Leila venir ici ensemble, avec le monde qu'ils y attiraient. Syd avait mis un million de dollars dans la pièce. Craig se comportait comme si les quatre millions de Ted sortaient de sa propre poche. Il n'aurait certes pas risqué de gâcher les chances de la pièce. Mais Cheryl n'a jamais pardonné à Leila de lui avoir pris Ted. Elle lui en a toujours voulu d'être devenue une star. Elle connaissait les points vulnérables de Leila. Et serait la seule à vouloir récupérer ces lettres maintenant.

– À quoi lui serviraient-elles ?

Elizabeth se leva lentement. Elle alla à la fenêtre et repoussa le rideau. La nuit était toujours aussi claire.

– Si l'on arrivait à remonter jusqu'à elle, ces lettres pourraient briser sa carrière. Que penserait le public en apprenant que Leila a été poussée au suicide par une femme qu'elle croyait son amie ?

– Elizabeth, as-tu entendu ce que tu viens de dire ?

Elizabeth se retourna.

– Tu crois que je me trompe ?

– Tu viens d'admettre que Leila aurait pu se suicider.

Elizabeth tressaillit. Elle trébucha en traversant la pièce, tomba à genoux et posa sa tête sur les genoux de Sammy.

– Sammy, aide-moi, implora-t-elle. Je ne sais plus où j'en suis. Je ne sais plus quoi faire.

8

C'était Henry Bartlett qui avait suggéré de dîner dehors et d'inviter Syd et Cheryl à se joindre à eux. Lorsque Ted protesta qu'il ne voulait pas s'embarquer dans une histoire avec Cheryl, Henry l'interrompit sèchement.

– Teddy, que vous le vouliez ou non, vous êtes embarqué avec elle. Elle et Syd Melnick peuvent être des témoins de première importance pour vous.

– Je ne vois pas comment.

– Si nous démentons que vous soyez remonté au quarantième étage, nous aurons à prouver qu'Elizabeth Lange s'est trompée sur l'heure exacte de la conversation téléphonique, et il faudra convaincre le jury que Leila s'est suicidée.

– Et que faites-vous du témoin oculaire ?

– Elle a vu un arbre bouger sur la terrasse. Dans son imagination elle a cru que c'était vous qui luttiez avec Leila. Elle a le cerveau dérangé.

Ils allèrent dîner au Cannery. La foule des derniers jours de l'été remplissait le restaurant ; mais Craig avait fait réserver une table près de la fenêtre avec vue sur le port de Monterey. Cheryl se glissa près de Ted, posa sa main sur son genou.

– C'est comme au bon vieux temps, murmura-t-elle.

Elle portait un dos nu en lamé sur un pantalon collant assorti. Un frémissement d'excitation la suivit pendant qu'elle traversait la salle.

Durant les mois qui s'étaient écoulés depuis la dernière fois où il l'avait vue, Cheryl lui avait téléphoné à plusieurs reprises, mais il ne l'avait jamais rappelée. Ce soir, en sentant ses doigts chauds lui caresser le genou, Ted se demanda s'il n'était pas un imbécile de refuser ce qui lui était si ouvertement offert. Cheryl dirait tout ce qu'on voudrait pour aider la défense. Mais à quel prix ?

Il était visible que Syd, Bartlett et Craig se trouvaient mieux ici qu'à Cypress Point.

– Attendez de voir le menu, dit Syd à Henry. Vous verrez à quoi ressemble un vrai restaurant de poisson.

Le maître d'hôtel s'approcha d'eux. Bartlett commanda un Johnnie Walker étiquette noire. Sa veste de lin couleur champagne était d'une coupe sans défaut ; sa chemise sport dans les mêmes tons et son pantalon cannelle sortaient droit de chez un tailleur. Ses abondants cheveux blancs parfaitement coiffés couronnaient son visage lisse et bronzé. Ted l'imagina en train de faire des jeux de manches devant les jurés. Un tribun. Manifestement le succès lui souriait. Mais pour combien de temps ? Il commença par commander un martini-vodka et changea pour une bière. Ce n'était pas le moment de perdre ses facultés.

Il n'était que 7 heures du soir, tôt pour dîner. Mais il en avait décidé ainsi. Craig et Syd conversaient amicalement. Syd paraissait presque joyeux. Témoignage à vendre, se dit Ted. Faire de Leila une dépressive alcoolique. *Ça pourrait complètement se retourner, les enfants, et c'est moi qui paierais l'addition.*

Craig questionnait Syd sur son agence ; s'apitoyait sur l'argent qu'il avait perdu à cause de la pièce de Leila.

– Nous aussi, nous avons pris un bouillon, dit-il. (Il regarda dans la direction de Cheryl avec un sourire chaleureux.) Et ce fut drôlement chic de ta part, mon chou, d'essayer de sauver le navire.

Pour l'amour du ciel, on ne va pas remettre ça ! Ted se mordit les lèvres pour retenir son irritation contre Craig. Mais tout le monde souriait avec entrain. Il était l'étranger dans le groupe, l'ovni. Il sentait les regards des autres dîneurs se poser sur la table, sur lui. Il lui semblait entendre les conversations à mi-voix. « Son procès commence la semaine prochaine... » « Crois-tu qu'il l'ait réellement tuée ?... » « Avec sa fortune, il sera probablement acquitté. C'est toujours comme ça... »

Pas nécessairement.

Exaspéré, Ted regarda la baie. Les bateaux emplissaient le port – des gros, des petits, des yachts, des voiliers. Chaque fois qu'elle le pouvait, sa mère l'emmenait ici. C'était le seul endroit où elle s'était sentie heureuse.

– La famille de la mère de Ted est originaire de Monterey, disait Craig à Henry Bartlett.

Craig avait le don de l'agacer depuis un certain temps. Quand cela avait-il commencé ? À Hawaii ? Avant ? *Cesse de lire dans mes pensées. De parler pour moi. Ça suffit !* Leila lui demandait souvent s'il n'était pas fatigué d'avoir le Bouledogue sur ses talons.

On apporta les boissons. Bartlett engagea la discussion.

– Comme vous le savez, vous figurez tous comme potentiels témoins de la défense en faveur de Teddy. Bien sûr, vous pouvez témoigner de la scène qui s'est déroulée chez Elaine's. Tout comme deux cents autres personnes. À la barre, j'aimerais que vous m'aidiez à présenter au jury un tableau plus complet de Leila. Vous connaissez son image publique, mais vous savez aussi que c'était une femme profondément fragile, manquant de confiance en elle, hantée par la peur de l'échec.

– Une défense à la Marilyn Monroe, suggéra Syd. Avec toutes les histoires extravagantes qui ont couru sur la mort de Marilyn, tout le monde a fini par accepter qu'elle se soit suicidée.

– Exactement. (Bartlett gratifia Syd d'un sourire aimable.) Maintenant, la question est de connaître le motif. Syd, parlez-moi de la pièce.

Syd haussa les épaules.

– La pièce idéale. Écrite pour elle. Au commencement, les répétitions se sont déroulées comme dans un rêve. Leila était prête à débuter une semaine plus tard. Et puis, un jour, il s'est passé quelque chose. Elle est arrivée au théâtre à neuf heures du matin complètement défaite. Ensuite, tout a été de mal en pis.

– Le trac ?

– Tous les acteurs ont le trac. Helen Hayes vomit avant chaque représentation. Quand Jimmy Stewart terminait un film, il était persuadé que plus personne ne voudrait de lui. Leila vomissait et s'angoissait. C'est le métier.

– Voilà exactement ce que je ne veux pas entendre au tribunal, dit sèchement Henry. J'ai l'intention de faire le portrait d'une femme qui souffrait de dépression nerveuse et de problèmes d'alcoolisme.

Un adolescent se présenta devant Cheryl.

– Pourrais-je avoir un autographe, s'il vous plaît ?

Il posa son menu devant elle.

L'air aux anges, Cheryl griffonna sa signature.

– Est-ce vrai que vous allez jouer Amanda dans la nouvelle série télévisée ?

– Je l'espère. Croise les doigts pour moi.

– Vous serez formidable.

– Si seulement on pouvait enregistrer ça et l'envoyer à Bob Koenig, dit amèrement Syd.

– Quand aurez-vous la réponse ? demanda Craig.

– Dans les prochains jours.

Craig leva son verre.

– À Amanda.

Cheryl l'ignora et se tourna vers Ted.

– Tu ne bois pas avec nous ?

Il leva son verre.

– Bien sûr que si.

Il était sincère. L'espoir qu'on lisait dans les yeux de Cheryl était touchant. Leila lui avait toujours fait de l'ombre. Pourquoi avaient-elles continué à jouer la comédie de l'amitié ? Parce que les efforts de Cheryl pour la surpasser étaient un aiguillon qui obligeait Leila à donner le meilleur d'elle-même.

Cheryl dut voir une ombre passer sur son visage car ses lèvres lui effleurèrent la joue. Il ne s'écarta pas.

Elle attendit le moment du café pour s'accouder à la table, le menton dans ses mains. Le champagne embrumait ses yeux adoucis de promesses secrètes. C'est d'une voix légèrement voilée qu'elle chuchota à Bartlett :

– Et si Leila croyait Ted sur le point de la plaquer pour une autre femme ? Cela servirait-il pour étayer la thèse du suicide ?

– Je ne m'intéressais à personne d'autre, se récria Ted.

– Chéri, ce n'est pas le jeu de la vérité. Tu n'es pas obligé de parler. Henry, répondez à ma question.

– Si nous avions la *preuve* que Ted s'intéressait à une autre femme, et que Leila était au courant, cela confirmerait notre thèse de la dépression. Nous anéantirions les arguments de l'avocat général lorsqu'il accuse Ted d'avoir tué Leila parce qu'elle le repoussait. Êtes-vous en train d'insinuer qu'il y avait quelque chose entre Ted et vous avant la mort de Leila ? demanda Bartlett plein d'espoir.

– La réponse est non, s'écria Ted. Non.

– Vous ne m'écoutez pas, protesta Cheryl. J'ai dit que j'avais peut-être la preuve que Leila *croyait* Ted sur le point de la plaquer pour une autre femme.

Syd l'interrompit.

– Cheryl, tu ferais mieux de la fermer. Tu ne sais pas de quoi tu parles. Partons d'ici. Tu as trop bu.

– Tu as raison, admit Cheryl d'un ton doucereux. Ce n'est pas souvent le cas, Syd, mon chéri, mais cette fois, tu as raison.

– Une minute, l'arrêta Bartlett. Cheryl, à moins qu'il ne s'agisse d'un jeu, vous feriez bien de mettre cartes sur table. Tout ce qui peut nous éclairer sur l'état d'esprit de Leila est essentiel pour la défense de Ted. Qu'entendez-vous par preuve ?

– Quelque chose qui n'a pas le moindre intérêt, dit Cheryl. N'en parlons plus. On verra demain.

Craig demanda l'addition.

– J'ai l'impression que nous perdons notre temps.

Il était 21 h 30 quand la limousine les déposa à Cypress Point.

– Je veux que Ted me raccompagne jusqu'à mon bungalow, exigea Cheryl d'une voix énervée.

– Je vais te ramener, dit sèchement Syd.

– Non, je veux que ce soit Ted, insista Cheryl.

Elle s'appuya contre lui en murmurant :

– Nous avons passé une bonne soirée ensemble, tu ne trouves pas ?

– Cheryl, à quoi rime cette histoire de preuve ?

Ted repoussa la masse sombre des cheveux qui lui voilait le visage.

– J'aime sentir ta main sur mes cheveux, fit-elle. (Ils étaient arrivés devant son bungalow.) Entre, chéri.

– Non. Dors bien.

Elle attira sa tête vers elle et approcha ses lèvres de sa bouche. Ses yeux étincelaient dans la lumière du soir. Avait-elle fait semblant d'avoir trop bu ?

134

– Chéri, chuchota-t-elle avec ferveur, ne comprends-tu pas que je suis la seule qui puisse t'aider à sortir du tribunal en homme libre ?

Craig et Bartlett quittèrent Syd et se dirigèrent ensemble vers leurs bungalows respectifs. Henry Bartlett avait l'air satisfait.

– Il semble enfin que Teddy ait compris le message. Avoir cette charmante personne de son côté à la barre sera très important pour lui. Mais d'où sort-elle cette histoire à dormir debout selon laquelle Ted aurait une liaison avec une autre femme ?

– Elle prend ses désirs pour des réalités. C'est une façon de proposer ses services.

– Je vois. S'il est malin, il acceptera.

Ils atteignirent le bungalow de Craig.

– J'aimerais entrer une minute, lui dit Bartlett. Nous avons rarement l'occasion de parler seuls. (Il jeta un regard autour de lui, à l'intérieur.) Le décor est différent, chez vous.

– C'est le style masculin et rustique vu par Min. La baronne n'oublie jamais un détail – table en pin, planchers de bois. Même le lit a un sommier à sangles. Elle me réserve automatiquement ce genre d'habitation. Je pense qu'elle me prend pour le type même de l'homme aux goûts simples.

– Est-ce le cas ?

– Je ne crois pas. Et même si j'ai une préférence pour les lits doubles avec sommiers à ressorts, c'est quand même sacrément différent de la 8e Rue, avenue B, où mon père tenait une épicerie.

Bartlett examina Craig. « Bouledogue » lui allait comme un gant. Cheveux blonds, teint mat, joues qui auraient tendance à devenir flasques s'il se laissait aller à prendre du poids. Un type solide, qu'il était bon d'avoir à ses côtés.

– Ted a de la chance de vous avoir, dit-il. Je ne crois pas qu'il en soit conscient.

– C'est là où vous faites erreur. Ted est obligé de s'en remettre entièrement à moi en ce moment, et il l'accepte avec peine. Pour être plus clair, il m'en veut. En fait, ma présence ici est le symbole de la situation dans laquelle il est empêtré.

Craig se dirigea vers la penderie d'où il sortit une valise.

– Comme vous, j'apporte ma petite provision. (Il remplit deux verres de Courvoisier et en tendit un à Bartlett avant de s'asseoir sur le divan, penché en avant, tournant son verre dans sa main.) Je vais vous donner le meilleur exemple qui me vienne à l'esprit. À la suite d'un accident, ma cousine est restée clouée sur son lit d'hôpital pendant près d'une année. Sa mère s'est tuée à prendre soin des enfants. Voulez-vous savoir la conclusion ? Ma cousine était jalouse de sa propre mère. Elle lui reprochait de profiter de ses enfants. C'est la même chose entre Ted et moi. À la minute où ma cousine est sortie de l'hôpital, elle s'est mise à chanter les louanges de sa mère. Quand Ted sera acquitté, les choses redeviendront normales entre nous. Et laissez-moi vous dire une chose, je préfère supporter ses accès de rage que de me trouver à sa place.

Bartlett se rendit compte qu'il avait trop rapidement pris Craig pour le valet de son maître. Il choisit prudemment ses mots.

– Je comprends votre point de vue, vous êtes très perspicace.

– Étonnamment perspicace ? fit Craig avec un sourire en coin.

Bartlett préféra ne pas mordre à l'hameçon.

– Je commence à y voir un peu plus clair dans ce procès. Nous pourrions établir ensemble une défense qui créerait un doute raisonnable dans l'esprit des jurés. Vous êtes-vous occupé de l'agence de détectives ?

– Oui. Deux hommes sont chargés de trouver le maximum d'informations sur cette femme, Sally Ross. Un troisième l'a prise en filature. C'est peut-être plus qu'il n'en faut, mais on ne sait jamais.

– Il ne faut jamais rien négliger. (Bartlett se dirigea vers la porte.) Comme vous pouvez le constater, Ted Winters m'enverrait volontiers au diable. Il m'en veut sans doute pour les mêmes raisons qu'à vous. Nous désirons tous les deux qu'il sorte en homme libre de ce procès. Il existe une stratégie que je n'avais pas envisagée avant ce soir, elle consisterait à convaincre le jury que Ted et Cheryl s'étaient revus peu avant la mort de Leila LaSalle, et que l'argent qu'il avait placé dans la pièce était son cadeau de rupture avec Leila.

Bartlett ouvrit la porte et se retourna.

— Pensez-y et revenez me voir demain matin avec un plan.

Il s'arrêta.

— Reste à persuader Teddy de marcher avec nous.

Lorsque Syd arriva à son bungalow, la lumière de son répondeur téléphonique clignotait. Il sut immédiatement que c'était un message de Bob Koenig. Le président de la World Motion Pictures était réputé pour téléphoner en dehors des heures habituelles. Cela signifiait qu'ils avaient pris leur décision. Une sueur froide l'envahit.

Une cigarette dans une main, le téléphone dans l'autre, il rappela.

— Content de t'entendre ce soir, Syd. Je m'apprêtais à rappeler demain matin à 6 heures.

— Tu ne m'aurais pas réveillé. Qui peut dormir dans ce métier ?

— Moi. Je roupille comme une souche. Syd, j'ai deux questions à te poser.

En voyant la lampe du répondeur clignoter comme la lueur du destin, Syd s'était persuadé que Cheryl n'avait pas le rôle. Mais si Bob désirait lui poser des questions, *cela signifiait qu'aucune décision n'était encore prise.*

Il imagina Bob à l'autre bout du fil, le dos calé dans son fauteuil pivotant en cuir. Bob n'était pas arrivé à la tête du studio en faisant du sentiment. L'essai de Cheryl était excellent. Alors quoi ?

— Vas-y, dit-il d'un ton qu'il voulut rendre désinvolte.

— On hésite encore entre Cheryl et Margo Dresher. Margo est plus connue. Cheryl est une bonne actrice – probablement meilleure que Margo, même si je ne le crie pas sur les toits. Mais elle n'a rien fait d'important depuis plusieurs années, et son bide à Broadway revient toujours à la surface dans les discussions.

La pièce. Encore et toujours. L'image de Leila flotta devant les yeux de Syd. Il l'aurait volontiers battue le soir où elle avait piqué sa crise chez Elaine's. Il avait eu envie d'étouffer à jamais cette voix railleuse, cynique.

– La pièce était écrite pour Leila. C'est moi, et moi seul, qui ai commis l'erreur d'y entraîner Cheryl.

– Syd, on a déjà parlé de tout ça. Je vais être franc avec toi. L'année dernière, toute la presse a raconté que Margo avait des problèmes de drogue. Le public en a ras le bol des vedettes qui passent la moitié de leur vie dans des centres de désintoxication. Je veux que ça soit clair entre nous. Peut-on trouver à propos de Cheryl des choses qui nous portent préjudice, si nous la choisissons ?

Syd agrippa le téléphone. Cheryl était la mieux placée pour l'emporter. Une bouffée d'espoir accéléra son pouls. Ses mains devinrent moites.

– Bob, je te jure…

– Tout le monde me jure. Dis-moi plutôt la vérité. Si je pousse à prendre Cheryl, cela risque-t-il de se retourner contre moi ? Si jamais c'est le cas, Syd, tu es cuit.

– Je te jure qu'il n'y a rien. Je te le jure sur la tombe de ma mère…

Syd raccrocha et se pencha en avant, la tête entre les mains. Il ruisselait de sueur. Une fois de plus la chance lui souriait.

Mais cette fois, c'était Cheryl, et non Leila qui pouvait tout foutre en l'air.

9

Dora quitta Elizabeth avec la lettre anonyme dans la poche de son cardigan. Elle allait en faire une photocopie et, demain matin, Elizabeth porterait l'original au bureau de police à Salinas.

Scott Alshorne, le shérif du comté, venait fréquemment dîner à Cypress Point. C'était un ami du premier mari de Min et il offrait discrètement ses services quand un problème, vol de bijoux ou autre, se présentait. Leila avait toujours eu beaucoup d'affection pour lui.

– On ne peut pas comparer l'envoi de lettres anonymes à un vol de bijoux, avait objecté Dora.

– Je sais, mais Scott peut nous indiquer où envoyer cette lettre pour la faire analyser, ou me conseiller de la confier directement à l'avocat général à New York. De toute façon, j'en veux une copie pour moi.

– Dans ce cas, je préfère la photocopier ce soir au bureau. Demain, je risque d'avoir Min dans les pattes.

Sur le seuil de la porte, Elizabeth prit Dora dans ses bras.

– Tu ne crois pas Ted coupable, n'est-ce pas, Sammy ?

– De meurtre prémédité ? Sûrement pas. Et s'il s'intéressait à une autre femme, ce n'était pas un motif pour tuer Leila.

De toute façon, Dora devait repasser par le bureau. Elle n'avait pas rangé le courrier et les sacs de lettres traînaient par terre à la réception. Min aurait une attaque si elle s'en apercevait.

Le plateau de son dîner était encore sur la table à côté de son bureau, presque intact. Elle avait un petit appétit ces temps derniers. On n'est pourtant pas si vieux à soixante et onze ans. Mais son opération et la perte de Leila avaient éteint l'étincelle, l'enthousiasme que Leila avait éveillé en elle.

La photocopieuse était dissimulée dans un meuble en noyer. Elle souleva le couvercle, mit la machine en marche, prit la lettre dans sa poche et la sortit de l'enveloppe de plastique, la prenant soigneusement par un coin. Ses mouvements étaient rapides, elle ne voulait pas courir le risque de voir Min apparaître par hasard. Helmut était sans doute encore dans son bureau. Insomniaque, il lisait toujours tard le soir.

Elle jeta un coup d'œil par la fenêtre entrouverte. Elle aimait le lourd mugissement du Pacifique, l'odeur salée de la brise. Elle frissonna. Quelque chose avait attiré son attention et elle ignorait quoi.

Il ne restait plus personne dehors à cette heure. On voyait les lumières derrière les rideaux dans les bungalows. Les tables et leurs parasols se dessinaient en ombres chinoises autour de la piscine. Sur la gauche se dressait la forme sombre des thermes. Le brouillard du soir tombait. On y voyait mal. Dora se pencha en avant. Quelqu'un marchait dans l'ombre des cyprès, comme s'il craignait d'être vu. Elle ajusta ses lunettes et constata avec stupéfaction que l'individu portait une combinaison de plongée. Que pouvait-il fabriquer par là ? Il semblait se diriger vers la piscine olympique.

Elizabeth lui avait dit qu'elle avait l'intention de nager avant de se coucher. Une peur irraisonnée s'empara de Dora. Fourrant la lettre dans la poche de son cardigan, elle quitta précipitamment le bureau et, aussi rapidement que le lui permettaient ses jambes percluses de rhumatismes, se précipita dans l'escalier, traversa le hall d'entrée plongé dans l'obscurité et poussa la porte de service sur le côté de la maison. À présent, l'intrus passait devant les thermes. Elle courut à sa rencontre, décidée à lui couper la route. Probablement un des gosses en vacances à Pebble Beach Lodge, se dit-elle. Il leur arrivait de s'introduire le soir dans la propriété et d'aller piquer une tête dans l'eau. Mais Dora s'inquiétait de savoir Elizabeth seule à la piscine.

Elle tourna dans l'allée et se rendit compte qu'il l'avait vue. Les phares de la voiture du gardien chargé de la sécurité du golf approchaient des grilles. La silhouette en combinaison de plongée courut en direction des thermes. Dora vit que la porte était entrouverte. Cet imbécile d'Helmut avait sans doute négligé de la refermer.

Les genoux tremblants, elle suivit l'intrus et franchit le seuil de la maison thermale avec un sursaut d'hésitation.

Au fond d'une gigantesque salle aux murs de marbre, s'élevait un escalier à double révolution. Les lanternes japonaises à l'extérieur donnaient suffisamment de lumière pour que Dora pût constater que l'endroit était vide. Les travaux avaient avancé depuis la dernière fois où elle était venue.

Par la porte ouverte sur la gauche, elle aperçut le rayon d'une torche. Le passage voûté conduisait aux vestiaires. Plus loin se trouvait la première des quatre piscines d'eau de mer. Brusquement, l'effroi la saisit. Elle décida de sortir et d'attendre le gardien dehors.

– Dora, par ici !

La voix familière faillit la faire trébucher sous l'effet du soulagement. Se dirigeant prudemment dans le noir, elle traversa les vestiaires et pénétra dans le secteur de la piscine.

Il l'attendait, sa torche à la main. La combinaison noire, les épaisses lunettes de plongée, l'inclinaison étrange de la tête, les mouvements saccadés de la torche la firent reculer, hésitante.

– Pour l'amour du ciel ! ne m'éblouissez pas avec votre lampe. Je n'y vois rien, s'écria-t-elle.

Une main, énorme et menaçante dans l'épais gant noir, se tendit vers elle, vers sa gorge. L'autre braquait la lampe dans ses yeux, l'aveuglant.

Horrifiée, Dora recula d'un pas. Elle leva les mains pour se protéger, ne s'aperçut pas que la lettre glissait de sa poche. Elle n'eut pas le temps de sentir le vide sous ses pieds. Son corps bascula en arrière.

Au moment où sa tête heurtait violemment le fond en ciment de la piscine, sa dernière pensée fut qu'elle connaissait enfin le meurtrier de Leila.

10

Elizabeth crawlait sans ralentir l'allure d'un bout à l'autre de la piscine. Le brouillard commençait à tomber – des nappes de brume apparaissaient soudain pour se dissoudre l'instant d'après. Elle aimait nager dans le noir. Elle faisait travailler chaque muscle de son corps, cherchant à dissiper l'angoisse accumulée depuis ces derniers jours.

Elle atteignit l'extrémité nord du bassin, toucha le mur, respira un grand coup, pivota sur elle-même et fendit l'eau dans l'autre sens. Son cœur battait au rythme qu'elle s'était imposé. C'était de la folie. Elle n'était pas en forme pour ce genre d'exercice. Mais elle continua, s'efforçant d'éliminer ses pensées à force de dépense physique.

Elle finit par se calmer, se retourna et se mit à nager debout, ses bras décrivant de larges cercles réguliers.

Les lettres. Celle que Sammy et elle avaient en leur possession ; celle qu'on avait dérobée ; les autres qui se trouvaient peut-être encore dans le courrier non dépouillé. Toutes celles que Leila avait sans doute lues et détruites. *Pourquoi Leila ne m'en a-t-elle pas parlé ? Pourquoi m'a-t-elle tenue à l'écart ? Elle faisait toujours de moi son écho. Elle disait que j'étais son rempart contre les critiques.*

Leila ne lui avait rien dit parce qu'elle croyait Ted amoureux d'une autre femme, parce que Elizabeth n'y pouvait rien. Mais Sammy avait raison. Si Ted s'intéressait à quelqu'un d'autre, il n'avait aucune raison de tuer Leila.

Mais je ne me suis pas trompée sur l'heure de l'appel téléphonique.

Supposons que Leila soit tombée – qu'elle lui ait échappé – et qu'il ne s'en souvienne plus ? Supposons que ces lettres l'aient conduite à se suicider ? Je dois découvrir qui les a envoyées.

Il était temps de rentrer. Elle était morte de fatigue, et enfin plus calme. Demain matin, elle parcourrait le reste du courrier avec Sammy. Elle enverrait la lettre à Scott Alshorne. Il lui conseillerait peut-être de la faire parvenir directement au procureur à New York. Tenait-elle un alibi pour Ted ? Et qui était cette autre femme ?

Alors qu'elle grimpait l'échelle de bains, elle fut prise d'un frisson – l'air du soir était glacial à présent, et elle était restée plus longtemps qu'elle ne l'avait cru. Elle enfila son peignoir et chercha sa montre dans sa poche. L'affichage lumineux montrait dix heures et demie.

Elle crut entendre un bruissement derrière les cyprès qui bordaient la terrasse. «Qui est là ?» Sa voix n'était pas rassurée. N'obtenant aucune réponse, elle longea le bord de la piscine, écarquillant les yeux pour voir derrière la haie et entre les arbres. Les cyprès dressaient leurs formes tourmentées et inquiétantes dans le noir. Mais seul le frémissement des feuilles agitait l'air, la brise de mer se levait. C'était l'explication, bien sûr.

Écartant son inquiétude d'un geste, elle drapa son peignoir autour d'elle et rabattit le capuchon sur ses cheveux.

Mais une appréhension confuse continuait à la poursuivre et elle accéléra le pas vers son bungalow.

Il n'avait pas touché Sammy. Mais on s'interrogerait. Que faisait-elle dans les thermes ? Il se maudit d'avoir franchi la porte de ce satané bâtiment. S'il s'était contenté de le contourner, elle ne l'aurait jamais rattrapé.

Un détail aussi bête pouvait le perdre.

Mais le fait que la lettre soit tombée de sa poche, c'était un coup de veine inespéré. Devait-il la détruire ? Il n'en était pas certain. C'était une épée à double tranchant.

À présent, la lettre était cachée à même sa peau sous la combinaison.

La porte des thermes se referma avec un bruit sec. Le gardien avait fait sa ronde de routine et ne reviendrait pas de la nuit. Lentement, avec d'infinies précautions, il se dirigea vers la piscine. Y serait-elle ? Probablement. Fallait-il prendre le risque cette nuit ? Deux accidents ? Était-ce plus dangereux de la laisser en vie ? Elizabeth exigerait une enquête quand on trouverait le corps de Sammy. Avait-elle lu la lettre ?

Il entendit le bruit du remous de l'eau, s'avança doucement derrière l'arbre et fixa la silhouette qui se déplaçait à toute allure. Il lui faudrait attendre qu'elle ralentisse. Quand elle serait fatiguée, il serait peut-être temps d'agir. Deux accidents sans relation dans la soirée. La confusion qui s'ensuivrait embrouillerait-elle les pistes ? Il fit un pas en avant.

Et il le vit. Debout derrière les buissons. Il regardait Elizabeth. Que faisait-il ici ? Soupçonnait-il qu'elle était en danger ? Ou avait-il lui aussi décidé qu'elle représentait un risque inacceptable ?

La combinaison de plongée se fondit dans le brouillard. L'homme glissa inaperçu à l'abri des cyprès et s'évanouit dans la nuit.

Mardi 1er septembre

CITATION DU JOUR :

À la très bonne, à la très belle
qui fait ma joie et ma santé.

Charles Baudelaire

Bonjour, bonjour à vous tous !

L'air sera un peu plus piquant ce matin, préparez-vous pour un bain de fraîcheur ensoleillée.

Pour les amoureux de la nature, nous vous proposons une marche de trente minutes le long de notre belle côte du Pacifique, au cours de laquelle nous vous ferons apprécier la flore de notre bien-aimée péninsule. Si vous en ressentez l'envie, venez vous joindre à notre guide à la grille d'entrée à midi trente.

Une attention particulière. Notre menu de ce soir est spécialement raffiné. Vous pourrez goûter nos plats les plus exquis sachant qu'ils sont toujours mesurés en calories.

À méditer : La beauté est dans le regard de celui qui la contemple. Dans le miroir, c'est vous qui la voyez.

Baron et baronne Helmut von Schreiber.

1

Les premières lueurs de l'aube trouvèrent Min éveillée dans le grand lit à baldaquin qu'elle partageait avec Helmut. Elle bougea avec précaution pour ne pas le déranger, se redressa sur un coude et le regarda. Même en dormant, il restait toujours beau. Il reposait sur le côté, tourné vers elle, sa main tendue comme s'il voulait la toucher, la respiration régulière.

Elle ignorait à quelle heure il s'était couché, mais à 2 heures du matin, elle avait été tirée de son sommeil en le sentant s'agiter. Il secouait la tête, parlait d'une voix sourde et irritée. Elle s'était complètement réveillée en l'entendant s'écrier : « Va au diable, Leila ! »

Elle avait posé sa main sur son épaule, murmuré un *chut !* apaisant, et il s'était calmé. Se souviendrait-il de son rêve, qu'il avait crié ? Elle avait préféré ne pas y faire allusion. Inutile d'espérer qu'il lui dise la vérité. Aussi incroyable que cela pût paraître, y avait-il eu quelque chose entre lui et Leila ? Ou une simple attirance de la part d'Helmut ?

Cela ne facilitait pas les choses.

La lumière dorée inondait peu à peu la chambre. Min sortit doucement du lit. Malgré son désarroi, elle ne put s'empêcher de contempler avec ravissement la beauté de cette pièce. C'était Helmut qui avait choisi les meubles et les couleurs dominantes. Qui d'autre aurait su marier la teinte pêche des rideaux et le bleu profond de la moquette ?

Combien de temps pourrait-elle encore vivre ici ? C'était peut-être la dernière saison. Les millions de dollars sur le compte en Suisse. Les intérêts suffiraient à peine…

Suffiraient à qui? À elle? Peut-être. À Helmut? Jamais! Elle avait toujours su que l'attrait qu'elle représentait pour lui était en grande partie lié à cet endroit, à la possibilité de se pavaner dans ce décor, de côtoyer le gratin de la société. Pensait-elle qu'il se serait contenté de mener une vie banale avec une femme vieillissante?

Sans faire de bruit, elle traversa la pièce, se drapa dans une robe de chambre et descendit l'escalier. Helmut dormirait encore une demi-heure. Elle l'avait toujours réveillé à 6 h 30. Il lui restait une demi-heure pour examiner les registres, et en particulier les factures de l'American Express. Pendant les semaines qui avaient précédé la mort de Leila, Helmut s'était fréquemment absenté de Cypress Point. On l'avait prié de participer à des séminaires médicaux, de prêter son nom et son concours à plusieurs galas de charité. Mais à quelle autre occupation s'était-il livré sur la côte Est? C'était l'époque où Ted voyageait beaucoup. Min comprenait Helmut. Le mépris affiché de Leila à son égard était de la provocation. Était-il allé la voir?

La veille de la mort de Leila, ils avaient tous les deux assisté à la générale de son spectacle; ils s'étaient rendus ensemble chez Elaine's. Après avoir passé la nuit au Plaza, ils avaient pris un avion le lendemain matin pour Boston où ils étaient invités à un déjeuner de bienfaisance. Helmut l'avait mise dans un avion pour San Francisco à 18 heures. S'était-il rendu à son dîner, comme prévu, ou avait-il pris le vol de 19 heures pour New York?

Cette question la harcelait.

À minuit, heure de Californie, 3 heures du matin sur la côte Est, Helmut avait téléphoné pour s'assurer qu'elle était bien rentrée. Elle avait cru qu'il téléphonait de son hôtel à Boston.

Il fallait qu'elle vérifie un détail.

En bas de l'escalier, Min tourna à gauche et se dirigea vers le bureau de la réception. La porte n'était pas fermée. Elle fut horrifiée devant l'aspect de la pièce. La lumière était encore allumée, un plateau de repas intact posé sur la table à côté du bureau de Dora sur lequel s'empilait un monceau de lettres. Des sacs en plastique jonchaient le sol, la fenêtre était à moitié ouverte, et un vent froid agitait les feuilles de papier. Même la photo-copieuse était en marche.

Min se dirigea d'un pas furieux vers le bureau et fouilla dans le courrier. C'étaient les lettres adressées à Leila ! Un pli durcit sa bouche. Elle en avait par-dessus la tête du regard de chien battu que prenait Dora chaque fois qu'elle entreprenait de répondre à ces lettres. Du moins avait-elle eu le bon goût jusqu'à présent de ne pas mettre le bureau sens dessus dessous avec toutes ces sor-nettes. À partir d'aujourd'hui, Min la prierait de s'en occuper chez elle. Un point c'est tout. À moins qu'il ne soit temps de renoncer aux services d'une personne occupée à canoniser Leila. Cheryl s'en donnerait à cœur joie si elle entrait ici et fourrait son nez dans les dossiers privés. Dora s'était probablement sentie lasse et avait décidé d'attendre le lendemain pour ranger son bureau. Mais laisser la photocopieuse en marche et la lampe allu-mée… c'était impardonnable. Dans la matinée, elle pré-viendrait Dora qu'il était temps pour elle de prendre sa retraite.

Elle revint à la raison qui l'avait amenée ici et alla prendre dans le cabinet de rangement le dossier intitulé : DÉPENSES VOYAGES, BARON VON SCHREIBER.

Il lui fallut moins de deux minutes pour trouver ce qu'elle cherchait. L'appel téléphonique de la côte Est à Cypress Point, le soir de la mort de Leila, avait été enre-gistré sur le débit de la carte de crédit téléphonique d'Helmut.

Il provenait de New York.

2

La fatigue aidant, Elizabeth s'endormit sans attendre. Mais son sommeil fut agité, entrecoupé de rêves. Leila devant une pile de lettres d'admirateurs ; qui lui lisait ces

lettres; pleurait. « Je ne croirai plus jamais personne...
personne... »

Le lendemain matin, elle renonça à la marche col-
lective. Elle prit une douche, releva ses cheveux, enfila
une tenue de jogging et après avoir laissé aux marcheurs le temps de se mettre en route, elle se dirigea vers
la résidence principale. Sammy se trouvait toujours à son
bureau quelques minutes après 7 heures.

La vue du bureau jonché de lettres la cloua sur place.
Une grande feuille de papier, barrée des mots *Venez me
voir* signés de la main de Min, ne présageait rien de bon.

Sammy avait joué de malchance ! Pas une seule fois,
depuis qu'Elizabeth la connaissait, elle n'avait laissé son
bureau en désordre. Il semblait impensable qu'elle eût
pris le risque de l'abandonner dans cet état au beau milieu
de la réception. C'était le moyen le plus sûr de s'attirer
les foudres de Min.

Elle était peut-être malade. Elizabeth regagna en
hâte l'entrée, courut vers l'aile réservée au personnel.
L'appartement de Dora se trouvait au premier étage. Elle
frappa vivement à la porte, sans obtenir de réponse. Le
bruit d'un aspirateur lui parvint du fond du couloir. Nelly,
la femme de chambre, travaillait déjà à Cypress Point
lorsque Elizabeth y donnait ses cours d'aérobic. Elle
ouvrit la porte de Sammy sans se faire prier. La gorge
serrée, Elizabeth parcourut les pièces agréablement
aménagées : le salon vert pâle et blanc, orné des plantes
que Sammy soignait avec amour sur le rebord des fenêtres
et le dessus des tables, la chambre à l'air sage avec son
lit étroit et la Bible posée sur la table de nuit.

Nelly désigna le lit d'un doigt.

– Elle n'a pas dormi ici cette nuit, mademoiselle
Lange. Et, venez voir ! (Nelly s'avança vers la fenêtre.)
Sa voiture est dans le parking. Croyez-vous qu'elle se soit
sentie malade au point d'appeler un taxi ou je ne sais quoi
pour l'emmener à l'hôpital ? Indépendante comme elle
est, ce serait bien son genre !

Mais il n'y avait aucune trace de Dora à l'admis-
sion de l'hôpital général. Avec une appréhension grandissante, Elizabeth attendit que Min revînt de la marche
matinale. Contenant son inquiétude, elle se mit à

parcourir le courrier de Leila. Où était la lettre anonyme que Dora voulait photocopier ?

La portait-elle encore sur elle ?

3

À sept heures moins cinq, Syd se prépara à rejoindre les marcheurs. Cheryl lisait en lui comme dans un livre. Il lui faudrait être prudent. Bob ne prendrait pas de décision finale avant cet après-midi. Sans cette pièce de malheur, ce serait dans la poche, à présent.

Vous entendez, tous ? Je me tire ! Et elle m'a ruiné, la garce !

Il grimaça un sourire. Le gratin de Greenwich, Connecticut, s'apprêtait à prendre le départ, chevelure en place, teint lisse, mains manucurées. On voyait bien que pas un seul d'entre eux ne s'était rongé les sangs dans l'attente d'un coup de téléphone, ne s'était trouvé pris dans un coupe-gorge, que personne ne les avait jamais anéantis d'un simple hochement de tête.

La journée s'annonçait superbe. Les premiers rayons du soleil réchauffaient l'air frais matinal ; l'odeur salée de la mer se mêlait aux parfums des buissons en fleurs qui entouraient la maison. Syd se souvint des pièces où il avait grandi, à Brooklyn. Les Dodgers jouaient à Brooklyn, en ce temps-là. Peut-être auraient-ils dû y rester. Peut-être n'aurait-il jamais dû partir, lui aussi.

Min et le baron sortirent sur la véranda. Syd eut immédiatement l'attention attirée par l'air défait de Min, l'expression interdite figée sur son visage, comme si elle venait d'assister à un accident. *Se doutait-elle de quelque chose ?* Il évita de regarder Helmut et tourna la tête vers Cheryl et Ted qui s'avançaient dans l'allée. Syd pouvait deviner les pensées de Ted. Il s'était toujours senti coupable d'avoir laissé tomber Cheryl pour Leila, mais il était évident qu'il ne désirait pas renouer avec elle. Évident pour tout le monde, sauf pour Cheryl.

Que voulait-elle dire en insinuant qu'elle détenait la « preuve » de l'innocence de Ted ? Qu'est-ce qu'elle manigançait ?

– Bonjour, monsieur Melnick. (Alvirah lui adressait un large sourire.) Nous pourrions marcher ensemble, proposa-t-elle. Vous devez être déçu qu'ils aient choisi Margo Dresher pour le rôle d'Amanda. Je peux vous dire qu'ils commettent une sérieuse erreur.

Syd se rendit compte qu'il lui serrait le bras de toutes ses forces en la voyant faire une grimace.

– Je vous demande pardon, madame Meehan, mais vous ne savez pas de quoi vous parlez.

Alvirah réalisa trop tard que seuls les initiés avaient ce tuyau – le rédacteur du *Globe* lui avait dit d'étudier la réaction de Cheryl Manning lorsqu'elle apprendrait la nouvelle. Elle aurait dû tenir sa langue.

– Oh, je me trompe peut-être, rectifia-t-elle. Mon mari a dû lire que Cheryl et Margo Dresher étaient à égalité.

Syd prit un ton confidentiel.

– Madame Meehan, faites-moi une faveur, voulez-vous ? Ne parlez de cela à personne. C'est inexact, et vous imaginez à quel point ce genre de ragot pourrait bouleverser Mlle Manning.

Une main posée sur le bras de Ted, Cheryl le faisait rire aux éclats. C'était une actrice de premier ordre – mais pas assez forte pour garder son sang-froid si le rôle d'Amanda lui échappait. Et elle se défoulerait sur lui comme une tigresse. Avec un petit salut désinvolte, Ted les quitta et partit faire son jogging.

– Bonjour tout le monde, lança Min d'une voix forte, s'efforçant vainement de simuler son entrain habituel. N'oubliez pas, marchez vite en respirant profondément.

Alvirah recula d'un pas quand Cheryl vint les rejoindre. Ils se placèrent en ligne dans l'allée qui conduisait vers les bois. Syd repéra Craig à l'avant, qui marchait avec Henry Barlett. Juste derrière eux venaient la comtesse et son groupe. Le joueur de tennis et sa petite amie se tenaient par la main. Il y avait aussi le type de la télévision avec sa petite amie de la semaine, un mannequin d'une vingtaine d'années. Les autres lui étaient inconnus.

Du temps où Leila faisait de Cypress Point son lieu de prédilection, c'était devenu l'endroit où il fallait venir. Min a besoin d'une nouvelle superstar, se dit Syd. Il avait remarqué la façon dont tout le monde buvait Ted des yeux lorsqu'il s'était éloigné en courant. Ted était une superstar.

Avec sa crinière brune, ses grands yeux couleur d'ambre sous l'arc parfait des sourcils et son sourire ravageur, Cheryl était au mieux de sa forme. Elle se mit à fredonner «That Old Feeling». Ses seins pointaient sous son sweat-shirt. Elle avait l'art de transformer une simple tenue de jogging en seconde peau.

– Il faut que nous parlions, lui dit doucement Syd.

– Vas-y.

– Pas ici.

Cheryl haussa les épaules.

– Plus tard alors. N'aie pas l'air si rébarbatif, Syd. Respire profondément. Oublie tes soucis.

– Ne te fatigue pas avec moi. Dès la marche terminée, je te rejoindrai dans ton bungalow.

– C'est donc si grave ?

Cheryl n'avait visiblement pas envie que l'on vienne troubler son humeur euphorique.

Syd jeta un coup d'œil dans son dos. Alvirah marchait derrière eux. Il sentait presque son souffle dans son cou.

Il pinça le bras de Cheryl pour l'avertir.

Lorsqu'ils atteignirent la route, Min resta en tête et Helmut ralentit pour bavarder avec les marcheurs. «Bonjour... Belle journée... Essayez de maintenir l'allure...» Son entrain artificiel agaçait Syd. Leila avait raison. Le baron était un petit soldat. Remontez-le et il marche droit.

Helmut s'arrêta à la hauteur de Cheryl.

– J'espère que vous avez passé une agréable soirée, hier soir.

Il se forçait à sourire de toutes ses dents. Syd avait complètement oublié ce qu'il avait mangé.

– C'était parfait.

Helmut se laissa dépasser pour demander à Alvirah comment elle se sentait.

– Dans une forme du tonnerre. Disons que je suis heureuse comme un papillon sur un nuage.

Son rire sonore fit tressaillir Syd.

Alvirah Meehan avait-elle compris ?

Henry Bartlett voyait la vie en noir, ce matin. Lorsqu'on lui avait proposé de se charger de la défense de Ted Winters, il avait immédiatement aménagé son emploi du temps en conséquence. Quel est l'avocat qui refuserait de défendre un milliardaire de cette importance ? Mais il y avait une incompatibilité entre Ted Winters et lui. À dire vrai, le courant ne passait pas.

Tout en suivant à contrecœur la marche forcée derrière Min et le baron, Henry dut s'avouer que l'endroit était magnifique, le paysage superbe, qu'en d'autres circonstances il aurait apprécié les charmes de Monterey et de Cypress Point. Mais le «procès de l'État de New York contre Andrew Edward Winters III» commençait dans une semaine exactement, et il jouait sa carrière dans cette affaire. La publicité est éminemment souhaitable quand vous gagnez un procès qui défraye la chronique ; mais si Ted Winters ne se montrait pas plus coopératif, la partie s'annonçait perdue.

Min accélérait l'allure. Henry marcha d'un pas plus vif. Il n'avait pas manqué de remarquer les regards furtifs de la blonde quinquagénaire qui accompagnait la comtesse. En d'autres temps, il n'aurait pas dit non. Mais pas aujourd'hui.

Craig marchait d'un pas régulier et décidé derrière lui. Craig Babcock restait un mystère à ses yeux. D'une part, il lui avait parlé de l'épicerie de son père Lower East Side. De l'autre, c'était manifestement l'homme de confiance de Ted Winters. Dommage qu'il fût trop tard pour qu'il puisse témoigner s'être entretenu au téléphone avec Ted à l'heure où cette femme affirmait avoir vu Ted. Cette pensée rappela à Henry ce qu'il voulait demander à Craig.

– Que donne l'enquête sur Sally Ross ?

– Il y a toujours trois détectives qui s'occupent d'elle – deux pour le cadre socio-psychologique, un pour la filer.

– Cela aurait dû être fait depuis des mois.

– Je sais. Mais le premier avocat de Ted ne l'a pas jugé nécessaire.

Ils quittaient l'allée qui sortait de la propriété et s'engageaient sur la route menant au Lone Cypress.

– Comment vous êtes-vous arrangé pour obtenir les rapports d'enquête ?

– Le détective principal doit m'appeler tous les matins à 6 h 30. Je viens de lui parler. Rien d'important pour l'instant. En grande partie ce que nous savons déjà. Elle a divorcé deux fois ; elle se querelle avec ses voisins, accuse la terre entière de la lorgner, prend le 911 pour sa ligne personnelle, passe sa vie à téléphoner pour dénoncer des individus à l'air louche.

– Je pourrais n'en faire qu'une bouchée, dit Bartlett. Sans le témoignage d'Elizabeth Lange, l'accusation ne volerait plus que d'une aile. À tout hasard, je veux savoir si elle a une vision correcte, si elle porte des lunettes, de quelle intensité, la dernière date à laquelle les verres ont été changés, etc.

– Bien. Je vais leur passer le message.

Ils marchèrent un instant en silence. Il faisait une journée radieuse ; la rosée s'évaporait au soleil. Seule une voiture venait troubler de temps à autre le silence. Le petit pont qui menait au Lone Cypress était désert.

Bartlett regarda par-dessus son épaule.

– J'avais espéré voir Ted et Cheryl main dans la main.

– Il fait toujours son jogging le matin. Peut-être lui a-t-il tenu la main cette nuit.

– Dieu vous entende. Votre ami Syd n'a pas l'air heureux.

– La rumeur dit qu'il est fichu. Il a connu des heures de gloire lorsqu'il avait Leila comme cliente. Il l'engageait sur un film et obtenait en contrepartie un ou deux contrats pour ses autres clients. C'est comme ça qu'il a fait travailler Cheryl. Leila disparue, et avec tout le fric qu'il a perdu dans cette pièce, il est pratiquement lessivé. Il aimerait bien mettre le grappin sur Ted, mais je n'ai pas l'intention de le laisser faire.

– Cheryl et lui sont les seuls témoins vraiment valables que nous ayons, le coupa Henry d'un ton sec. Vous devriez peut-être vous montrer plus généreux. D'ailleurs, je vais moi-même faire cette suggestion à Ted.

Passé Pebble Beach Lodge, la petite troupe s'apprêta à regagner Cypress Point.

– Nous aurons à travailler après le petit déjeuner, déclara Bartlett. J'hésite toujours à faire comparaître Ted à la barre. Mon sentiment est qu'il fera un témoin détestable; mais quelles que soient les indications du président du tribunal aux jurés, la différence est psychologiquement très importante lorsqu'un accusé refuse de se présenter devant la partie civile.

Syd raccompagna Cheryl jusqu'à son bungalow.

– Sois bref, dit-elle quand la porte se referma sur eux. Je veux prendre une douche, et j'ai invité Ted pour le petit déjeuner. (Elle retira son sweat-shirt, ôta le bas de son survêtement et alla chercher son peignoir.) De quoi s'agit-il?

– Toujours sur la brèche, hein? fit Syd d'un ton sec. Garde ça pour les autres, mon chou. Je préférerais me colleter avec un tigre.

Pendant une longue minute, il l'examina. Elle avait fait assombrir la teinte de ses cheveux pour l'audition d'Amanda, et l'effet était saisissant. Tout en soulignant la beauté de ses yeux, la couleur plus douce atténuait la vulgarité dont elle n'avait jamais pu totalement se débarrasser. Elle parvenait à avoir de la classe dans son peignoir en éponge, même si elle restait intérieurement la petite putain intrigante dont il s'occupait depuis près de deux décennies.

Elle lui offrit un sourire éblouissant.

– Syd, ne nous querellons pas maintenant. Que veux-tu?

– Je ne demande qu'à abréger. Pourquoi as-tu insinué que Leila s'était peut-être suicidée? Pourquoi aurait-elle cru que Ted s'intéressait à une autre femme?

– J'en ai la preuve.

– Quelle sorte de preuve?

– Une lettre. (Elle expliqua rapidement:) Je suis allée voir Min hier. Ils avaient eu le culot de déposer leur note dans ma chambre, alors qu'ils savent parfaitement que je suis une locomotive pour eux. J'ai remarqué par hasard le courrier de Leila sur le bureau de Sammy. Il y avait cette lettre insensée. Je l'ai prise.

– *Tu l'as prise !*

– Bien sûr. Laisse-moi te la montrer.

Elle courut dans sa chambre et en revint avec la lettre qu'elle lut avec lui, penché sur son épaule.

Leila,

Combien de fois devrai-je Vous l'écrire ? Quand Comprendrez-vous une bonne fois pOur toutes Que Ted en a marre de vous ? Sa nouvelle amie eSt ravissante et bjen plus jeune que vous. Je Vous ai déjà éCrit qu'il vIent de lui offrir le collier D'Émeraudes aSSorti au bRacelet Qu'Il vous avait donné. Il est dix fois pLus beau et coûte deux fois pLus cher. On m'a dit que vOtre plèce est une Nullité. Vous deVriez apprendrE vOtre texTe. A bientÔt.

Votre Ami.

– Ne comprends-tu pas ? Ted avait sûrement une histoire avec une autre femme. Qui sait s'il n'avait pas envie de quitter Leila ? Et s'il veut dire que c'était pour moi, je n'y vois aucun inconvénient.

– Tu n'es qu'une pauvre idiote.

Cheryl se redressa et alla s'asseoir sur l'autre divan. Penchée en avant, elle articula lentement, comme si elle s'adressait à un enfant obtus :

– Tu ne sembles pas réaliser que cette lettre est ma chance de faire comprendre à Ted que ses intérêts me tiennent à cœur.

Syd marcha d'un air menaçant vers elle, lui prit la lettre des mains et la déchira.

– Hier soir, Bob Koenig m'a téléphoné pour s'assurer qu'on ne pouvait rien trouver de défavorable à ton sujet. Tu sais pourquoi, jusqu'à cette minute, tu es la mieux placée pour emporter le rôle d'Amanda ? Parce que Margo Dresher jouit depuis trop longtemps d'une publicité désastreuse. Quelle sorte de publicité crois-tu obtenir si les admirateurs de Leila découvrent que tu l'as poussée au suicide avec des lettres anonymes ?

– Ce n'est pas moi qui ai écrit cette lettre.

– Tu parles ! Qui était au courant de ce bracelet ? J'ai vu ton regard le jour où Ted l'a donné à Leila. Tu l'aurais volontiers poignardée. Les répétitions étaient terminées. Qui savait que Leila avait du mal à apprendre son texte ? Toi. Pourquoi ? Parce que c'est moi-même qui te l'avais dit. Tu as écrit cette lettre, comme les autres. Combien de temps as-tu mis à couper et coller ? Je suis surpris d'une telle patience de ta part. Combien en reste-t-il, et y a-t-il un risque qu'on les découvre ?

Cheryl parut soudain consternée.

– Syd, je te jure que je n'ai pas écrit une seule de ces lettres. Je t'en prie, raconte-moi ce que t'a dit Bob Koenig.

Ce fut au tour de Syd de répéter la conversation en articulant chaque mot. Quand il eut fini, Cheryl tendit la main.

– Tu as une allumette ?

Syd regarda la lettre déchirée se recroqueviller dans le cendrier.

Cheryl s'approcha et lui passa les bras autour du cou.

– Je savais que tu obtiendrais ce rôle pour moi, Syd. Tu as eu raison de faire disparaître cette lettre. Je témoignerai au procès. Ça me fera une publicité formidable. Je pourrai dire que le désespoir de ma plus chère amie m'a bouleversée, expliquer que même ceux d'entre nous qui sont arrivés au sommet de leur gloire souffrent de terribles périodes d'angoisse. (Ses yeux s'agrandirent ; deux larmes roulèrent sur ses joues.) Bob Koenig devrait aimer ce genre d'attitude, tu ne crois pas ?

Elizabeth ! (La voix étonnée de Min la fit sursauter.) Que se passe-t-il ? Où est Sammy ?

Min et Helmut étaient encore vêtus de leurs tenues de jogging assorties ; le maquillage de Min masquait mal les rides inhabituelles autour de ses yeux, le gonflement des paupières. Comme toujours, le baron ressemblait à une gravure de mode, jambes légèrement écartées, mains jointes derrière son dos, la tête penchée en avant, le regard perplexe et candide.

Elizabeth les mit brièvement au courant. Sammy avait disparu ; son lit n'était pas défait.

Min parut inquiète.

– Je suis descendue vers 6 heures, ce matin. La lumière était allumée, la photocopieuse en marche. J'ai été contrariée. J'ai pensé que Sammy devenait négligente.

– *La photocopieuse était en marche !* Elle est donc repassée par le bureau hier soir. (Elizabeth inspecta la pièce.) As-tu regardé si le document qu'elle voulait photocopier se trouvait encore dans la machine ?

Il n'y avait rien sur la plaque. Mais Elizabeth trouva à côté du meuble l'enveloppe de plastique qui contenait la lettre anonyme.

En quinze minutes, ils mirent sur pied une expédition de recherches. À contrecœur, Elizabeth se rangea aux arguments avancés par Min pour ne pas prévenir tout de suite la police.

– Sammy a été très mal l'année dernière, lui rappela Min. Elle a été victime d'une petite attaque cérébrale et il lui a fallu du temps pour s'en remettre. Cela s'est peut-être reproduit. Tu sais à quel point elle déteste les histoires. Tâchons d'abord de la retrouver.

– Je te donne jusqu'à l'heure du déjeuner, dit sèchement Elizabeth, et ensuite j'irai moi-même déclarer sa disparition. Autant que nous le sachions, si elle a eu une seconde attaque, elle est en train d'errer quelque part sur la plage.

– Minna a offert ce poste à Sammy par pitié, intervint sèchement Helmut. L'essence même de Cypress Point est de préserver l'intimité de chacun. Si des flics se mettent à envahir la propriété, la moitié de nos clients feront leurs valises.

Elizabeth faillit répliquer vertement, mais ce fut Min qui répondit.

– On a dissimulé trop de choses dans cette maison depuis un certain temps, dit-elle calmement. C'est pour le bien de Sammy et non pour le nôtre que nous attendrons pour appeler le bureau du shérif.

Ils rassemblèrent et rangèrent les lettres dans leurs sacs.

– Je les emporterai dans mon bungalow plus tard, leur dit Elizabeth en s'assurant qu'on ne puisse les ouvrir sans les déchirer.

– Tu as donc l'intention de rester ?

Les efforts d'Helmut pour paraître ravi restèrent vains.

– Au moins jusqu'à ce que l'on retrouve Sammy, répondit Elizabeth. À présent, allons chercher de l'aide.

L'équipe de recherches comprenait les employés les plus anciens et les plus fidèles : Nelly, la femme de chambre qui avait permis à Elizabeth de pénétrer dans l'appartement de Dora ; Jason, le chauffeur ; le jardinier en chef. Ils restèrent groupés à la porte du bureau de Min en attendant les instructions.

Ce fut Elizabeth qui prit la parole.

– Afin de ménager la vie privée de Mlle Samuels, nous désirons que les recherches se déroulent dans la discrétion. (Elle répartit brièvement les responsabilités.) Nelly, vous vérifierez les bungalows vides. Demandez discrètement aux autres femmes de chambre si elles ont vu Dora. Jason, vous contacterez les compagnies de taxis. Cherchez à savoir si quelqu'un s'est fait prendre ici entre 9 heures du soir hier et 7 heures ce matin. (Elle s'adressa au jardinier :) Je veux que chaque centimètre du domaine soit fouillé. (Puis se tournant vers Min et le baron :) Min, inspecte la maison et l'établissement réservé aux femmes. Helmut, va voir si elle n'est pas dans la clinique. Je vais scruter les environs.

Elle regarda la pendule.

– Tâchez de la retrouver avant midi.

En se dirigeant vers les grilles d'entrée, Elizabeth se rendit compte qu'elle n'avait pas accordé ce délai pour faire plaisir à Min et à Helmut, mais parce qu'elle savait qu'il était déjà trop tard pour Sammy.

5

Ted refusa d'étudier le système de défense de son avocat avant d'avoir fait une heure de gymnastique. Lorsque Bartlett et Craig arrivèrent à son bungalow, il finissait son petit déjeuner, vêtu d'une chemise de sport bleue sur un short blanc. Henry Bartlett comprit pourquoi les femmes comme Cheryl se jetaient à sa tête, pourquoi une Leila LaSalle était tombée éperdument amoureuse de lui. Ted possédait cet indéfinissable mélange de beauté, d'intelligence et de charme qui attirait les hommes autant que les femmes.

Au cours des ans, Bartlett avait défendu les riches et les puissants de ce pays. L'expérience l'avait rendu cynique. Aucun homme n'est un héros pour son valet. Ou pour son avocat. Bartlett avait acquis une certaine puissance à force de faire acquitter des coupables, de construire ses plaidoiries sur les points faibles de la loi. Ses clients lui en étaient reconnaissants et payaient des honoraires conséquents sans se faire prier.

Ted Winters était d'une autre sorte. Il traitait Bartlett avec mépris. Il se faisait l'avocat du diable, face à son propre système de défense, ne saisissait aucune des perches qu'Henry lui tendait. Et maintenant, le voilà qui disait :

– Commencez à travailler. Je vais me dégourdir les jambes pendant une heure. À mon retour, j'aimerais voir exactement quelle sera la stratégie que vous avez adoptée, et si je peux m'y conformer. Vous comprenez sûrement que je n'ai pas l'intention de dire : Oui, peut-être, il se peut que je sois remonté chez elle en titubant.

– Teddy, je…

Ted se leva, repoussa le plateau du petit déjeuner, le regard noir.

– Laissez-moi vous expliquer quelque chose. Teddy est le nom d'un petit garçon de deux ans. Le nom que donnait ma grand-mère à un petit bonhomme aux cheveux blonds… très blonds. Mon fils. Sa mère était une jeune femme exquise, malheureusement incapable de s'habituer à l'idée qu'elle était mariée à un homme très riche, d'avoir des domestiques. Elle faisait elle-même son marché, ne voulait entendre parler ni de chauffeur ni de voiture de luxe. Kathy vivait dans la crainte que les habitants de Iowa City puissent la prendre pour une snob. Par un soir de pluie, elle revenait en voiture de l'épicerie et – suppose-t-on – une boîte de soupe s'échappa du sac à provisions et roula sous son pied. Elle ne put freiner à un feu rouge, et un semi-remorque entra droit dans ce tas de ferraille qu'elle appelait une voiture. Elle et ce petit garçon, Teddy, sont *morts.* C'était il y a huit ans. Avez-vous compris qu'en vous entendant m'appeler Teddy, je revois un bout de chou blond en avance pour son âge, et qui aurait dix ans le mois prochain ? (Les yeux de Ted brillaient.) Vous pouvez préparer ma défense, maintenant. On vous a payé pour ça. Je vais faire ma séance de culture physique, à présent. Craig, tu peux aller où bon te semble.

– Je t'accompagne.

Ils quittèrent le bungalow et se dirigèrent vers le gymnase.

– Bonté divine, où l'as-tu déniché ? demanda Ted.

– Sois raisonnable, Ted. C'est le meilleur avocat criminel de ce pays.

– Certainement pas. Et je vais te dire pourquoi. Parce qu'il est arrivé avec une idée préconçue et qu'il essaye de faire de moi le coupable idéal. Et ça ne marche pas.

Le joueur de tennis et sa petite amie sortaient de leur bungalow. Ils saluèrent aimablement Ted.

– On vous a regretté à Forest Hills, dit le jeune homme.

– Ce sera pour la prochaine fois, sans faute.

– Nous sommes de tout cœur avec vous, dit à son tour sa compagne avec son sourire éblouissant de mannequin.

162

– Si seulement vous faisiez partie du jury… (Ted leva la main en un geste de remerciement et s'éloigna. Son visage se ferma.) Je me demande s'il y a des champions de tennis à Attica.

– Inutile de te perdre dans ce genre de conjectures. Tu n'iras pas vérifier sur place. (Craig s'arrêta.) Regarde, n'est-ce pas Elizabeth ?

Ils arrivaient en face de la résidence principale. À l'autre bout de la grande pelouse, une mince silhouette descendait en courant les marches de la véranda et se dirigeait vers les grilles de l'entrée. Elle était reconnaissable entre mille avec ses boucles couleur de miel relevées sur le sommet de la tête, son menton volontaire, la grâce innée de ses mouvements. Elle se tamponnait les yeux, et ils la virent sortir ses lunettes noires de sa poche et les mettre sur son nez.

– Je croyais qu'elle devait repartir ce matin, fit Ted. (Son ton était impersonnel.) Il s'est passé quelque chose.

– Veux-tu savoir quoi ?

– Ma présence ne ferait que la perturber davantage. Va la rejoindre. Elle ne te prend pas pour l'assassin de sa sœur.

– Ted, pour l'amour du ciel, arrête ! Je mettrai ma tête à couper pour toi, et tu le sais, mais servir de punching-ball ne facilite pas ma fonction. Et je ne vois pas en quoi ça peut t'aider.

Ted haussa les épaules.

– Excuse-moi. Tu as raison. Va voir si tu peux aider Elizabeth. On se retrouvera chez moi dans une heure.

Craig la rattrapa à la grille. Elle le mit rapidement au courant. Sa réaction la réconforta.

– Tu veux dire que Sammy a disparu depuis plusieurs heures et que personne n'a prévenu la police ?

– On le fera dès que la propriété aura été fouillée, et je voulais vérifier si par hasard… (Elizabeth ne put terminer. Elle avala sa salive et continua :) Te souviens-tu quand elle a été victime de sa première attaque ? Elle était complètement perdue, et ensuite tellement embarrassée.

Craig l'entoura de son bras.

– Calme-toi. Marchons un peu.

Ils traversèrent la route et prirent la direction du Lone Cypress. Le soleil avait dispersé les dernières brumes matinales, il faisait chaud. Des courlis voletaient autour de leurs têtes, tournoyaient avant d'aller se jucher sur les cailloux au bord de l'eau. Des bouillonnements d'écume déferlaient contre les rochers et refluaient vers la mer. Le Lone Cypress était déjà le centre d'attention des mordus de la photographie.

Elizabeth alla les interroger.

– Nous cherchons une vieille dame… Très petite… Elle est peut-être souffrante…

Craig l'interrompit, fit une description précise de Dora.

– Que portait-elle, Elizabeth ?

– Un cardigan beige, un chemisier de coton beige, une jupe marron.

– On dirait ma mère, fit un touriste en chemise rouge avec un appareil photo en bandoulière.

– Elle ressemble à la mère de tout le monde, répliqua Elizabeth.

Ils sonnèrent aux portes des maisons dissimulées derrière leurs hautes haies en retrait de la route. Des femmes de chambre, certaines aimables, d'autres revêches, promirent de «jeter un coup d'œil dehors».

Ils se rendirent à Pebble Beach Lodge.

– Sammy prend parfois son petit déjeuner ici lorsqu'elle ne travaille pas, dit Elizabeth.

Avec un élan d'espoir, elle fit le tour des salles à manger, espérant tomber sur la petite silhouette menue. Mais il n'y avait que des vacanciers, vêtus des habituelles tenues de golf, sur le point de commencer leur partie.

Elizabeth s'apprêtait à s'en aller quand Craig la retint par le bras.

– Je parie que tu n'as rien mangé.

Il fit signe au maître d'hôtel.

Ils se regardèrent en buvant leur café.

– S'il n'y a aucun signe d'elle à notre retour, nous ferons prévenir la police, lui dit-il.

– Il a dû lui arriver quelque chose.

164

– Ce n'est pas sûr. Dis-moi exactement quand tu l'as vue pour la dernière fois. A-t-elle laissé entendre qu'elle allait sortir ?

Elizabeth hésita. Elle n'était pas certaine de vouloir parler à Craig de la lettre que Sammy s'apprêtait à photocopier ni de celle qu'on avait prise sur son bureau. L'inquiétude qu'elle lisait sur son visage lui apportait un peu de réconfort, car elle savait qu'il mettrait tout le poids du groupe Winters pour faire rechercher Sammy si c'était nécessaire. Mais elle resta prudente.

– En me quittant, Sammy m'avait indiqué qu'elle comptait repasser par son bureau.

– Ne me dis pas que son travail l'oblige à veiller jusqu'à minuit !

Elizabeth eut un semblant de sourire.

– Pas jusqu'à minuit. Jusqu'à neuf heures et demie.

Pour éviter d'autres questions, elle avala le reste de son café.

– Craig, ne vois-tu pas d'inconvénient à ce que nous retournions tout de suite à Cypress Point ? Peut-être aurons-nous des nouvelles.

Sammy n'avait pas réapparu. Au dire des femmes de chambre, du jardinier et du chauffeur, chaque centimètre carré de la propriété avait été passé au crible. Même Helmut admit qu'il était temps de signaler sa disparition.

– Je veux que l'on prévienne Scott Alshorne en personne, exigea Elizabeth.

Elle s'installa à la place de Sammy.

– Désires-tu que je reste ? demanda Craig.

– Non.

Il aperçut les sacs de plastique.

– Qu'est-ce que c'est ?

– Les lettres des admirateurs de Leila. Sammy leur répondait.

– Ne te mets pas à fouiller là-dedans. Cela ne servirait qu'à te bouleverser.

Craig jeta un regard dans la direction du bureau de Min et d'Helmut. Assis côte à côte sur le canapé de rotin Art Déco, ils parlaient à voix basse. Il se pencha vers Elizabeth.

– Elizabeth, il faut que tu saches que je me sens affreusement partagé. Mais quand toute cette histoire sera terminée, quelle qu'en soit l'issue, j'aimerais te revoir. Tu m'as beaucoup manqué. (Avec une promptitude surprenante, il se retrouva de l'autre côté du bureau, la main posée sur ses cheveux, les lèvres sur sa joue.) Je serai toujours là pour toi, murmura-t-il. Si un accident était arrivé à Sammy et que tu aies besoin d'un appui ou d'un confident… tu sais où me trouver.

Elizabeth lui saisit la main et la retint un instant contre sa joue. Elle sentit sa force, sa chaleur, l'épaisseur de ses doigts carrés, et se souvint brusquement des longues mains fines de Ted. Elle s'écarta.

– Arrête, ou je vais me mettre à pleurer, dit-elle d'un ton léger, s'efforçant de dissiper l'intensité de l'instant.

Craig sembla comprendre. Il se redressa, l'air désinvolte :

– Tu peux me faire appeler dans le bungalow de Ted, si jamais tu as besoin de moi.

Le pire était d'attendre. Comme la nuit où elle était restée sans bouger dans l'appartement de Leila, espérant que Leila et Ted s'étaient réconciliés, mais le cœur serré par un affreux pressentiment. Elle avait du mal à rester assise au bureau de Sammy. Elle aurait voulu courir dans des douzaines de directions à la fois, marcher sur la route, demander aux passants s'ils ne l'avaient pas vue, fouiller Crocker Woodland au cas où elle errerait dans les bois en état de choc.

Elle ouvrit l'un des sacs et en sortit une poignée d'enveloppes. Au moins pouvait-elle s'occuper.

Chercher d'autres lettres anonymes.

6

Le shérif Scott Alshorne avait été très lié à Samuel Edgers, premier mari de Min, qui avait fait construire l'hôtel Cypress Point. Lui et Min s'étaient dès le début bien entendus, et il avait apprécié la façon dont elle remplissait consciencieusement son rôle. Elle avait donné à l'octogénaire souffrant et acariâtre un nouveau regain de vie pendant les cinq années de leur mariage.

Avec curiosité et stupéfaction, il avait regardé Min et ce crétin titré qu'elle avait épousé en secondes noces transformer un hôtel confortable et rentable en une extravagante folie au luxe outrancier. Min l'invitait au moins une fois par mois à dîner, et au cours des derniers dix-huit mois il avait appris à connaître Dora Samuels. C'est pourquoi il craignit instinctivement le pire en apprenant la nouvelle de sa disparition.

Si Sammy s'était mise à errer en état de choc dans les environs, on l'aurait repérée. Les personnes âgées et malades n'étaient pas laissées à elles-mêmes dans la péninsule de Monterey. Scott était fier de sa juridiction.

Son bureau se trouvait à Salinas, situé au centre du comté de Monterey et à trente-cinq kilomètres de Pebble Beach. Sans perdre une minute, il fit diffuser un avis de disparition et ordonna aux agents qui patrouillaient dans la région de Pebble Beach de le rejoindre à Cypress Point.

Il resta silencieux pendant le trajet. L'agent qui conduisait remarqua des rides inhabituelles sur le front de son chef. De sombres pensées creusaient son visage buriné et tanné par le soleil sous l'abondante chevelure blanche. Lorsque le patron prenait cet air, c'était mauvais signe.

Il était 10 h 30 quand ils franchirent les grilles de l'entrée. Il flottait autour des bâtiments et dans les jardins une atmosphère de sérénité. Il y avait peu de monde dehors. Scott savait que la plupart des clients étaient en train de se faire masser, tapoter, pétrir, pincer, frictionner, afin qu'à leur retour familles et amis se répandent en compliments sur leur bonne mine. Dans la clinique, quelques privilégiés avaient droit aux traitements sophistiqués et hors de prix d'Helmut.

Il avait entendu dire que le jet privé de Ted Winters avait atterri à l'aéroport dimanche après-midi et que Ted se trouvait ici. Il avait hésité à lui téléphoner. Ted était accusé d'homicide. C'était aussi le gosse qui aimait tant faire du bateau avec son grand-père et Scott.

Sachant Ted à Cypress Point, Scott resta bouche bée à la vue d'Elizabeth assise devant le bureau de Sammy. Elle ne l'avait pas entendu monter, et il prit un moment pour l'observer à son insu. Elle était très pâle, les yeux bordés de rouge. Des mèches de cheveux échappées de son chignon s'enroulaient en boucles autour de son visage. Elle décachetait des lettres, les parcourait rapidement et les mettait de côté d'un geste impatient. Visiblement, elle cherchait quelque chose. Il nota que ses mains tremblaient.

Il s'annonça en frappant à la porte ouverte et la vit sursauter. Soulagement et appréhension se mêlèrent dans son regard. Elle se leva d'un bond et se précipita vers lui, les bras ouverts. Juste avant d'arriver à lui, elle s'arrêta net.

– Je suis désolée… je veux dire, comment allez-vous, Scott? Je suis tellement heureuse de vous voir.

Il savait ce qu'elle pensait. À cause de sa longue amitié avec Ted, elle craignait qu'il ne la regardât avec hostilité. Pauvre gosse. Il la serra énergiquement dans ses bras, grommelant pour dissimuler son émotion:

– Vous êtes maigre comme un clou. J'espère que vous ne suivez pas un des damnés régimes amaigrissants de Min.

– Banana-splits et gâteaux au chocolat.

Ils pénétrèrent ensemble dans les bureaux privés. Scott haussa les sourcils en voyant l'expression hagarde de Min, le regard méfiant du baron. Ils étaient tous les deux sur le qui-vive, et il aurait juré que la disparition de Sammy n'était pas la seule raison de leur inquiétude. Il posa deux ou trois questions, obtint les informations qu'il désirait et conclut:

– J'aimerais jeter un coup d'œil à l'appartement de Sammy.

Min le conduisit. Elizabeth et Helmut les suivirent. La présence de Scott donna à Elizabeth un brin d'espoir. Elle avait vu la désapprobation s'inscrire sur son visage en apprenant qu'ils avaient attendu si longtemps avant de le prévenir.

Scott inspecta rapidement le salon et pénétra dans la chambre. Il montra la valise par terre, près de la penderie.

– S'apprêtait-elle à partir ?

– Elle venait d'arriver, expliqua Min avant d'ajouter, étonnée : ce n'est pas le genre de Sammy de laisser ses bagages en plan.

Scott ouvrit la valise. Il y avait une mallette de maquillage sur le dessus, remplie de flacons de médicaments. Il lut les prescriptions : « Une toutes les quatre heures ; deux fois par jour ; deux fois à l'heure du coucher. » Il fronça les sourcils.

– Sammy se soignait scrupuleusement. Elle n'avait pas envie de rechuter.

La photocopieuse l'intrigua particulièrement.

– La fenêtre était ouverte. La machine en marche. (Il resta planté devant elle.) Sammy était sur le point de faire une copie. Elle est allée regarder par la fenêtre. Et ensuite ? A-t-elle été prise d'un éblouissement ? A-t-elle voulu sortir ? Mais pour aller où ?

Il fixa la fenêtre. Elle donnait sur la pelouse au nord, sur les bungalows dispersés le long de l'allée qui conduisait à la piscine olympique, et sur les thermes – cette horreur.

– Avez-vous fouillé tous les environs, tous les bâtiments ?

Helmut répondit en premier.

– Je m'en suis chargé personnellement.

– Nous allons recommencer, ordonna Scott.

Elizabeth passa les heures suivantes à dépouiller le courrier, les doigts gercés à force de manipuler des douzaines de lettres. Elles étaient toutes sur le même modèle – des demandes d'autographes, de photos. Jusqu'à présent, il n'y avait plus aucune lettre anonyme.

À 14 heures, elle entendit un cri, courut à la fenêtre, vit l'un des policiers gesticuler devant la porte des thermes, et se rua dans l'escalier. À l'avant-dernière marche, elle trébucha et tomba de tout son long sur le carrelage. Insensible à la douleur qui lui brûlait les paumes et les genoux, elle s'élança à travers la pelouse, arriva au moment où Scott disparaissait à l'intérieur des thermes. Elle franchit les vestiaires à sa suite et entra dans le secteur de la piscine.

Debout près du bord, un policier désignait du doigt le corps de Sammy ramassé sur lui-même au fond du bassin.

Plus tard, elle se souvint vaguement de s'être agenouillée à côté de Sammy, d'avoir tendu la main pour repousser doucement ses cheveux emmêlés et rougis, senti la poigne de Scott sur son bras, entendu son ordre cassant : « Ne la touchez pas ! » Les yeux de Sammy étaient ouverts, ses traits figés en une expression de terreur. Ses lunettes, encore accrochées derrière ses oreilles, lui tombaient sur le nez ; elle avait les mains ouvertes comme pour repousser quelque chose. Son cardigan beige était boutonné.

– Regardez si elle a une lettre adressée à Leila, s'entendit-elle dire. Cherchez dans ses poches.

Puis ses yeux s'agrandirent. Le cardigan de laine beige se transformait en pyjama de satin blanc, elle était agenouillée devant le corps de Leila...

Elle s'évanouit.

Elle était étendue sur son lit lorsqu'elle reprit connaissance. Penché sur elle, Helmut lui mettait sous le nez un produit qui lui piquait les narines. Min lui frottait les mains.

Le corps secoué de sanglots, elle gémit :

– Pas Sammy aussi, pas Sammy.

Min la prit contre elle.

– Elizabeth, non... Non.

Helmut murmura :

– Ça va te faire du bien.

La piqûre d'une aiguille dans son bras.

Quand elle s'éveilla, les ombres s'allongeaient dans la chambre. Nelly lui touchait l'épaule.

– Je suis désolée de vous déranger, mademoiselle, mais je vous ai apporté du thé et quelque chose à manger. Le shérif ne peut pas attendre plus longtemps. Il désire vous parler.

170

La nouvelle de la mort de Dora se répandit comme une pluie d'orage éclatant au beau milieu d'un pique-nique familial. Elle suscita quelques réactions de curiosité : « Qu'est-ce qu'elle pouvait faire dans cet endroit ? » On s'interrogea sur son âge. Certains cherchèrent à la situer : « Oh, c'était cette petite dame très comme il faut à la réception ? » Puis chacun retourna aux agréables activités de l'institut. Après tout, on venait ici pour oublier ses problèmes, non pour en trouver.

Ted était allé se faire masser au milieu de l'après-midi, espérant que sa tension disparaîtrait sous les mains robustes du masseur suédois. Il venait de regagner son bungalow lorsque Craig lui apprit la nouvelle.

– Ils ont trouvé son corps dans la piscine des thermes. Elle a dû avoir un étourdissement et tomber.

Ted se souvint de la première attaque de Sammy, à New York. Ils se trouvaient tous dans l'appartement de Leila et, au milieu d'une phrase, la voix de Sammy s'était tue. C'était lui qui s'était rendu compte de la gravité de son état.

– Comment Elizabeth le prend-elle ? demanda-t-il à Craig.

– Mal. Il paraît qu'elle s'est évanouie.

– Elle était très proche de Sammy. Elle… (Ted se mordit les lèvres et changea de sujet.) Où est Bartlett ?

– Au golf.

– J'ignorais que je l'avais amené ici pour jouer au golf.

– Ted, tu exagères ! Il n'a cessé de travailler depuis ce matin. Henry dit qu'il a besoin de se dépenser physiquement pour mieux réfléchir.

– Rappelle-lui que je suis convoqué au tribunal la semaine prochaine. Il ferait bien d'écourter ses exercices. (Ted haussa les épaules.) C'était de la folie de venir ici. Je me demande pourquoi j'ai cru que ça me calmerait ; c'est le contraire.

– Cela n'aurait pas mieux marché à New York ou dans le Connecticut. À propos, j'ai rencontré ton vieil ami le shérif Alshorne.

– Scott est ici ? Cela signifie qu'il y a quelque chose d'anormal dans la mort de Sammy.

– Je n'en sais rien. Il vient probablement pour la forme.

– Sait-il que je suis ici ?

– Oui. Il a demandé de tes nouvelles.

– S'attend-il à ce que je lui téléphone ?

L'hésitation de Craig fut à peine perceptible.

– Pas exactement... mais écoute, ce n'était pas une conversation mondaine.

Une autre personne qui préfère m'éviter, songea Ted. Une autre personne qui attend de voir la preuve de ma culpabilité étalée au grand jour. Il arpenta d'un pas nerveux le living-room de son bungalow. Cette pièce faisait soudain figure de cage pour lui. Mais toutes les pièces lui avaient fait le même effet depuis sa condamnation. Ce doit être une réaction psychologique, se dit-il. Il décida d'aller faire un tour.

– Je serai de retour pour le dîner, dit-il, sans laisser à Craig le temps de lui offrir de l'accompagner.

Comme il passait devant Pebble Beach Lodge, il sentit peser sur lui un sentiment de solitude qui le tenait à l'écart des promeneurs qu'il voyait se diriger nonchalamment vers les restaurants, les boutiques, les terrains de golf. C'était là que son grand-père lui avait appris à tenir un club, à l'âge de huit ans. Son père détestait la Californie, et Ted n'y venait jamais qu'avec sa mère. Il la voyait redevenir elle-même, rajeunie, pleine d'entrain.

Pourquoi n'avait-elle pas quitté son père ? se demanda-t-il.

Sa famille ne possédait pas les millions des Winters, mais elle avait certes suffisamment de fortune. Craignait-elle qu'on lui ôte la garde de son enfant si elle rompait ce mariage maudit ? Le père de Ted ne lui avait jamais pardonné sa première tentative de suicide. Et elle était restée, endurant ses fureurs d'alcoolique, ses insultes, ses railleries, son mépris pour ses frayeurs, jusqu'au soir où elle avait décidé qu'elle ne pouvait en supporter davantage.

Aveugle à ce qui l'entourait, Ted marcha le long de Seventeen Mile Drive, insensible au scintillement du

Pacifique au pied des maisons qui dominaient Stillwater Cove et Carmel Bay, à la luxuriance des bougainvillées, au vrombissement des voitures qui le dépassaient.

Carmel était encore bondé d'estivants, d'étudiants venus s'amuser avant la rentrée. Lorsqu'il se promenait en ville au bras de Leila, tout le monde s'arrêtait. Ce souvenir l'incita à mettre ses lunettes de soleil. À cette époque, les hommes le regardaient avec envie. Aujourd'hui, il était conscient de l'hostilité sur les visages des passants qui le reconnaissaient.

Hostilité. Solitude. Peur.

Ces sept derniers mois avaient perturbé sa vie entière, l'amenant à accomplir certaines choses dont il se serait cru incapable. Il lui restait encore un obstacle monumental à franchir avant le procès.

Le simple fait de l'envisager le laissa ruisselant de transpiration.

8

Assise devant sa coiffeuse, Alvirah examina avec bonheur la rangée de petits pots de crème et de cosmétiques qu'on lui avait conseillés à son cours de maquillage de l'après-midi. Comme le lui avait dit l'esthéticienne, elle avait des pommettes plates qu'un soupçon de poudre rehausserait avantageusement au lieu du rouge framboise qu'elle avait coutume d'utiliser. Elle l'avait également convaincue de mettre un peu de mascara brun sur ces cils à la place du placard noir grâce auquel elle croyait embellir ses yeux.

« Moins on en met, mieux c'est », lui avait assuré la jeune femme, et la différence était visible, à vrai dire. Ce nouveau maquillage, combiné aux reflets cuivrés qu'ils avaient donnés à ses cheveux, lui rappelait sa tante Agnes, la beauté de la famille. C'était agréable, aussi, de sentir que ses mains devenaient moins calleuses. Finies les heures de ménage. À tout jamais.

– Et vous verrez, vous serez éblouissante après le traitement du baron von Schreiber, lui avait dit la maquilleuse. Ses injections de collagène vont faire disparaître les petites rides autour de votre bouche, du nez et du front. C'est presque miraculeux.

Alvirah soupira. Elle était folle de bonheur. Willy avait toujours clamé sur tous les toits qu'elle était la plus jolie femme de Queens et qu'il aimait sentir autre chose qu'une planche à pain quand il la tenait dans ses bras. Mais elle avait pris du poids, ces derniers temps. Ce serait formidable d'avoir l'air vraiment chic lorsqu'ils chercheraient une nouvelle maison, non? Non qu'elle ait l'intention de fréquenter les Rockefeller – mais simplement des gens sans prétention comme eux. Et si Willy et elle s'étaient mieux débrouillés que la plupart, s'ils avaient eu plus de chance, elle se réjouissait à l'idée de pouvoir en aider quelques-uns.

Une fois terminés ses articles pour le *Globe*, elle écrirait un vrai livre. Sa mère avait toujours dit: «Alvirah, tu as tellement d'imagination, tu deviendras écrivain un jour.» Ce jour était peut-être arrivé.

Alvirah appliqua discrètement sur ses lèvres un léger rouge corail. Il y a des années, la jugeant trop mince, elle avait pris l'habitude d'accentuer la courbe de sa bouche. Mais la maquilleuse lui avait appris que ce n'était pas nécessaire. Elle reposa le pinceau et examina le résultat.

Elle se sentait un peu honteuse de puiser tant de plaisir et d'intérêt dans ces futilités quand cette gentille petite dame reposait à la morgue. Mais elle avait soixante et onze ans, se consola Alvirah, et elle n'avait sans doute pas souffert. C'est ainsi que je voudrais m'en aller, lorsque mon tour viendra. Le plus tard possible, bien sûr. Comme le disait sa mère: «Nous autres femmes, nous faisons de vieux os.» Sa mère avait quatre-vingt-quatre ans et jouait encore au bowling tous les mercredis soir.

Satisfaite de son maquillage, Alvirah sortit son magnétophone de sa valise et y introduisit la cassette du dîner de dimanche. Un froncement creusa son front. Curieux: écouter les gens sans les voir vous donne une perception différente. Syd Melnick était peut-être un grand agent, mais il se laissait traiter comme un paillasson par Cheryl

Manning. Et elle pouvait changer d'humeur à volonté, casser les pieds à Syd Melnick pour un verre d'eau qu'elle venait elle-même de renverser et, l'instant suivant, se faire tout sucre tout miel pour demander à Ted Winters de lui faire visiter le gymnase Winters à l'université de Darmouth. *Dartmuth*, pensa Alvirah, et non *Dart-mouth*. C'est Craig Babcock qui avait corrigé sa prononciation. Il avait une belle voix posée. Elle lui en avait fait la remarque. « Vous avez l'air si bien élevé. »

Il s'était mis à rire. « Vous auriez dû m'entendre lorsque j'étais gosse. »

La voix de Ted Winters reflétait une éducation parfaite. Alvirah savait que c'était naturel chez lui. Tous les trois s'étaient agréablement entretenus sur ce sujet.

Alvirah vérifia que son micro était en place au centre de sa broche et livra une réflexion personnelle. « Les voix, déclara-t-elle, en disent long sur les gens. »

La sonnerie du téléphone la surprit. Il n'était que 9 heures à New York, et Willy était censé assister à une réunion syndicale. Elle aurait aimé qu'il cessât de travailler, mais c'était encore trop tôt. Il n'avait pas l'habitude d'être millionnaire.

C'était Charles Evans, le rédacteur en chef des chroniques du *New York Globe*.

– Comment va ma journaliste préférée ? demanda-t-il. Pas de problème avec l'enregistreur ?

– Il marche comme un charme, le rassura Alvirah. Je passe des moments formidables et je rencontre des gens passionnants.

– Des célébrités ?

– Oh, oui. (Alvirah ne put s'empêcher de fanfaronner.) Je suis revenue de l'aéroport dans une limousine avec Elizabeth Lange, et je partage la table de Cheryl Manning et de Ted Winters pour le dîner.

Elle fut récompensée par un silence interloqué perceptible à l'autre bout du fil.

– Vous dites qu'Elizabeth Lange et Ted Winters sont à Cypress Point ensemble ?

– Pas exactement ensemble, dit Alvirah hâtivement. En réalité, elle ne s'approche jamais de lui. Elle s'apprêtait à repartir immédiatement, mais elle voulait voir la secrétaire de sa sœur. Le seul ennui, c'est que la secrétaire de Leila vient d'être retrouvée morte dans le bâtiment des thermes.

– Madame Meehan, attendez une minute. Je veux que vous répétiez tout ce que vous venez de dire, mot pour mot. Quelqu'un va le prendre en note, au journal.

9

A la demande de Scott Alshorne, le médecin légiste du comté de Monterey fit immédiatement l'autopsie du cadavre de Dora Samuels. La mort avait été provoqué par un coup brutal porté à la tête, la pression de fragments du crâne sur le cerveau avait provoqué une rupture vasculaire.

Dans son bureau, Scott étudia le rapport d'autopsie et tenta de définir pourquoi la mort de Dora Samuels lui laissait une impression sinistre.

Cet édifice des thermes. On aurait dit un mausolée ; et c'était devenu le tombeau de Sammy. Il fallait être cinglé pour construire un truc pareil ! Sans raison, Scott se rappela la colle posée un jour par Leila : Le baron méritait-il le nom de «petit soldat» ou de «soldat de plomb» ? En vingt-cinq mots ou moins. Leila invitait à dîner l'auteur de la meilleure réponse.

Qu'allait faire Sammy dans les thermes ? Passait-elle simplement par là ? Avait-elle l'intention d'y rencontrer quelqu'un ? Cela n'avait aucun sens. L'électricité n'était pas posée. Il devait faire noir comme dans un four.

Min et Helmut avaient tous deux déclaré que le bâtiment aurait dû être fermé. Mais ils avaient également admis en être partis précipitamment hier après-midi. «Minna était bouleversée par le dépassement des coûts, avait expliqué Helmut. J'étais inquiet de la voir dans cet état. La porte est très lourde. Il est possible que je ne l'aie pas bien refermée.»

La mort de Sammy avait été provoquée par des

lésions à l'arrière du crâne. Elle était tombée à la renverse dans le bassin. Mais était-elle tombée ou l'avaiton poussée ? Scott se leva et se mit à arpenter son bureau de long en large. Une observation pragmatique, sinon scientifique ; étourdis ou non, la plupart des gens ne marchent pas en arrière, à moins qu'ils ne reculent devant quelqu'un, ou quelque chose...

Il s'installa à nouveau à son bureau. Il était invité à un dîner officiel avec le maire de Carmel. Il allait l'annuler, repartir à Cypress Point et parler avec Elizabeth Lange. Il avait l'intuition qu'elle savait pourquoi Sammy était retournée travailler dans son bureau à neuf heures et demie du soir, et quel document elle devait d'urgence y photocopier.

Deux mots ne cessèrent de le harceler pendant le trajet.

Tombée ?

Poussée ?

Au moment où il passait devant Pebble Beach Lodge, il comprit ce qui l'avait tracassé. C'était pour cette même incertitude que Ted Winters se retrouvait accusé de meurtre !

10

Craig passa la fin de l'après-midi dans le bungalow de Ted à parcourir l'énorme paquet de courrier qu'on venait de lui expédier de New York. D'un œil exercé, il jeta un regard rapide sur les comptes rendus, passa en revue les listings, étudia les graphiques de prévision. Plus il lisait, plus son front se creusait. Ces petits diplômés des «business schools» de Harvard et de Warton que Ted avait engagés il y a deux ans le mettaient en boule. Si on les écoutait, Ted irait construire des hôtels sur la Lune.

Au moins avaient-ils eu l'intelligence de reconnaître qu'il était inutile de vouloir court-circuiter Craig. Les notes de service et les lettres étaient toutes adressées conjointement à Ted et à lui.

Ted revint à 5 heures. La marche ne l'avait apparemment pas détendu. Il était d'une humeur de chien.

– Y a-t-il une raison qui t'oblige à ne pas travailler dans ton bungalow ? fut sa première question.

– Aucune, excepté qu'il me semblait plus simple que nous restions ici. (Craig désigna les dossiers.) J'aimerais examiner certains points avec toi.

– Ça ne m'intéresse pas. Agis pour le mieux.

– Je crois que « le mieux » pour toi serait de prendre un scotch et de te détendre un peu. Et je crois que « le mieux » pour le groupe Winters est de se débarrasser de ces petits cons de Harvard. Leurs notes de frais sont du vol manifeste.

– Je ne veux pas m'en occuper maintenant.

Bartlett entra, le visage rougi par son après-midi au soleil. Craig vit Ted serrer les lèvres en entendant l'avocat les saluer cordialement. Il ne faisait aucun doute qu'il se maîtrisait de plus en plus difficilement. Il but son premier scotch d'un trait et ne protesta pas quand Craig emplit à nouveau son verre.

Bartlett voulut considérer la liste des témoins de la défense que Craig lui avait préparée. Il la lut à Ted – un déploiement éblouissant de noms célèbres.

– Il nous manque le président, railla Ted.

Bartlett tomba dans le piège.

– Quel président ?

– Celui des États-Unis, bien sûr. Il m'est arrivé d'être son partenaire au golf.

Bartlett haussa les épaules et referma le dossier.

– À première vue, cette séance de travail est mal partie. Avez-vous l'intention de dîner dehors ce soir ?

– Non, j'ai l'intention de rester ici sans bouger. Et pour le moment, j'ai l'intention de faire un somme.

Craig et Bartlett se levèrent ensemble.

– J'espère que vous vous rendez compte que ça devient sans espoir, lui dit Bartlett.

À 18 h 30, Craig reçut un appel téléphonique de l'agence qu'il avait chargée d'enquêter sur le témoin, Sally Ross.

– Il y a eu un peu de remue-ménage dans l'immeuble de Ross, lui dit son interlocuteur. La femme qui habite juste au-dessus de chez elle est rentrée au moment où l'on essayait de la cambrioler. Ils ont attrapé le type – un petit malfaiteur récidiviste. Sally Ross n'a pas quitté son appartement.

À 19 heures, Craig retrouva Bartlett dans le bungalow de Ted. Ted n'était pas là. Ils se dirigèrent ensemble vers la maison principale.

– Ted me semble aussi aimable avec vous qu'avec moi, fit remarquer Bartlett.

Craig haussa les épaules.

– Écoutez, s'il veut se défouler sur moi, c'est sans importance. Dans un sens, c'est à cause de moi qu'il en est là.

– Que voulez-vous dire ?

– Je lui ai présenté Leila. Elle sortait avec moi, avant.

Ils atteignirent la véranda à temps pour entendre la dernière plaisanterie du moment. *À Cypress Point, pour quatre mille dollars par semaine vous pouvez avoir accès aux piscines. Pour cinq mille, on vous les remplit d'eau.*

Contrairement à ce qu'espérait Craig, Elizabeth n'apparut pas à l'heure du cocktail. Bartlett alla rejoindre le joueur de tennis et son amie. Ted parlait à la comtesse et à son groupe de fidèles. L'air morose, Syd restait à l'écart. Craig se dirigea vers lui.

– Parlons de cette histoire de «preuve». Cheryl était-elle saoule hier soir, ou débitait-elle ses conneries habituelles ? demanda-t-il.

Il savait que Syd ne se risquerait pas à lui envoyer son poing dans la figure. Comme tous les parasites qui gravitaient autour de Ted, Syd considérait Craig comme un cerbère qui l'empêchait de profiter de la générosité de Ted. Craig se voyait plutôt comme un gardien de but – il fallait le passer pour marquer un point.

– Mettons qu'elle faisait son habituel numéro d'actrice, répondit Syd.

Min et Helmut n'apparurent dans la salle à manger qu'une fois leurs hôtes installés. Craig nota leur air hagard, leur sourire figé tandis qu'ils allaient d'une table à l'autre. Rien de plus normal. On les payait pour conjurer la vieillesse, la maladie et la mort. Cet après-midi, Sammy venait de démontrer que les cartes étaient pipées.

En s'asseyant, Min s'excusa d'être en retard. Ted ignora Cheryl dont la main retenait constamment la sienne.

– Comment va Elizabeth ?

C'est Helmut qui répondit :

– Pas très bien. Je lui ai donné un calmant.

Alvirah ne cesserait-elle donc jamais de jouer avec sa broche ? se demanda Craig. Elle s'était installée d'office à ses côtés. Il regarda autour de lui. Min. Helmut. Syd. Bartlett. Cheryl. Ted. La dénommée Meehan. Lui. Il restait une place. Il demanda à Min qui devait se joindre à leur table.

– Le shérif Alshorne. Il est revenu. Il s'entretient avec Elizabeth en ce moment. (Min se mordit les lèvres.) Je vous en prie. Nous savons tous combien la perte de Sammy nous attriste, mais je crois préférable de ne pas en parler durant le dîner.

– Pourquoi le shérif désire-t-il s'entretenir avec Elizabeth Lange ? demanda Alvirah Meehan. Trouve-t-il bizarre que Mlle Samuels soit morte dans le bâtiment des thermes ?

Sept paires d'yeux la découragèrent de poursuivre.

Il y avait un potage froid à la pêche et à la fraise. Une spécialité de la maison. Alvirah avala le sien avec délectation. Le *Globe* serait curieux d'apprendre que Ted s'inquiétait au sujet d'Elizabeth.

Elle avait hâte de voir arriver le shérif.

11

Debout devant la fenêtre de son bungalow, Elizabeth regarda les hôtes de Min et d'Helmut se rendre peu à peu dans la salle à manger où le dîner était servi. Elle avait insisté pour que Nelly s'en aille. «Vous avez eu une longue journée, et je vais très bien maintenant.» Redressée sur ses oreillers, elle avait pris une tasse de thé et des toasts, puis s'était rapidement douchée, espérant qu'un bon jet d'eau froide lui remettrait les idées en place. Le calmant l'avait sonnée.

Son chandail écru à torsades et un pantalon en Elastiss beige faisaient partie de ses vêtements favoris. Le simple fait de les porter, pieds nus, les cheveux négligemment noués, lui donna l'impression de se sentir elle-même.

Le dernier des dîneurs avait disparu. Mais elle vit Scott qui s'approchait en traversant la pelouse.

Ils s'assirent l'un en face de l'autre, légèrement penchés en avant, impatients d'échanger ce qu'ils avaient à dire, ne sachant par où commencer. En regardant Scott et ses yeux bienveillants et interrogateurs, Elizabeth se souvint d'une réflexion que Leila lui avait faite, un jour : «C'est le genre de type que j'aurais aimé avoir pour père.» Hier soir, Sammy avait suggéré de lui apporter la lettre anonyme.

– Je suis désolé de n'avoir pu attendre demain matin pour vous voir, lui dit Scott. Mais trop de choses me tracassent au sujet de la mort de Sammy. D'après ce que je sais jusqu'à présent, Sammy avait conduit six heures d'affilée depuis Napa Valley hier, et elle était arrivée aux environs de 14 heures. On ne l'attendait que tard dans la soirée. Elle devait être éreintée, néanmoins elle n'a même pas pris le temps de défaire ses valises. Elle s'est rendue directement à son bureau. Elle a refusé de descendre dîner à la salle à manger, prétextant qu'elle ne se sentait pas bien. Mais elle a demandé à la femme de chambre de lui monter son repas et elle s'est mise à dépouiller des sacs de courrier. Puis elle est venue vous voir et vous a quittée vers 21 h 30. Sammy aurait dû être morte de fatigue alors, pourtant elle est apparemment repassée par son bureau et a mis la photocopieuse en marche. Pourquoi ?

Elizabeth se leva et alla dans sa chambre. Elle prit dans sa valise la lettre de Sammy qu'elle avait trouvée à New York à son retour. Elle la montra à Scott.

– Quand je me suis rendu compte que Ted était ici, j'aurais préféré partir sur-le-champ, mais il fallait que je voie Sammy à propos de cette lettre.

Elle lui parla de la lettre qui avait été dérobée sur le bureau et lui montra la transcription que Sammy en avait faite de mémoire.

– C'est pratiquement le texte exact.

Des larmes lui brouillèrent les yeux à la vue de la fine écriture de Sammy.

– Elle avait trouvé une autre lettre anonyme dans l'un des sacs hier soir. Elle s'apprêtait à en faire une copie pour moi, et nous avions l'intention de vous remettre l'original. Je l'ai reproduite telle que je m'en souviens. Nous avions espéré que l'on pourrait en retrouver l'origine. Le caractère d'imprimerie employé dans les magazines est identifiable, n'est-ce pas ?

– Oui. (Scott lut et relut les transcriptions des lettres.) C'est ignoble, fit-il.

– Quelqu'un essayait systématiquement de détruire Leila, dit Elizabeth. Ce quelqu'un ne veut pas que l'on retrouve ces lettres, il en a pris une sur le bureau de Sammy hier après-midi, et peut-être l'autre sur le corps de Sammy dans la nuit.

– Êtes-vous en train de penser qu'on a pu assassiner Sammy ?

Elizabeth tressaillit, puis le regarda franchement dans les yeux.

– Je ne peux pas répondre à cette question. Je sais seulement qu'il existe une personne que ces lettres inquiètent au point de vouloir les récupérer coûte que coûte. Je sais que plusieurs lettres de ce genre auraient expliqué la conduite de Leila, qu'elles ont entraîné la querelle avec Ted, et ont quelque chose à voir avec la mort de Sammy. Croyez-moi, Scott. Je vais découvrir qui les a écrites. Peut-être n'existe-t-il pas de poursuites judiciaires possibles, mais il doit y avoir un moyen de faire payer cette personne. C'est quelqu'un qui était très proche de Leila, et j'ai ma petite idée.

Quinze minutes plus tard, Scott quitta Elizabeth, les transcriptions des deux lettres dans sa poche. Elizabeth croyait que Cheryl avait écrit ces lettres. Ce n'était pas impossible. Elle en était tout à fait capable. Avant d'entrer dans la salle à manger, il fit un détour jusqu'à l'aile gauche de la maison. En haut se trouvait la fenêtre vers laquelle Sammy s'était avancée après avoir mis la photocopieuse en marche. Si quelqu'un devant le bâtiment des thermes lui avait fait signe de descendre...

C'était plausible. Mais dans ce cas, songea tristement Scott, Sammy serait descendue rejoindre une personne qu'elle connaissait. Et en qui elle avait confiance.

Les autres en étaient au plat principal lorsqu'il les rejoignit. Il y avait un siège vide entre Min et une femme dénommée Alvirah Meehan. Scott prit l'initiative de saluer Ted. *Présomption d'innocence*. Ted était toujours aussi séduisant. Qu'une femme ait utilisé les moyens les plus bas pour le séparer d'une autre n'avait rien d'étonnant. Scott ne manqua pas de remarquer la façon dont Cheryl profitait de chaque occasion pour lui prendre la main, lui effleurer l'épaule.

Le serveur lui présenta des côtelettes d'agneau dans un plat d'argent.

– Elles sont délicieuses, lui chuchota Alvirah Meehan d'un ton de confidence. Ce n'est pas la taille des portions qui mettra l'établissement en faillite, mais je peux vous dire qu'en sortant de table, vous avez l'impression d'avoir avalé un dîner de première.

Alvirah Meehan. Bien sûr. Il avait lu dans le *Monterey Review* l'histoire de la gagnante de la loterie qui avait voulu réaliser son rêve le plus cher en venant faire une cure à Cypress Point.

– Appréciez-vous votre séjour, madame Meehan ?

Le visage d'Alvirah s'épanouit.

– Oh oui. Tout le monde est merveilleux, si gentil. (Son sourire engloba les occupants de la table. Min et Helmut s'efforcèrent de le lui rendre.) J'aurai l'air d'une reine en sortant d'ici. D'après le nutritionniste, je devrais pouvoir perdre trois kilos et quelques centimètres de tour de taille en deux semaines. Demain, on va me faire mon injection de collagène et adieu les petites rides autour des lèvres ! J'ai la frousse des piqûres, mais le baron von Schreiber me donnera quelque chose pour les nerfs. Je serai une nouvelle femme en partant, je me sentirai… comme… comme un papillon sur un nuage. (Elle désigna Helmut du doigt.) C'est le baron qui a écrit ça. N'est-ce pas digne d'un véritable écrivain ?

Alvirah se rendit compte qu'elle parlait trop. C'était pour se faire pardonner d'être une journaliste clandestine qu'elle avait voulu dire des choses aimables sur ces gens. Elle ferait mieux d'écouter, à présent. Le shérif avait peut-être quelque chose à dire à propos de la mort de Dora Samuels. Malheureusement, personne ne mit la conversation sur le sujet. Ce fut seulement au moment où ils finissaient de déguster la mousse à la vanille que le shérif demanda, d'un ton mi-figue mi-raisin :

– Avez-vous tous l'intention de rester ici dans les prochains jours ? L'un d'entre vous a-t-il prévu de partir ?

– Nos projets ne sont pas arrêtés, lui dit Syd. Cheryl peut être obligée de retourner à Beverly Hills dans un bref délai.

– Il serait préférable qu'elle me prévienne avant d'aller à Beverly Hills ou ailleurs, dit aimablement Scott. À propos, baron – ces sacs qui contiennent le courrier de Leila. Je compte les emporter avec moi. (Il posa la cuillère qu'il tenait à la main et repoussa lentement sa chaise.) C'est curieux, fit-il, mais j'ai l'intuition que l'une des personnes qui se trouvent autour de cette table, à l'exception de Mme Meehan, aurait pu écrire des lettres malveillantes à Leila LaSalle. J'ai hâte de découvrir qui.

À la consternation de Syd, le regard soudain froid de Scott se posa sur Cheryl.

12

Il était près de 10 heures du soir lorsqu'ils se retrouvèrent seuls dans leur appartement. Min s'était rongé les sangs pendant toute la journée. Allait-elle ou non dire

184

à Helmut qu'elle détenait la preuve de sa présence à New York la nuit où Leila était morte ? Le confronter à la réalité le forcerait à avouer qu'il avait eu une histoire avec Leila. En se taisant, elle le gardait à sa merci. C'était stupide de sa part de ne pas avoir détruit l'enregistrement de son appel !

Il se rendit directement dans son dressing-room, et quelques minutes plus tard elle entendit le tourbillon du jacuzzi dans la salle de bains. Lorsqu'il réapparut, elle l'attendait dans un des profonds fauteuils de leur chambre, près de la cheminée. Elle l'examina objectivement. Il était aussi bien coiffé que s'il se rendait à une réception ; une fine cordelière nouait sa robe de chambre de soie ; son maintien militaire le grandissait. De nos jours, un mètre soixante-quinze était une taille à peine au-dessus de la moyenne pour les hommes.

Il prépara un scotch Perrier pour lui et, sans lui demander son avis, lui versa un verre de sherry.

– Quelle affreuse journée, Minna. Tu t'en es bien tirée, dit-il.

Elle ne répondit rien et il parut remarquer que son silence était inhabituel.

– Cette pièce est vraiment reposante, continua-t-il. N'avais-je pas raison dans le choix des couleurs ? De beaux tons forts pour une belle forte femme.

– Je ne vois pas en quoi la couleur pêche est une teinte forte.

– Elle devient forte quand elle se marie avec un bleu profond. C'est comme moi, Minna. Je trouve ma force en toi.

– Alors, pourquoi ça ? (De la poche de sa robe de chambre elle sortit la facture de la carte de crédit téléphonique et vit la stupéfaction, puis la peur, s'inscrire sur son visage.) Pourquoi m'as-tu menti ? Tu te trouvais à New York cette nuit-là. Étais-tu avec Leila ? T'es-tu rendu chez elle ?

Il soupira.

– Minna, je voulais tellement t'en parler.

– Parle-m'en maintenant. Tu étais amoureux de Leila. Tu avais une liaison avec elle.

– Non. Je te jure que non.

185

– Tu mens.

– Minna, je dis la vérité. Je suis en effet allé chez elle – comme un ami, un médecin. Je m'y suis rendu à 21 h 30. La porte de son appartement était entrouverte. Leila hurlait de façon hystérique. Ted lui criait de raccrocher le téléphone. Elle a crié encore plus fort. L'ascenseur arrivait. Je n'ai pas voulu qu'on me voie. Tu te souviens de l'angle dans le couloir. Je me suis caché dans ce coin...

Helmut tomba aux pieds de Min.

– Minna, garder le silence fut une véritable torture. Minna, Ted l'a poussée. Je l'ai entendue crier : « Non ! Non ! » Suivi d'un hurlement tandis qu'elle tombait.

Min blêmit.

– Quelqu'un est-il sorti de l'ascenseur ? Est-ce qu'on a pu te voir ?

– Je ne sais pas. Je suis descendu comme un fou par l'escalier de secours.

Puis, comme si sa maîtrise de soi, sa discipline l'abandonnaient brusquement, il se pencha en avant, la tête dans les mains, et se mit à pleurer.

Mercredi 2 septembre

CITATION DU JOUR :

La valeur de la beauté est fixée
par le jugement du regard.

SHAKESPEARE

Bonjour, très chers hôtes !

Sentiriez-vous une douce paresse vous envahir, aujourd'hui ? C'est normal. Au bout de quelques jours nous commençons tous à éprouver un agréable et bienfaisant engourdissement et à nous dire que, peut-être, juste pour ce matin, nous resterions volontiers couchés.

Non. Non. Venez avec nous. Venez participer à notre vivifiante marche matinale dans le parc et le long de la côte. Vous ne le regretterez pas. Peut-être avez-vous déjà eu le plaisir de vous faire de nouveaux amis, ou de retrouver d'anciennes connaissances pendant cette magnifique promenade.

N'oubliez pas. Tous ceux d'entre vous qui nagent dans l'une des piscines doivent porter le sifflet réglementaire. Il n'a jamais été nécessaire de l'utiliser, mais c'est un facteur de sécurité que nous estimons essentiel.

Regardez-vous dans le miroir. Les exercices physiques et les soins que nous vous prodiguons ne commencent-ils pas à faire de l'effet ? N'avez-vous pas les yeux plus brillants ? la peau plus ferme ? Attendez de voir la réaction de votre famille et de vos amis devant la nouvelle personne que vous êtes devenue !

Une dernière réflexion. Aujourd'hui, vous devriez avoir totalement oublié les problèmes qui vous tracassaient avant votre arrivée à Cypress Point. Ne pensez qu'à être heureux.

Baron et baronne Helmut von Schreiber

1

Le téléphone sonna à 6 heures dans le bungalow d'Elizabeth. Elle le décrocha d'un geste endormi. Elle avait les paupières lourdes. Les effets du sédatif lui brouillaient la vue.

C'était William Murphy, le procureur adjoint, qui l'appelait de New York. Le ton cassant de ses premiers mots la réveilla.

– Mademoiselle Lange, je croyais que vous vouliez voir le meurtrier de votre sœur condamné. (Sans lui laisser le temps de répondre, il continua sur le même ton :) Pouvez-vous avoir l'obligeance de m'expliquer pourquoi vous vous trouvez à Cypress Point en même temps que Ted Winters ?

Elizabeth sortit de son lit.

– J'ignorais qu'il dût se rendre ici. Je me suis toujours tenue éloignée de lui.

– Peut-être, mais à la minute où vous l'avez vu vous auriez dû sauter dans l'avion pour New York. Jetez un œil sur le *Globe* de ce matin. Ils publient une photo de vous deux enlacés.

– Je n'ai jamais…

– C'était le jour des obsèques, mais à la façon dont vous vous regardez, toutes les interprétations sont permises. Quittez cet endroit sur-le-champ ! Et que signifie cette histoire à propos de la secrétaire de votre sœur ?

– C'est la raison pour laquelle je ne peux pas partir. (Elle lui parla des lettres, de la mort de Sammy.) J'éviterai de rencontrer Ted, promit-elle, mais je reste jusqu'à vendredi. Cela me laisse deux jours pour trouver la lettre que Dora portait sur elle, sinon pour découvrir qui la lui a prise.

Elle ne changerait pas d'avis, et Murphy finit par raccrocher non sans lui décocher une dernière flèche :

– Si le meurtrier de votre sœur reste en liberté, vous saurez à qui vous en prendre. (Il marqua une pause.) Et je vous le répète : *soyez prudente !*

Elle alla jusqu'à Carmel en faisant son jogging. La presse de New York serait en vente dans les kiosques. Il faisait encore une de ces splendides journées de fin d'été. Limousines et décapotables se suivaient sur la route qui menait au terrain de golf. D'autres coureurs la saluèrent aimablement. On voyait scintiller le Pacifique entre les haies qui protégeaient les propriétés privées de la curiosité des touristes. Une belle journée pour être en vie, songea Elizabeth, et elle frissonna à la pensée du corps de Sammy qui reposait à la morgue.

Elle parcourut le *Globe* en prenant un café sur l'avenue de l'Océan. Quelqu'un avait pris cette photo à la fin de la cérémonie funèbre. Elle s'était mise à pleurer. Ted se trouvait à côté d'elle. Il l'avait entourée de son bras et s'était tourné vers elle. Elle ne voulut pas se rappeler ce qu'elle avait ressenti dans ses bras.

Avec une bouffée de dégoût pour elle-même, elle laissa la monnaie sur la table et quitta le restaurant. Sur le chemin du retour, elle jeta le journal dans une poubelle. Qui, à Cypress Point, avait informé le *Globe* ? Peut-être un membre du personnel ? Min et Helmut étaient continuellement la proie d'indiscrétions. Ou un client qui fournissait des renseignements aux échotiers en échange d'un peu de publicité personnelle ? Pourquoi pas Cheryl ?

De retour dans son bungalow, elle trouva Scott qui l'attendait sur le porche.

– Vous êtes matinal, lui dit-elle.

Il avait les yeux cernés.

– Je n'ai pas beaucoup dormi cette nuit. Le fait que Sammy soit tombée à la renverse dans ce bassin ne me paraît pas normal.

Elizabeth frissonna au souvenir de la tête ensanglantée de Sammy.

– Je suis désolé, lui dit Scott.

– J'ai la même impression que vous, Scott. Avez-vous trouvé d'autres lettres dans les sacs du courrier ?

– Non. Je suis venu vous demander de m'aider à fouiller dans les effets personnels de Sammy. J'ignore ce que je cherche, mais vous pourriez remarquer un détail qui m'échapperait.

– Laissez-moi dix minutes pour prendre une douche et me changer.

– Vous êtes certaine de tenir le coup ?

Elizabeth s'appuya à la rambarde du porche et passa sa main dans ses cheveux.

– Si l'on avait trouvé cette lettre, je pourrais croire que Sammy a eu une sorte d'attaque cérébrale et qu'elle s'est égarée dans le bâtiment des thermes. Mais avec la disparition de la lettre... Scott, si quelqu'un l'a poussée ou effrayée au point qu'elle soit tombée en arrière, cet individu est un meurtrier.

Les portes des bungalows voisins s'ouvraient. Hommes et femmes vêtus de peignoirs ivoire se dirigeaient vers les établissements de l'institut.

– Les séances commencent dans quinze minutes, dit Elizabeth. Massages, soins de la peau, bains de vapeur et Dieu sait quoi. Quand je pense que l'un de ceux qui se font dorloter ce matin a laissé Sammy mourir dans cet affreux mausolée !

L'appel téléphonique que reçut Craig tôt le matin provenait du détective privé. Il avait un ton préoccupé.

– Rien de plus sur Sally Ross, dit-il, mais il paraît que le cambrioleur surpris dans son immeuble affirme détenir une information sur la mort de Leila LaSalle. Il essaye de négocier avec le procureur.

– Quelle sorte d'information ? C'est peut-être exactement ce que nous cherchons.

– Mon contact a eu l'impression contraire.

– Quelle impression ?

– Le procureur paraît satisfait. On peut en conclure que les arguments de l'accusation sont renforcés.

Craig téléphona à Bartlett et lui rapporta la conversation.

– Je vais prévenir mon cabinet, dit l'avocat. Ils devraient pouvoir me renseigner. Attendons de savoir exactement de quoi il retourne avant de bouger. Entre-temps, j'ai l'intention de voir le shérif Alshorne. Je veux des explications sur ces soi-disant lettres « anonymes ». Vous êtes absolument *certain* que Ted n'a aucune histoire avec une autre femme, une personne qu'il voudrait protéger ? Il n'a pas l'air de se rendre compte à quel point ça faciliterait les choses. Peut–être pourriez-vous lui en glisser un mot.

Syd était sur le point de sortir faire sa marche matinale quand son téléphone sonna. Son intuition lui dit que ce devait être Bob Koenig. Il se trompait. Il lui fallut trois minutes de discussion ardue pour obtenir d'un créancier rapace un délai supplémentaire pour le paiement de ses dettes.

– Si Cheryl obtient ce rôle, je peux emprunter sur ma commission, argumenta-t-il. Je vous assure qu'elle a toutes les chances de l'emporter sur Margo Dresher… Koenig me l'a dit lui-même… Je vous l'assure…

Après avoir raccroché, il s'assit sur le bord du lit, tremblant. Il n'avait pas le choix. Il devait aller voir Ted et utiliser ce qu'il savait pour obtenir l'argent dont il avait besoin.

Il n'avait plus de temps.

Quelque chose d'indéfinissable avait changé dans l'appartement de Sammy. On aurait dit que l'aura qu'elle dégageait avait disparu en même temps qu'elle. Ses plantes n'avaient pas été arrosées. Il y avait des feuilles mortes autour des pots.

– Min s'est mise en rapport avec la cousine de Sammy pour les obsèques, expliqua Scott.

– Où se trouve son corps en ce moment ?

– On le fera prendre à la morgue demain, pour le transporter dans l'Ohio où il sera enterré dans le caveau de la famille.

Elizabeth se rappela que la jupe et le cardigan de Sammy étaient couverts de poussière après sa chute sur le ciment.

– Puis-je vous donner des vêtements pour Sammy?
demanda-t-elle. N'est-il pas trop tard?

– Bien sûr que non.

Sammy l'avait aidée à choisir la robe de Leila avant
la mise en bière. «N'oublie pas que le cercueil restera
fermé», lui avait-elle rappelé. «Je sais, avait répondu
Elizabeth. Mais, tu connais Leila. S'il lui arrivait de porter un vêtement qui ne lui allait pas, elle se sentait mal
à l'aise pendant le reste de la soirée, même si tout son
entourage la trouvait superbe.»

Sammy avait compris. Et elles avaient choisi la robe
longue verte en mousseline et velours que Leila portait
le jour de la remise des oscars. Elles étaient seules à
l'avoir vue dans le cercueil. L'ordonnateur des pompes
funèbres avait admirablement masqué les meurtris-
sures, remodelé le beau visage, étrangement paisible à
la fin. Pendant un long moment, elles étaient restées
assises, évoquant leurs souvenirs. C'était Sammy qui avait
fini par lui rappeler qu'il était temps de laisser les admirateurs de Leila défiler devant son cercueil, que le
maître de cérémonie devait le refermer et l'envelopper
dans le drap fleuri qu'Elizabeth et Ted avaient commandé.

Aujourd'hui, elle passait en revue la penderie de
Sammy sous le regard de Scott.

– Cette tenue de soie bleue, murmura-t-elle, Leila la
lui avait offerte pour son anniversaire, il y a deux ans.
Sammy disait que sa vie n'aurait peut-être pas été la
même si elle avait eu de tels vêtements dans sa jeunesse.

Elle rangea sous-vêtements, collants et chaussures dans
une petite mallette et y ajouta le collier de perles sans
grande valeur que Sammy portait toujours avec ses
«belles robes».

– Voilà au moins une chose que je peux faire pour elle,
dit-elle à Scott. À présent, occupons-nous de découvrir
ce qui a pu lui arriver.

Il n'y avait rien d'autre que les effets personnels de
Sammy dans sa commode. Son bureau contenait son carnet de chèques, un agenda de poche, du papier à lettres
à en-tête. Sur une étagère de la penderie, derrière
une pile de chandails, ils trouvèrent un agenda de l'année

passée et un exemplaire relié de *Merry-Go-Round* de Clayton Anderson.

– La pièce de Leila, dit Elizabeth. Je ne l'ai jamais lue. (Elle feuilleta la brochure.) Regardez, c'est le texte sur lequel elle travaillait. Elle y portait toujours une quantité d'annotations et les changements qui lui paraissaient utiles.

Scott regarda Elizabeth caresser du bout des doigts l'écriture fleurie qui parsemait les marges des pages.

– Voulez-vous le prendre ? demanda-t-il.

– Cela me ferait plaisir.

Il ouvrit l'agenda. Les rendez-vous étaient notés de la même plume.

– C'est celui de Leila.

Il n'y avait rien d'inscrit après le 31 mars. Sur cette page, Leila avait écrit SOIRÉE LIBRE ! Scott parcourut les premières pages. La plupart d'entre elles portaient la même inscription, *Répétition*, soulignée.

Elle y avait marqué ses rendez-vous : coiffeur, essayages, passer voir Sammy au Mount Sinai, envoyer des fleurs, Sammy, participation à des manifestations de relations publiques. Dans les six dernières semaines, de plus en plus de rendez-vous avaient été biffés. Il y avait aussi des petites notes : *Moineau, Los Angeles ; Ted, Budapest ; Moineau, Montréal ; Ted, Bonn...*

– On dirait qu'elle gardait toujours à l'esprit votre emploi du temps à tous les deux.

– En effet. Elle avait besoin de savoir où nous joindre.

Scott s'arrêta à une page.

– Vous étiez dans la même ville ce soir-là. (Il tourna les pages plus lentement.) En fait, il semble que Ted se soit assez régulièrement trouvé dans les villes où se donnait votre pièce.

– Oui. Nous allions dîner après la représentation et nous téléphonions à Leila ensemble.

Scott examina Elizabeth. Pendant un instant fugitif, une ombre était passée sur son visage. Serait-ce possible qu'Elizabeth fût tombée amoureuse de Ted et refusât d'en affronter la réalité ? Et s'il en était ainsi, se pourrait-il que le remords la poussât inconsciemment à faire punir Ted de la mort de Leila, sachant qu'elle se punirait elle-même par la même occasion ? C'était une pensée troublante et il l'écarta.

– Cet agenda n'a probablement aucun rapport avec le procès, mais je crois que le procureur devrait l'avoir en sa possession, dit-il.

– Pourquoi ?

– Sans raison particulière. Il pourrait seulement être considéré comme une pièce à conviction.

Il n'y avait rien d'autre qui pût les intéresser dans l'appartement de Sammy.

– J'ai une suggestion à vous faire, lui dit Scott. Allez suivre votre programme de la journée à l'institut. Comme je vous l'ai dit, il n'y a plus de lettres anonymes dans le courrier. Mes gars ont passé la nuit à fouiller les sacs. Nos chances d'en trouver l'auteur sont faibles. Je vais interroger Cheryl, mais c'est une dissimulatrice née. À mon avis, elle ne se dévoilera pas.

Ils parcoururent ensemble le long couloir qui conduisait à l'entrée de la résidence.

– Avez-vous examiné le bureau de Sammy à la réception ? demanda Scott.

– Non.

Elizabeth s'aperçut qu'elle serrait le texte de la pièce contre elle. Une force la poussait à le lire. Elle n'avait vu que cette malheureuse représentation. Pour beaucoup, c'était une pièce faite pour Leila. Elle voulait en juger par elle-même. Elle accompagna à regret Scott jusqu'à la réception. C'était devenu un autre endroit qu'elle aurait préféré éviter.

Helmut et Min se trouvaient dans leur bureau. La porte était ouverte. Henry Bartlett et Craig s'entretenaient avec eux. Bartlett ne prit pas de détours pour aborder le sujet des lettres anonymes.

– Elles peuvent contribuer à la défense de mon client, dit-il à Scott. Nous avons le droit d'exiger que l'on nous mette au courant.

Elizabeth observa Henry Bartlett pendant qu'il écoutait Scott lui parler des lettres anonymes. Il avait un regard intense, le visage tendu, des yeux durs. C'était l'homme qui lui ferait subir un contre-interrogatoire au tribunal. Il ressemblait à un prédateur guettant sa proie.

– Résumons-nous, dit-il. Mlle Lange et Mlle Samuels ont admis que Leila LaSalle pouvait avoir été profondément bouleversée par des lettres anonymes laissant entendre que Ted Winters s'intéressait à une autre femme, n'est-ce pas? Ces lettres ont aujourd'hui disparu. Lundi soir, Mlle Samuels a recopié de mémoire la première lettre. Mlle Lange a transcrit la seconde. Je veux les copies.

– Je ne vois aucune raison de vous les donner, lui répliqua Scott. (Il posa l'agenda de Leila sur le bureau de Min.) À propos, dit-il, voilà autre chose que je compte envoyer à New York, afin de le joindre au dossier. C'est le carnet de ses rendez-vous pendant les trois derniers mois de sa vie.

Sans demander l'autorisation, Henry Bartlett s'en empara. Elizabeth attendit que Scott protestât, mais il n'en fit rien. En voyant l'avocat de Ted feuilleter l'agenda personnel de Leila, elle eut le sentiment d'une intrusion insupportable. Quel métier faisait-il? Elle jeta un regard irrité à Scott. Il la regardait d'un air impassible.

Il veut me préparer pour la semaine prochaine, songea-t-elle sombrement, je devrais lui en être reconnaissante. La semaine prochaine, tout ce qui avait fait partie de Leila serait livré à l'analyse de douze personnes, ainsi que ses propres relations avec Leila, avec Ted – rien ne serait caché, il ne resterait aucune intimité.

– Je vais examiner le bureau de Sammy, dit-elle brusquement.

Elle tenait encore la brochure de la pièce. Elle la posa sur le bureau de Sammy et fouilla rapidement dans les tiroirs. Ils ne contenaient rien de personnel. Des lettres à en-tête de l'établissement; des dépliants publicitaires; des notes de services; la paperasse habituelle.

Min et le baron l'avaient suivie. Elle leva la tête et les vit debout devant le bureau de Sammy. Ils fixaient la brochure reliée de cuir avec le titre en gros caractères *Merry-Go-Round* sur la couverture.

– La pièce de Leila? interrogea Min.

– Oui. Sammy avait conservé son exemplaire. Je l'ai pris.

196

Craig, Bartlett et le shérif sortirent du bureau de Min. Henry Bartlett souriait – un sourire satisfait, suffisant, froid.

– Mademoiselle Lange, vous nous avez été d'une grande aide aujourd'hui. Mais je crois de mon devoir de vous prévenir que le jury risque de ne pas apprécier le fait que vous ayez plongé Ted Winters dans ce cauchemar par pur dépit.

Elizabeth se redressa, les lèvres blanches.

– De quoi parlez-vous ?

– Je parle du fait que votre sœur a consigné de sa propre écriture que Ted se trouvait «par hasard» dans la même ville que vous. Je parle du fait que quelqu'un d'autre a également fait ce rapprochement et a voulu la prévenir au moyen de ces lettres. Je parle de l'expression de votre visage quand Ted vous a prise dans ses bras le jour des obsèques. Vous avez sûrement vu le journal de ce matin ? Apparemment, ce que Ted considérait peut-être comme un simple flirt était sérieux pour vous, et quand il vous a laissée tomber, vous avez trouvé un moyen de vous venger.

– Sale menteur !

Elizabeth ne se rendit pas compte qu'elle avait jeté la pièce de Leila à la tête de Bartlett.

Il resta imperturbable, ramassa la brochure et la lui rendit.

– Faites-moi une faveur, jeune femme, et livrez-vous à ce genre de manifestation devant les jurés la semaine prochaine, dit-il. Ils *innocenteront* Ted !

2

Pendant que Craig et Bartlett étaient partis à la rencontre du shérif, Ted alla s'entraîner sur les appareils Nautilus de la salle de gymnastique. Chacune de ces machines était à l'image de sa propre situation : des avirons qui ne menaient nulle part ; une bicyclette qui restait sur place malgré ses furieux coups de pédale. En surface, il resta aimable, plaisanta avec les autres habitués – le directeur de la Bourse de Chicago, le président de la banque Atlantic, un amiral à la retraite.

Il sentait une certaine retenue chez eux : ils ne savaient que lui dire, n'osaient lui souhaiter bonne chance. Comme pour lui, il leur était plus facile de se concentrer sur leur musculation.

En prison, les hommes ont tendance à s'amollir. Pas assez d'exercice. L'ennui. Le teint blafard. Ted examina son bronzage. Il ne durerait pas longtemps derrière les barreaux.

Il était censé retrouver Bartlett et Craig dans son bungalow à 10 heures. Il alla nager dans la piscine couverte, à la place. Il avait une préférence pour la piscine olympique, mais ne voulut pas courir le risque d'y rencontrer Elizabeth.

Il avait fait une dizaine de longueurs de bassin quand il vit Syd plonger à l'autre bout de la piscine. Ils étaient à six couloirs de distance et, après un bref salut, il l'ignora. Mais les trois nageurs qui les séparaient partirent au bout d'une vingtaine de minutes, et Ted constata avec surprise que Syd avançait à la même vitesse que lui. Il nageait un dos crawlé puissant, filant avec précision et rapidité d'un bout à l'autre du bassin. Ted chercha à le distancer. Syd s'en aperçut. Après six longueurs de bassin, ils finirent ex aequo.

Ils sortirent de l'eau en même temps. Syd jeta une serviette sur ses épaules et fit le tour de la piscine.

– Belle démonstration. Tu es dans une sacrée forme.

– C'est normal. J'ai nagé tous les jours à Hawaii pendant près d'un an et demi.

– La piscine de mon club ne ressemble en rien à Hawaii, mais elle me permet de m'entraîner. (Syd regarda autour de lui. Des jacuzzis occupaient les deux extrémités de la salle vitrée.) Ted, j'aimerais te parler en particulier.

Ils se rendirent à l'extrémité opposée. Il y avait trois nouveaux nageurs dans la piscine, mais ils étaient hors de portée de la voix. Ted regarda Syd frictionner ses cheveux châtain foncé. Les poils sur sa poitrine étaient

198

complètement gris. Voilà ce qui m'attend, se dit-il. Il deviendrait vieux et grisonnant en prison.

Syd ne s'embarrassa pas de préliminaires.

– Ted, j'ai des ennuis. De sérieux ennuis. Tout a commencé avec cette damnée pièce. J'ai trop emprunté, j'espérais pouvoir gagner du temps. Si Cheryl obtient ce rôle, ça me remettra à flot. Mais je ne peux plus me permettre d'attendre. J'ai besoin d'un prêt. Ted, je dis bien d'un *prêt*. Seulement j'en ai besoin tout de suite.

– Combien ?

– Six cent mille dollars. Ted, c'est peu de chose pour toi. Mais tu me les dois bien.

– Je te les dois ?

Syd regarda autour de lui et se rapprocha, sa bouche à quelques centimètres à peine de l'oreille de Ted.

– Je l'aurais toujours tu… je ne t'aurais même jamais dit que je savais… Mais Ted, je t'ai vu cette nuit-là. Tu es passé devant moi en courant, à un bloc de l'immeuble de Leila. Tu avais du sang sur le visage. Les mains écorchées. Tu semblais complètement bouleversé. Tu ne te souviens pas ? Tu ne m'as même pas entendu quand je t'ai appelé. Tu ne t'es pas arrêté. (La voix de Syd ne fut plus qu'un chuchotement.) Ted, je t'ai rattrapé, je t'ai demandé ce qui arrivait et tu m'as dit que Leila était morte, qu'elle était tombée de sa terrasse. Ensuite tu m'as dit… Je te le jure devant Dieu, Ted… tu m'as dit : « Mon père l'a poussée, mon père l'a poussée. » Tu étais comme un gosse qui cherche à rejeter la faute sur quelqu'un d'autre. Tu avais la voix d'un gosse.

Une nausée envahit Ted.

– Je ne te crois pas.

– Pourquoi mentirais-je ? Ted, tu courais dans la rue. Un taxi est arrivé. Tu as failli te faire écraser en l'arrêtant. Tu as demandé au chauffeur de te conduire dans le Connecticut. Il est cité comme témoin, n'est-ce pas ? Demande-lui s'il n'a pas manqué te renverser. Ted, je suis ton ami. Je sais ce que tu as ressenti lorsque Leila a perdu les pédales chez Elaine's. Je me souviens trop bien de ce que j'ai moi-même ressenti. Quand je t'ai rencontré, je m'apprêtais à aller la voir pour tenter de la raisonner. J'étais dans une telle rage que j'aurais pu la tuer. Ai-je jamais fait la moindre allusion devant toi, devant qui que ce soit ? Je ne le ferais pas plus maintenant, sauf poussé par le désespoir. Il faut que tu m'aides ! Si je n'ai pas cette somme dans les quarante-huit heures, je suis fini.

– Tu auras cet argent.

– Bon Dieu ! Ted, je savais que je pouvais compter sur toi. Merci, mon vieux.

Syd posa ses mains sur les épaules de Ted.

– Ôte tes pattes.

La voix de Ted retentit. Les nageurs les regardèrent avec curiosité. Il s'écarta de Syd, saisit sa serviette et quitta la piscine sans rien voir.

3

Scott interrogea Cheryl dans son bungalow. Les meubles recouverts d'un chintz éclatant vert, jaune et blanc, tranchaient sur le sol et les murs blancs. Scott sentit l'épaisseur de la moquette sous ses pieds. Cent pour cent laine. Qualité supérieure. Soixante… soixante-dix dollars le mètre ? Pas étonnant que Min ait cet air hagard ! Scott savait exactement combien le vieux Samuel lui avait laissé. Il ne devait pas rester grand-chose après ce qu'elle avait englouti dans cet endroit…

Cheryl était furieuse qu'il l'ait fait demander à l'institut pour le rencontrer. Elle portait sa version personnelle du maillot, un bout de tissu trop étroit, découpé sur les hanches, et qui lui découvrait à moitié les seins. Son peignoir en éponge était négligemment jeté sur ses épaules. Elle ne prit pas la peine de dissimuler son irritation.

– On m'attend pour un cours de gymnastique suédoise dans dix minutes, lui dit-elle.

– Très bien, espérons que vous y serez à temps. (Les muscles de sa gorge se contractèrent tandis que montait en lui une véritable antipathie à l'égard de Cheryl.) Vous y arriverez d'autant plus vite que vous me répondrez franchement. Entre autres questions, avez-vous écrit des lettres malveillantes à Leila avant sa mort ?

Comme il s'y attendait, son interrogatoire ne donna, au début, aucun résultat. Cheryl esquiva intelligemment ses questions. Des lettres anonymes ? Quel intérêt aurait-elle eu à les envoyer ? Faire rompre Ted et Leila ? Que lui aurait importé qu'ils se marient ? Cela n'aurait pas duré. Leila n'était pas le genre de femme à rester attachée à un seul homme. Elle préférait faire souffrir les hommes avant qu'ils ne la fassent souffrir. La pièce ? Elle n'avait pas la moindre idée de la façon dont s'étaient déroulées les répétitions. Franchement, cela ne l'intéressait pas.

Scott finit par en avoir assez.

– Écoutez, Cheryl, vous feriez mieux de voir les choses en face. La thèse selon laquelle Sammy est morte de causes naturelles ne me satisfait pas. La seconde lettre anonyme qu'elle portait sur elle a disparu. Vous vous êtes approchée du bureau de Sammy. Vous y avez déposé votre note avec la mention *Payé* écrite de votre main. Une lettre anonyme se trouvait sur le dessus du bureau parmi le courrier des admirateurs de Leila. Et cette lettre précisément a disparu. Il faudrait que quelqu'un d'autre ait pu s'introduire à la réception assez silencieusement pour que, la porte ouverte, ni Min, ni le baron, ni Sammy n'aient entendu le moindre bruit. C'est peu vraisemblable, non ?

Il ne révéla pas à Cheryl que Min et le baron s'étaient eux aussi approchés du bureau de Sammy. Il fut récompensé en voyant la petite lueur d'inquiétude dans ses yeux. Elle s'humecta les lèvres nerveusement.

– Vous ne supposez tout de même pas que j'ai quelque chose à voir avec la mort de Sammy ?

– Je suppose que vous avez pris la première lettre sur le bureau de Sammy, et je veux que vous me la donniez immédiatement. Elle constitue une preuve de complicité dans un procès pour meurtre.

Elle détourna les yeux, et Scott vit une expression de peur panique se répandre sur son visage. Il suivit son regard. Un bout de papier carbonisé était resté coincé sous la plinthe. Cheryl fit un mouvement brusque pour le ramasser, mais Scott fut plus rapide qu'elle.

Sur les restes déchiquetés d'une feuille de papier ordinaire, trois mots étaient collés :

Apprendre votre texte.

Scott introduisit avec précaution le petit bout de lettre dans son portefeuille.

– C'est donc vous qui avez volé cette lettre, dit-il. Détruire une preuve est un crime, passible de prison. Et la seconde lettre ? Celle que portait Sammy sur elle ? L'avez-vous détruite, elle aussi ? Et comment vous l'êtes-vous procurée ? Vous feriez mieux de prendre un avocat, ma chère.

Cheryl lui agrippa le bras.

– Scott, mon Dieu ! je vous en prie. Je vous jure que je n'ai pas écrit ces lettres. Je jure que la seule et unique fois où j'ai vu Sammy, c'était dans le bureau de Min. Je l'avoue. J'ai pris cette lettre sur le bureau de Sammy. Je l'ai fait en pensant aider Ted. Quand je l'ai montrée à Syd, il a dit qu'on me soupçonnerait de l'avoir écrite et l'a déchirée. Ce n'est pas moi. Je vous jure que je n'en sais pas plus. (Des larmes roulèrent sur ses joues.) Scott, toute publicité, *toute publicité sur cette histoire* ruinerait à jamais mes chances d'être Amanda. Scott, je vous en supplie.

Scott ne put contenir son mépris.

– Je me contrefous que la publicité puisse affecter votre carrière, Cheryl. Pourquoi ne pas faire un marché ? Je retarde le moment de vous convoquer pour un interrogatoire officiel, et vous faites fonctionner vos méninges. Peut-être votre mémoire va-t-elle soudain se réveiller. Je l'espère pour vous.

4

Syd marchait sur des nuages en regagnant son bungalow. *Ted allait lui prêter de l'argent.* Il avait été tenté de
frapper plus fort, de dire que Ted avait carrément avoué
avoir tué Leila. Mais il avait changé d'avis, au dernier
moment, et avait rapporté la simple vérité. Seigneur !
l'expression de Ted était terrifiante lorsqu'il avait diva-
gué à propos de son père, ce soir-là. Syd se sentait
encore l'estomac noué chaque fois qu'il se revoyait en
train de courir derrière lui. Il s'était tout de suite rendu
compte que Ted avait pratiquement perdu la tête. Après
la mort de Leila, il avait attendu de voir si Ted se rap-
pellerait cette rencontre. Sa réaction aujourd'hui prou-
vait qu'il n'en avait aucun souvenir.

Il coupa à travers la pelouse, évitant délibérément
l'allée. Il n'avait aucune envie de parler de tout et de rien
avec le premier venu. Il y avait quelques nouveaux arrivants, depuis hier. Parmi eux, un jeune acteur qui avait
déposé ses photos à l'agence et téléphonait constamment.
Il se demanda quelle vieille peau lui payait ses frais.
Aujourd'hui moins que jamais, Syd ne se sentait
d'humeur à faire des ronds de jambe auprès de clients
potentiels.

Son premier geste en se retrouvant seul chez lui fut
de se préparer un verre. Il en avait besoin. Il le *méritait*.
Son second fut de téléphoner à son interlocuteur du
matin.

– J'aurai l'argent dans le week-end, dit-il, avec une
assurance nouvelle.

Maintenant, il pouvait prendre des nouvelles de Bob
Koenig. Le téléphone sonna avant qu'il ait pu mettre son
intention à exécution. L'opératrice lui demanda de
prendre M. Koenig en ligne. Syd sentit ses mains se
mettre à trembler. Il vit son reflet dans la glace. Son
expression n'était pas de celles qui attirent la confiance,
à Los Angeles.

Les premiers mots de Bob furent :
– Félicitations, Syd.
Cheryl avait le rôle ! Automatiquement, il se mit à

calculer les pourcentages. En deux mots, Bob venait de le remettre en selle.

– Je ne sais pas quoi dire. (Sa voix devint plus forte, plus assurée.) Bob, crois-moi, tu as fait le bon choix. Cheryl sera formidable.

– Je sais déjà tout ça, Syd. L'essentiel, c'est que nous avons donné la préférence à Cheryl plutôt que de risquer les ragots de la presse avec Margo. C'est moi qui l'ai mise en avant. Je me fiche qu'elle soit une catastrophe pour le box-office. C'est ce qu'on racontait de Joan Collins et regarde ce qu'elle est devenue.

– Bob, je te l'ai toujours dit.

– On ferait bien d'avoir raison tous les deux. Je vais organiser une conférence de presse pour Cheryl au Hilton de Beverly Hills pour vendredi après-midi vers 17 heures.

– Nous y serons.

– Syd, écoute-moi bien. À partir d'aujourd'hui, nous allons traiter Cheryl en star. Par la même occasion, tu ferais bien de lui dire de se coller un sourire sur le visage. Amanda est un caractère fort, mais aimable. Je ne veux pas entendre parler d'éclats de colère contre les serveurs ou les chauffeurs de limousine. Je ne plaisante pas.

Cinq minutes plus tard, Syd retrouvait Cheryl Manning dans un état d'affolement proche de l'hystérie.

– Tu *as avoué* à Scott que tu avais pris cette lettre, tu es folle ou quoi ? (Il la prit par les épaules.) Ferme-la et écoute-moi. *Y a-t-il d'autres lettres ?*

– Laisse-moi. Tu me fais mal. Je ne sais pas. (Cheryl essaya de se dégager.) Je ne peux pas perdre ce rôle. Je ne peux pas. Je *suis* Amanda.

– Tu parles que tu ne peux pas perdre ce rôle !

Syd la repoussa si brutalement qu'elle heurta le canapé.

La peur fit place à la fureur. Cheryl repoussa ses cheveux en arrière et serra les dents. Sa bouche prit un pli inquiétant.

– Tu devrais apprendre à te contenir, Syd. Tu ferais mieux de te rappeler une chose. C'est toi qui as déchiré cette lettre. Pas moi. Et je ne l'ai pas écrite, ni les autres. Scott ne me croit pas. Alors va le voir et dis-lui la vérité :

que j'avais l'intention de donner cette lettre à Ted en espérant l'aider pour sa défense. Débrouille-toi pour convaincre Scott, tu m'entends, Syd. Parce que vendredi je n'ai pas l'intention d'être ici. Je serai à ma conférence de presse, et il n'est pas question qu'on me mêle de près ou de loin à des lettres anonymes ou à une destruction de preuves.

Ils se fusillèrent du regard. Avec un violent sentiment de frustration, Syd se rendit compte qu'elle disait peut-être la vérité, et qu'en détruisant la lettre il se pouvait qu'il eût tout gâché. Si le moindre début de ragot sortait dans la presse avant vendredi... Si Scott refusait de laisser Cheryl quitter Cypress Point...

— Je vais y réfléchir, dit-il. Je trouverai une solution.

Il lui restait une carte à jouer.

La question était de savoir comment la jouer.

5

Lorsqu'il regagna son bungalow, Ted trouva Henry Bartlett et Craig qui l'attendaient. L'air réjoui, Bartlett ne parut pas remarquer son silence.

— Je crois que nous avons une solution, annonça-t-il.

Tandis que Ted s'asseyait à la table, il lui parla de l'agenda de Leila.

— De sa propre main, elle avait inscrit les jours où vous vous trouviez dans les mêmes villes qu'Elizabeth. Est-ce que vous la rencontriez à chaque fois ?

Ted s'appuya au dossier de sa chaise, croisa les bras derrière sa tête et ferma les yeux. Cela semblait si lointain.

— Ted, je peux t'aider, cette fois. (Il y a longtemps que Craig n'avait pas eu cette note d'enthousiasme dans la voix.) Tu gardais toujours l'emploi du temps d'Elizabeth sur ton bureau. Je peux témoigner que tu arrangeais tes déplacements afin de pouvoir la retrouver.

Ted n'ouvrit pas les yeux.

– Peux-tu avoir l'amabilité de me donner des explications ?

Henry Bartlett avait dépassé les limites de la patience.

– Écoutez, monsieur Winters. Je n'ai pas été chargé de vous défendre pour que vous me traitiez comme un paillasson. Vous jouez peut-être le reste de votre vie ; mais il s'agit aussi de ma réputation professionnelle. Si vous ne pouvez ou ne voulez pas coopérer à votre propre défense, il n'est peut-être pas trop tard pour faire appel à un autre avocat. (Il jeta ses dossiers en travers de la table et regarda les papiers s'éparpiller.) Vous avez voulu venir ici quand il eût été préférable de ne pas nous éloigner de mon cabinet. Vous allez vous balader hier, alors que vous étiez censé travailler. Vous deviez nous rejoindre ici il y a une heure, et nous nous tournons les pouces à vous attendre. Vous fichez en l'air le seul système de défense qui puisse marcher. À présent, nous avons une possibilité d'anéantir la crédibilité d'Elizabeth Lange en tant que témoin, et ça ne vous intéresse pas.

Ted ouvrit les yeux. Il reposa lentement ses bras sur la table.

– Oh, mais je suis très intéressé. Racontez-moi ça.

Bartlett préféra ignorer le ton sarcastique.

– Écoutez, nous allons pouvoir produire un fac-similé des deux lettres adressées à Leila et qui laissent entendre que vous aviez une liaison avec une autre femme. Cheryl est une éventualité comme une autre. Elle serait prête à dire tout ce qu'on voudra. Mais il y a un meilleur moyen. Vous cherchiez à faire correspondre votre emploi du temps avec celui d'Elizabeth…

Ted le coupa.

– Elizabeth et moi étions de très bons amis. Nous nous aimions beaucoup. Nous avions du plaisir à nous rencontrer. Si j'avais la possibilité de me trouver à Chicago un mercredi et à Dallas un vendredi ou le contraire, et que j'apprenais qu'une amie de longue date se trouvait dans les mêmes villes, j'organisais mon emploi du temps de façon à pouvoir souper agréablement avec elle. Et alors ?

– Voyons, Ted. Vous avez fait ça une douzaine de

fois au cours des semaines où Leila commençait à s'effondrer – *quand elle recevait ces lettres*.

Ted haussa les épaules.

– Ted, Henry s'efforce de construire ta défense, dit Craig d'une voix sèche. Tu peux au moins l'écouter.

Bartlett continua.

– Voilà ce que nous essayons de vous faire comprendre. Premièrement : Leila recevait des lettres affirmant que vous vous intéressiez à une autre femme. Deuxièmement : Craig témoigne du fait que vous synchronisiez votre emploi du temps avec celui d'Elizabeth. Troisièmement : de sa plume, Leila a noté l'évidence de vos liens dans son agenda. Quatrièmement : vous n'aviez aucune raison de tuer Leila si vous ne vous intéressiez plus à elle. Cinquièmement : ce qui n'était pour vous qu'un simple flirt prenait une autre importance pour Elizabeth. Elle était éperdument amoureuse de vous. (D'un air triomphant, Henry lança l'exemplaire du *Globe* à Ted.) Regardez cette photo.

Ted l'étudia. Il revit ce moment précis, à la fin de la cérémonie, quand un imbécile avait demandé à l'organiste de jouer «My Old Kentucky Home». Leila lui avait raconté qu'elle chantait cet air à Elizabeth le jour où elles étaient parties pour New York. À ses côtés, Elizabeth avait eu un sursaut ; puis les larmes qu'elle était parvenue à contenir jusque-là avaient inondé son visage. Il l'avait entourée de ses bras en murmurant : «Ne pleure pas, Moineau.»

– Elle était amoureuse de vous, répéta Henry. Quand elle s'est rendu compte que ce n'était pas sérieux de votre part, elle a voulu se venger. Elle s'est servie de l'accusation de cette timbrée de Sally Ross pour vous détruire. Croyez-moi, Teddy, nous pouvons faire tenir tout ça debout.

Ted déchira le journal en deux.

– Apparemment, c'est toujours à moi d'être l'avocat du diable. Mettons que votre scénario soit exact. Elizabeth était amoureuse de moi. Mais poussons le raisonnement plus loin. Supposons que je me sois rendu compte que la vie avec Leila allait devenir une série de hauts et de bas, de crises de colère, que je m'exposerais à des accès de jalousie chaque fois que j'adresserais aimablement la parole à une autre femme. Supposons que j'en sois venu à me dire que Leila était avant tout une actrice, qu'elle ne voulait pas d'enfant. Supposons enfin que je me sois aperçu qu'Elizabeth représentait pour moi un idéal que j'avais cherché toute ma vie. (Ted frappa son poing sur la table.) Ne voyez-vous pas que vous venez de me donner le meilleur motif au monde pour tuer Leila ? Car croyez-vous qu'Elizabeth m'aurait seulement regardé pendant que sa sœur était en vie ? (Il repoussa sa chaise avec une violence qui la fit tomber en arrière.) Vous devriez aller jouer au golf, tous les deux, nager ou faire ce qu'il vous plaît. Vous comme moi, nous perdons notre temps ici.

Bartlett devint cramoisi.

– C'est assez, s'écria-t-il. Écoutez, monsieur Winters, vous savez peut-être comment construire des hôtels, mais vous ignorez complètement ce qui se passe dans un tribunal. Vous m'avez engagé pour vous empêcher d'aller en prison, mais je ne peux pas le faire seul. Qui plus est, je n'en ai pas l'intention. Soit vous vous mettez à coopérer avec moi, soit vous vous trouvez un autre avocat.

– Calmez-vous, Henry, dit Craig.

– Non, je ne vais pas me calmer. Je n'ai pas besoin de ce procès. Je peux sans doute le gagner, mais sûrement pas de la façon dont nous nous y prenons. (Il désigna Ted.) Si aucun de mes systèmes de défense ne vous satisfait, pourquoi ne pas plaider coupable dès maintenant ? Je peux vous obtenir un maximum de sept à dix ans. C'est ce que vous voulez ? Dans ce cas, dites-le. Sinon, asseyez-vous à cette table.

Ted releva la chaise qu'il avait renversée.

– Mettons-nous au travail, dit-il d'une voix sans timbre. Je vous dois sans doute des excuses. Je reconnais que vous êtes le meilleur dans votre domaine, mais j'espère que vous pouvez comprendre à quel point je me sens pris au piège. Pensez-vous vraiment que j'aie une chance d'être acquitté ?

– J'ai obtenu l'acquittement dans des cas plus

difficiles que le vôtre, lui dit Bartlett. Ce que vous ne semblez pas savoir, ajouta-t-il, c'est que le verdict n'a rien à voir avec la culpabilité.

6

Trop occupée à répondre aux appels téléphoniques des journalistes, Min parvint à passer le reste de la journée sans penser à la scène qui s'était déroulée dans son bureau entre Elizabeth et l'avocat de Ted. Ils étaient partis après l'esclandre : Bartlett et Elizabeth furieux, Craig bouleversé, Scott l'air sévère. Helmut s'était réfugié à la clinique. Il savait qu'elle aurait voulu lui parler. Il l'avait évitée pendant toute la matinée, comme hier soir, quand il s'était enfermé dans son cabinet de travail après lui avoir avoué qu'il avait entendu Ted attaquer Leila.

Qui avait pu informer la presse qu'Elizabeth et Ted étaient ici ? Elle répéta inlassablement la même réponse à toutes les questions : « Nous ne donnons jamais le nom de nos clients. » On avait vu Elizabeth et Ted à Carmel ? « Pas de commentaires. »

En d'autres temps, elle aurait adoré que Cypress Point suscitât autant d'intérêt. Mais maintenant ? Quelqu'un lui demanda s'il y avait un élément suspect dans la mort de sa secrétaire. « Certainement pas. »

À midi, elle demanda à l'opératrice de suspendre tous les appels et se rendit dans l'établissement des femmes. L'atmosphère y était normale. Personne ne parlait plus de la mort de Sammy. Elle se fit un point d'honneur à bavarder avec les clients qui déjeunaient au bord de la piscine. Alvirah Meehan se trouvait parmi eux. Elle avait repéré la voiture de Scott et bombarda Min de questions sur la raison de sa présence.

En regagnant la résidence, Min monta directement dans son appartement. Assis sur le canapé, Helmut buvait une tasse de thé. Il avait le teint cireux.

– Ah, Minna.

Il s'efforça vainement de prendre l'air gai.

– J'ai besoin de te parler, lui dit-elle brusquement, sans lui rendre son sourire. Pour quelle raison t'étais-tu rendu dans l'appartement de Leila cette nuit-là? Avais-tu une liaison avec elle? Je veux la vérité!

Sa tasse heurta la soucoupe lorsqu'il la reposa.

– Une liaison! Minna, je détestais cette femme!

Elle vit des marbrures marquer son visage, ses mains se contracter.

– Crois-tu que j'appréciais sa façon de me ridiculiser? Une liaison avec elle! (Il frappa son poing sur la table basse.) Minna, tu es la seule femme de ma vie. Il n'y a jamais eu personne d'autre depuis le jour où je t'ai rencontrée. Je te le jure.

– Menteur! (Min se jeta sur lui, le prit par les revers de sa veste.) Regarde-moi. Arrête tes singeries d'aristocrate et tes comédies. Tu étais ébloui par Leila. Quel homme ne l'était pas? Tu la dévorais des yeux. Vous étiez tous pareils. Toute la bande. Ted. Syd. Même ce plouc de Craig. Mais c'était pire dans ton cas. Amour. Haine. C'est du pareil au même. Et dans toute ta vie, tu n'as jamais pensé qu'à toi. Je veux la vérité. *Pourquoi t'es-tu rendu chez elle cette nuit-là?*

Elle le relâcha, soudain épuisée.

Il se leva d'un bond. Sa main heurta la tasse de thé qui se renversa, éclaboussant la table et la moquette.

– Minna, ce n'est plus possible. Tu n'as pas le droit de me traiter ainsi. (Il jeta un regard méprisant sur les taches.) Sonne quelqu'un pour nettoyer ça, ordonna-t-il. Je dois me rendre à la clinique. Mme Meehan a rendez-vous pour son injection de collagène cet après-midi. (Son ton se fit sarcastique.) Souris, ma chère. Comme tu le sais, ce sont ces honoraires exorbitants qui remplissent la caisse.

– J'ai vu cette raseuse il y a une heure, dit Min. Une conquête de plus à ton actif. Elle passe son temps à chanter tes louanges, ne cesse de proclamer qu'elle se sent comme un papillon sur un nuage, grâce à ton talent. Si je l'entends répéter une fois de plus cette phrase imbécile…

210

Elle vit Helmut vaciller sur ses jambes et l'agrippa par le bras avant qu'il ne tombe.

– Qu'est-ce que tu as ? hurla-t-elle. Dis-moi ce que tu as fait !

7

Après avoir quitté le bureau de Min, Elizabeth regagna précipitamment son bungalow, furieuse d'avoir laissé Bartlett l'attaquer. Il dirait tout, ferait tout pour discréditer son témoignage, et elle était un jouet entre ses mains.

Pour se changer les idées, elle ouvrit le script de la pièce de Leila. Mais les mots s'emmêlaient. Elle y voyait trouble.

Y avait-il un atome de vérité dans les accusations de Bartlett ? Ted avait-il intentionnellement cherché à la rencontrer ?

Elle feuilleta nerveusement le script, et s'apprêtait à remettre sa lecture à plus tard quand son regard tomba sur les notes de Leila dans la marge. Le cœur battant, elle se laissa tomber dans le canapé et retourna à la première page.

Merry-Go-Round. Une comédie de Clayton Anderson.

Elle lut toute la pièce d'un trait, resta pensive pendant un long moment puis, armée d'un stylo et d'un carnet, elle recommença à lire à partir du début en prenant des notes.

À 14 h 30, elle reposa son stylo. Les pages de son carnet étaient couvertes d'inscriptions. Elle s'aperçut qu'elle n'avait pas déjeuné ; elle avait mal à la tête. Certaines des annotations de Leila dans la marge étaient presque indéchiffrables, mais elle était parvenue à les recopier en entier.

Clayton Anderson. L'auteur de *Merry-Go-Round.* Le riche professeur d'université qui avait investi un million de dollars de sa propre fortune dans la pièce, mais dont la véritable identité n'était connue de personne. Qui était cet homme ? Il avait connu Leila intimement.

Elle téléphona à la résidence. L'opératrice lui répondit que la baronne von Schreiber était dans son appartement et qu'elle ne voulait pas être dérangée.

– Prévenez la baronne que j'arrive, répliqua Elizabeth d'un ton cassant. Je dois la voir immédiatement.

Min était couchée. Elle n'avait pas l'air malade. Il n'y avait ni hauteur ni autorité dans son maintien ou dans sa voix.

– Alors, Elizabeth ?

Elle a peur de moi, pensa Elizabeth. Retrouvant un reste de vieille affection, elle s'assit près du lit.

– Min, pourquoi m'as-tu fait venir à Cypress Point ?

Min haussa les épaules.

– Parce que, crois-le ou non, j'étais inquiète à ton sujet, parce que je t'aime.

– Je le crois. Et l'autre raison ?

– Parce que l'idée que Ted puisse passer le reste de sa vie en prison m'est insupportable. Les êtres accomplissent parfois des actes effroyables sous le coup de la colère, parce qu'ils ont perdu le contrôle d'eux-mêmes, des actes qu'ils n'accompliraient jamais s'ils n'y étaient poussés par une force qui les dépasse. C'est ce qui s'est passé pour Ted. *Je le sais.*

– Comment ça, *tu le sais* ?

– Rien... rien. (Min ferma les yeux.) Elizabeth, agis comme tu crois devoir le faire. Mais je te préviens. Tu vivras le reste de ton existence avec la pensée d'avoir détruit l'existence de Ted. Un jour, peut-être, tu te retrouveras face à Leila. Je ne pense pas qu'elle t'en sera reconnaissante. Te souviens-tu de son attitude quand ses accès de colère étaient passés ? Elle se montrait contrite. Aimante. Généreuse.

– Min, n'existe-t-il pas une autre raison qui te pousse à vouloir voir Ted acquitté ? C'est à cause de Cypress Point, n'est-ce pas ?

– Je ne te comprends pas.

– Juste avant la mort de Leila, Ted avait l'intention

d'installer des centres de remise en forme Cypress Point dans tous ses nouveaux hôtels. Où en est ce projet ?

– Ted n'a plus fait aucun projet d'hôtel depuis sa condamnation.

– C'est bien ce que je pensais. Il y a donc deux raisons pour lesquelles tu désires que Ted soit acquitté. Min, qui est Clayton Anderson ?

– Je n'en ai aucune idée. Elizabeth, je suis morte de fatigue. Ne pourrions-nous en parler plus tard ?

– Allons, Min. Tu n'es pas aussi épuisée que tu veux bien le dire.

Le ton plus sec dans la voix d'Elizabeth incita Min à ouvrir les yeux et à se redresser sur ses oreillers. *J'avais raison*, pensa Elizabeth. *Elle a surtout une peur bleue.*

– Min, je viens de lire et de relire la pièce que jouait Leila. Je l'ai vue avec vous tous, le soir de la générale, mais je n'y ai pas prêté attention. J'étais trop inquiète à cause de Leila. Min, la personne qui a écrit cette pièce connaissait intimement Leila. C'est pourquoi le texte lui convenait si bien. Cette personne a même utilisé l'expression d'Helmut – «un papillon sur un nuage». Leila l'a remarquée elle aussi. Elle avait inscrit dans la marge : *Dire au baron que quelqu'un marche sur ses plates-bandes.* Min…

Elles se dévisagèrent. La même pensée les traversa.

– C'est Helmut qui a rédigé les annonces publicitaires pour Cypress Point, murmura Elizabeth. C'est lui qui écrit les bulletins quotidiens. Peut-être n'y a-t-il jamais eu de professeur d'université fortuné. Min, est-ce Helmut qui a écrit la pièce ?

– Je… je ne sais pas. (Min sortit brusquement de son lit. Elle portait un cafetan qui sembla soudain trop large pour elle, comme si elle se tassait dans les plis du vêtement.) Elizabeth, veux-tu m'excuser ? Je dois passer un coup de fil en Suisse.

8

Avec un sentiment inhabituel d'inquiétude, Alvirah longea l'allée bordée d'une haie qui menait à la salle de soins C. Les instructions que lui avait données l'infirmière étaient confirmées par la note qu'elle avait trouvée ce matin sur le plateau du petit déjeuner. Un billet aimable et rassurant, mais Alvirah se sentait malgré tout les genoux en coton maintenant que le moment était venu.

Pour préserver l'intimité de chacun, disait le billet, les patients entraient dans les salles de soins par des portes extérieures individuelles. Alvirah devait se rendre dans la salle C à 15 heures et s'installer sur la table. Étant donné sa peur des piqûres, on lui donnerait un Valium fortement dosé et elle se reposerait jusqu'à 15 h 30, heure à laquelle le Dr von Schreiber pratiquerait le traitement. Elle continuerait à se reposer pendant une demi-heure supplémentaire afin de laisser les effets du Valium se dissiper.

Entre les haies en fleurs qui se dressaient à près de deux mètres de hauteur, Alvirah avait l'impression de marcher sous une tonnelle. Malgré la chaleur environnante, il faisait frais à l'ombre des arbustes et les azalées lui rappelèrent celles qui fleurissaient devant sa maison. Elles étaient très belles au printemps dernier.

La porte de la salle de soins était peinte en bleu clair, avec un petit C doré confirmant qu'elle se trouvait bien où il fallait. Alvirah tourna timidement la poignée et entra.

La pièce ressemblait à un boudoir, avec son papier mural à fleurs, une moquette vert pâle, une petite coiffeuse et un joli fauteuil. Les draps assortis à la couleur des murs, la courtepointe rose clair et l'oreiller bordé de dentelle de la table de traitement faisaient penser à un lit de repos. Sur la porte de la penderie était accroché un miroir biseauté dans un cadre doré. Seule la présence d'une vitrine remplie d'instruments médicaux permettait de deviner la véritable destination de cette salle.

Alvirah ôta ses sandales et les rangea bien alignées

sous la table. Elle chaussait du quarante et ne voulait pas que le docteur trébuchât sur ses chaussures pendant qu'il lui faisait ses injections de collagène. Elle s'allongea sur la table, tira la courtepointe sous son menton et ferma les yeux.

Elle les ouvrit brusquement un moment plus tard, quand l'infirmière entra. C'était Regina Owens, l'infirmière en chef qui avait rempli son dossier médical.

– N'ayez pas l'air si inquiet, dit-elle.

Alvirah l'aimait bien. Elle lui rappelait l'une des personnes chez qui elle faisait le ménage. Une quarantaine d'années, des cheveux foncés coupés court, de grands yeux pleins de gentillesse et un charmant sourire.

Elle lui apporta un verre d'eau et deux pilules.

– Vous allez vous endormir tout doucement avec ça, et vous ne vous rendrez même pas compte que l'on vous fait belle.

Alvirah avala docilement ses cachets.

– Je me sens comme un bébé, s'excusa-t-elle.

– Pas du tout. Vous seriez étonnée de savoir combien de gens sont terrifiés par les piqûres. (Mlle Owens s'approcha derrière elle et commença à lui masser les tempes.) Détendez-vous. Je vais vous mettre un linge frais sur les yeux et vous sombrerez doucement dans le sommeil. Je reviendrai avec le docteur dans environ une demi-heure. Vous ne remarquerez probablement pas notre présence.

Alvirah sentit les doigts robustes lui presser les tempes.

– Ça fait du bien, murmura-t-elle.

Pendant quelques minutes, Mlle Owens continua à lui masser le front et la nuque. Alvirah sentit une douce léthargie l'envahir. Elle entendit à peine la porte se refermer doucement quand l'infirmière quitta la pièce sur la pointe des pieds.

Des pensées confuses tournaient dans sa tête, comme des fils qu'elle n'arrivait pas à relier.

Un papillon sur un nuage…

Pourquoi cette phrase lui semblait-elle familière ?

– M'entendez-vous, madame Meehan ?

Elle ne s'était pas rendu compte que le baron von Schreiber était entré. Sa voix lui parut basse et un peu rauque. Elle espéra que le micro l'enregistrerait. Elle voulait tout enregistrer.

– Oui.

Sa propre voix était si lointaine.

– Ne craignez rien. Vous sentirez à peine une piqûre d'épingle.

Il avait raison. Ce n'était pas plus douloureux qu'une morsure de moustique. Elle qui s'était tellement inquiétée! Elle attendit. Le docteur l'avait prévenue qu'il injecterait le collagène en dix ou douze fois de chaque côté de sa bouche. Pourquoi s'était-il arrêté?

Elle avait du mal à respirer. Elle ne *pouvait plus* respirer. «Au secours!» cria-t-elle, mais les mots ne sortirent pas. Elle ouvrit la bouche, cherchant désespérément son souffle. Elle glissait. Ses bras, sa poitrine, rien ne bougeait. Oh, mon Dieu! venez-moi en aide, pria-t-elle.

L'obscurité l'enveloppa au moment où la porte s'ouvrait sur l'infirmière Owens.

– Nous voilà, madame Meehan. Prête pour votre traitement de beauté?

9

Qu'est-ce que cela prouve? se demanda Elizabeth en longeant l'allée qui menait à la clinique. Si c'est Helmut qui a écrit cette pièce, il doit être aux abois. L'auteur a mis un million de dollars dans la production. Voilà pourquoi Min téléphonait en Suisse. Son magot bien au chaud dans un compte numéroté était un sujet de plaisanterie permanent. «Je ne serai jamais ruinée», se vantait-elle.

Min voulait que Ted fût acquitté afin de pouvoir céder la licence de Cypress Point à tous ses nouveaux hôtels. Helmut avait une raison encore plus pressante. S'il était «Clayton Anderson», il savait que le magot s'était volatilisé.

Elle le forcerait à dire la vérité.

L'atmosphère du hall d'entrée de la clinique était

calme et feutrée, mais il n'y avait personne à la réception. Au bout du couloir, Elizabeth entendit un bruit de pas précipités, des voix qui criaient. Elle s'élança dans leur direction. Des portes s'ouvraient dans le couloir, les patients passaient la tête. La pièce au bout du couloir était ouverte. L'agitation venait de là.

Salle C. Seigneur! c'était celle où devait se rendre Mme Meehan pour ses injections de collagène. Il n'était pas une personne dans l'institut qui ne fût au courant. Elizabeth faillit se faire renverser par une infirmière qui sortait de la pièce.

– Vous ne pouvez pas entrer ici!

Elizabeth la repoussa.

Penché sur la table de traitement, Helmut massait la poitrine d'Alvirah Meehan. La pauvre femme avait un masque à oxygène sur son visage.

Le ronflement d'un respirateur emplissait la pièce. On avait retiré la courtepointe; sur la robe de chambre froissée d'Alvirah luisait sa drôle de broche. Trop horrifiée pour dire un mot, Elizabeth vit une infirmière tendre une seringue à Helmut. Il la fixa à la tubulure de perfusion et fit une intraveineuse dans le bras d'Alvirah. Un infirmier lui massa à son tour la poitrine.

Dans le lointain, Elizabeth entendit la sirène plaintive de l'ambulance qui franchissait les grilles de Cypress Point.

Il était 16 h 15 lors lorsque l'on prévint Scott qu'Alvirah Meehan, la gagnante de quarante millions de dollars à la loterie, se trouvait à l'hôpital de Monterey, peut-être victime d'une tentative d'homicide. Le policier qui lui avait téléphoné avait accompagné l'ambulance à Cypress Point après l'appel d'urgence. Les ambulanciers, tout comme le médecin des urgences, trouvaient l'histoire suspecte. Le Dr von Schreiber affirmait ne pas avoir commencé les injections de collagène; pourtant une goutte de sang sur sa joue indiquait une piqûre très récente.

Alvirah Meehan! Scott frotta ses yeux las. C'était une femme pleine de vivacité. Il se rappela ses réflexions pendant le dîner. Elle lui faisait penser à l'enfant, dans le

conte *Les Nouveaux Habits de l'Empereur*, qui s'écrie:
«Mais il est tout nu!»

Qui pouvait vouloir du mal à Alvirah Meehan? Scott avait redouté qu'elle fût la proie des charlatans prêts à lui soutirer son argent, mais comment croire que quelqu'un avait cherché à la tuer? «Je viens tout de suite», dit-il et il raccrocha brutalement le téléphone.

Des plantes vertes et un bassin intérieur agrémentaient la salle d'attente de l'hôpital, lui donnant l'aspect de hall d'hôtel. Il n'y entrait jamais sans penser aux heures qu'il y avait passées, lorsque Jeanie était malade...

On l'avertit que Mme Meehan se trouvait dans la salle de réanimation et que le Dr Whitley viendrait le voir rapidement. Elizabeth arriva pendant qu'il attendait.

– Comment va-t-elle?

– Je ne sais pas.

– On n'aurait jamais dû lui faire ces injections. Elle était morte de peur. Elle a eu une crise cardiaque, n'est-ce pas?

– Nous ne le savons pas encore. Comment êtes-vous venue?

– Avec Min. Elle est en train de garer la voiture. Helmut est monté dans l'ambulance avec Mme Meehan. Je ne peux pas y croire.

Sa voix monta. Les gens dans la salle tournèrent la tête pour les regarder.

Scott l'obligea à s'asseoir à côté de lui sur le divan.

– Ressaisissez-vous, Elizabeth. Vous ne connaissez Mme Meehan que depuis quelques jours. Vous ne pouvez pas vous montrer aussi émue.

– Où est Helmut? (La voix de Min, derrière eux, était aussi calme que si toute émotion l'avait quittée. Elle fit le tour du divan et s'affala dans le fauteuil qui leur faisait face.) Il doit être dans un tel état... (Elle s'interrompit.) Le voilà.

Le baron avait l'air de quelqu'un qui vient de voir un fantôme. Encore vêtu de sa blouse chirurgicale taillée sur mesure, il se laissa lourdement tomber dans le fauteuil près de Min et lui prit la main.

– Elle est dans le coma. Ils disent qu'on lui a fait une

injection. Min, c'est impossible, je te le jure, c'est impossible.

– Restez ici.

Le regard de Scott les embrassait tous les trois. Au bout du long couloir qui menait à la salle des urgences, il venait de voir le médecin en chef de l'hôpital qui lui faisait signe.

Ils s'entretinrent dans le bureau privé des médecins.

– On lui a injecté un produit qui a provoqué le coma, dit froidement le Dr Whitley.

C'était un homme de soixante-trois ans, grand et maigre, avec un visage généralement souriant et empreint de gentillesse. En voyant ses traits durcis, Scott se souvint que cet ami de toujours avait été pilote de chasse durant la Seconde Guerre mondiale.

– Vivra-t-elle ?

– Impossible à dire. C'est un coma qui peut être irréversible. Elle a essayé de dire quelque chose avant de sombrer définitivement dans le néant.

– Quoi ?

– Ça ressemblait à « vo ». Elle n'en a pas dit plus.

– C'est plutôt mince. Que dit le baron ? A-t-il une vague idée de ce qui a pu lui arriver ?

– À dire vrai, nous ne lui avons pas permis de l'approcher, Scott.

– J'ai l'impression que vous ne tenez pas le docteur Miracle en haute estime.

– Je n'ai aucune raison de mettre en doute ses capacités médicales. Mais quelque chose chez lui m'a toujours paru « factice ». Et s'il n'a pas fait d'injection à Mme Meehan, alors qui diable s'en est chargé ?

Scott rejeta ses cheveux en arrière.

– C'est bien ce que j'ai l'intention de découvrir.

Comme il s'apprêtait à quitter la pièce, Whitley le rappela.

– Scott, quelque chose nous aiderait… pourrait-on se rendre dans le bungalow de Mme Meehan et nous rapporter ses médicaments, si elle en prenait ? Avant de joindre son mari et d'avoir connaissance de ses antécédents médicaux, nous ne savons pas à quoi nous en tenir.

– Je vais m'en occuper personnellement.

Elizabeth regagna Cypress Point dans la voiture de Scott. En chemin il lui raconta comment il avait trouvé les restes de la lettre dans le bungalow de Cheryl.

– C'est donc elle qui a écrit ces lettres ! s'exclama Elizabeth.

Scott secoua la tête.

– Je sais que cela peut paraître insensé, et je sais que Cheryl peut mentir aussi facilement qu'elle respire, mais j'y ai réfléchi pendant toute la journée et mon sentiment profond est qu'elle dit la vérité.

– Et Syd ? Lui avez-vous parlé ?

– Pas encore. Elle va être forcée de lui dire qu'elle m'a avoué le vol de la lettre ainsi que le fait qu'il l'a déchirée. J'ai décidé de le laisser mariner avant de l'interroger. Cela donne parfois des résultats. Mais je vous l'ai dit, je suis enclin à croire ce qu'elle raconte.

– Mais si elle n'a pas écrit les lettres, qui les a écrites ?

Scott lui lança un regard de biais.

– Je l'ignore. (Il resta silencieux, puis ajouta :) Ce que je veux dire, c'est que je l'ignore pour l'instant.

Min et le baron suivirent la voiture de Scott dans leur cabriolet décapotable. Min conduisait.

– La seule façon qui me permette de t'aider est de savoir la vérité, dit-elle à son mari. As-tu fait quelque chose à cette femme ?

Le baron alluma une cigarette et aspira une longue bouffée. Ses yeux bleus s'humectèrent. Ses cheveux auburn prenaient des reflets cuivrés sous les rayons obliques du soleil. La capote du cabriolet était baissée. Une brise fraîche avait chassé les derniers restes de chaleur. Une impression d'automne flottait dans l'air.

– Minna, qu'est-ce que tu racontes ? Lorsque je suis entré dans la pièce, elle ne respirait plus. Je lui ai sauvé la vie. Pour quelle raison lui aurais-je voulu du mal ?

– Helmut, qui est Clayton Anderson ?

Sa cigarette lui échappa des mains. Elle tomba sur le siège de cuir à côté de lui. Min la ramassa.

– Tu ferais mieux de ne pas bousiller cette voiture. On ne pourra pas la remplacer. Je répète. Qui est Clayton Anderson ?

– J'ignore de quoi tu parles, murmura-t-il.

– Je crois que tu le sais très bien, au contraire. Elizabeth est venue me voir. Elle a lu la pièce. Voilà pourquoi tu étais si bouleversé ce matin, n'est-ce pas ? Ce n'était pas à cause de l'agenda. C'était à cause de la pièce. Leila avait porté des annotations dans la marge. Elle a relevé cette phrase stupide que tu as reprise dans toutes les annonces publicitaires. Elizabeth l'a remarquée, elle aussi. Ainsi que Mme Meehan. Elle a assisté à l'une des répétitions. C'est pourquoi tu as essayé de la tuer, n'est-ce pas ? Tu espérais toujours cacher que tu es l'auteur de cette pièce.

– Minna, écoute-moi… tu es complètement folle ! D'après ce que nous savons, cette femme s'est fait une injection elle-même.

– Cela n'a aucun sens. Elle passait son temps à dire qu'elle avait une peur bleue des piqûres.

– Peut-être pour écarter les soupçons…

– L'auteur a mis plus d'un million de dollars dans cette pièce. Si tu es cet auteur, d'où as-tu tiré l'argent ?

Ils arrivaient devant les grilles de Cypress Point. Min ralentit et le regarda, l'air sévère.

– J'ai voulu téléphoner en Suisse pour vérifier ma position. Bien sûr, les bureaux étaient fermés à cette heure, là-bas. Je rappellerai demain, Helmut. J'espère pour toi que l'argent est toujours sur mon compte.

Le visage d'Helmut resta aussi affable que d'habitude, mais il avait le regard d'un condamné à mort.

Ils se rencontrèrent sur le porche du bungalow d'Alvirah Meehan. Le baron ouvrit la porte et ils entrèrent. Min avait visiblement tiré avantage de la naïveté d'Alvirah. C'était la plus coûteuse de toutes les installations – celle que la première dame des États-Unis avait occupée lors d'un séjour à Cypress Point. Il y avait un living-room, une salle à manger, un petit bureau, un immense lit à deux places, deux salles de bains au rez-de-chaussée. *Vous l'avez gâtée*, pensa Scott.

Il eut vite fait d'inspecter les lieux. L'armoire à pharmacie dans la salle de bains qu'utilisait Alvirah ne contenait que les médicaments les plus anodins – de l'aspirine, un inhalateur, un flacon de Vicks, un baume décontractant. *Une brave dame dont les voies nasales se bouchent la nuit et qui souffre probablement d'un peu d'arthrite.*

Il aurait juré que le baron était déçu. Il le regarda insister pour ouvrir tous les flacons, répandre leur contenu, les examiner, cherchant si un autre médicament n'était pas mêlé aux cachets ordinaires. Jouait-il la comédie ? Le Petit Soldat était-il bon acteur ? Dans la penderie d'Alvirah, des chemises de nuit de pilou usées côtoyaient des robes luxueuses dont la plupart portaient la marque de Martha Park Avenue et de la boutique de Cypress Point.

Il y avait un seul objet déconcertant : le magnétophone sophistiqué de marque japonaise dans une pochette assortie aux bagages Vuitton. Scott haussa les sourcils. Du matériel de professionnel ! C'était surprenant de la part d'Alvirah Meehan.

Elizabeth le regarda fouiller dans les cassettes. Trois d'entre elles étaient numérotées. Les autres étaient vierges. Scott haussa les épaules, les remit à leur place et ferma la pochette. Il partit quelques minutes plus tard. Elizabeth l'accompagna jusqu'à sa voiture. Sur le trajet du retour de l'hôpital, elle ne lui avait pas dit qu'elle soupçonnait Helmut d'être l'auteur de la pièce. Elle voulait s'en assurer d'abord, obliger Helmut à avouer. Il était encore possible que Clayton Anderson existât, se dit-elle.

Il était exactement 18 heures lorsque la voiture de Scott disparut derrière les grilles. La température fraîchissait. Elizabeth enfonça ses mains dans ses poches et sentit la broche en forme de soleil. Elle l'avait détachée de la robe de chambre d'Alvirah après le départ de l'ambulance. C'était manifestement un bijou d'une valeur sentimentale.

Le mari d'Alvirah avait été prévenu. Elle lui remettrait la broche demain.

10

Ted regagna son bungalow vers 18 h 30. Il avait pris le chemin le plus long, traversé Crocker Woodland, avant de rentrer par la porte de service de l'institut. Il n'avait pas été sans remarquer la présence des voitures à moitié dissimulées dans les buissons le long de la route qui menait à Cypress Point. Des chiens à l'affût, sur la piste ouverte par l'article du *Globe*…

Il ôta son chandail. Il avait eu trop chaud – mais à cette époque de l'année, on pouvait être surpris par le froid sur la péninsule. Les vents tournaient d'un moment à l'autre.

Il baissa les stores, alluma les lampes et sursauta à la vue d'une chevelure noire qui dépassait le dossier du divan. C'était Min.

– Il fallait que je te parle.

Le ton était celui qu'il avait toujours connu. Chaud et autoritaire, un curieux mélange qui lui avait inspiré confiance autrefois. Elle portait un long gilet sans manche sur un ensemble une-pièce soyeux.

Ted s'assit en face d'elle et alluma une cigarette.

– J'avais cessé de fumer depuis des années, mais il est surprenant de constater la vitesse à laquelle reviennent les mauvaises habitudes quand on envisage une vie entière en prison. Même chose en matière de tenue. Je ne suis pas très présentable, Min – mais je ne m'attendais pas à recevoir des invités.

– Une invitée que tu n'as pas conviée. (Elle le dévisagea de la tête aux pieds.) Tu es allé courir ?

– Non. J'ai marché. Un bon moment. Ça permet de réfléchir.

– Tes pensées ne doivent pas être gaies ces temps-ci.

– En effet.

Ted attendit.

– Je peux ?

Min désigna le paquet de cigarettes qu'il avait reposé sur la table.

Ted lui offrit une cigarette et la lui alluma.

– Moi aussi, j'avais cessé de fumer, mais le stress aidant… (Min haussa les épaules.) J'ai renoncé à tant de choses dans ma vie quand je me battais pour arriver. Tu sais ce que c'est… monter une agence de mannequins, s'évertuer à la faire marcher quand l'argent ne rentre plus… épouser un vieil homme malade et être son infirmière, sa maîtresse, sa compagne pendant cinq années interminables… Je croyais avoir atteint une certaine sécurité. Je croyais que je l'avais méritée.

– Et ce n'est pas le cas ?

Min fit un geste de la main.

– Cet endroit est merveilleux, n'est-ce pas Ted ? L'endroit idéal. Le Pacifique à nos pieds, une des plus belles côtes, le climat, le confort et la beauté de ces habitations, les installations sans pareilles de l'institut… Même ces thermes grotesques chers à Helmut auraient pu être un succès. Il n'existe personne d'assez cinglé pour construire un truc pareil ; et personne d'autre ne saurait le faire marcher.

Pas étonnant qu'elle soit venue me retrouver ici, pensa Ted. Elle ne pouvait prendre le risque de me parler en sachant Craig dans les parages.

On aurait dit que Min lisait dans ses pensées.

– Je sais ce que dirait Craig. Mais Ted, c'est toi qui décides, c'est toi l'homme d'affaires audacieux. Nous avons les mêmes idées, toi et moi. Helmut est totalement dénué de sens pratique – je le sais –, mais c'est aussi un visionnaire. Ce dont il a besoin, et dont il a toujours eu besoin, c'est d'argent pour faire fructifier ses rêves. Te souviens-tu de cette conversation que nous avons eue – tous les trois – lorsque ton fichu bouledogue de Craig ne rôdait pas autour de nous ? Nous parlions d'installer un institut Cypress Point dans tous tes nouveaux hôtels. C'est une idée formidable. Elle marcherait.

– Min, si je vais en prison, il n'y aura pas de nouveaux hôtels. Nous avons arrêté les chantiers depuis mon inculpation. Tu le sais.

– Alors, prête-moi l'argent maintenant. (Min laissa

tomber le masque.) Ted, je suis le dos au mur. Je serai ruinée dans quelques semaines. C'est vital ! Cet endroit a beaucoup perdu durant les dernières années. Helmut n'est pas parvenu à attirer de nouveaux clients. Je crois maintenant savoir pourquoi il était dans un tel état. Mais tout peut changer. Pourquoi crois-tu que j'aie fait venir Elizabeth ? Pour t'aider.

– Min, tu as remarqué sa réaction quand elle m'a vu. Tu n'as fait qu'empirer les choses, si c'était possible.

– Je n'en suis pas certaine. Cet après-midi, je l'ai suppliée de réfléchir. Je lui ai dit qu'elle ne se pardonnerait jamais de t'avoir détruit. (Min écrasa sa cigarette dans le cendrier.) Ted, je sais de quoi je parle. Elizabeth est amoureuse de toi. Elle l'a toujours été. Sers-t'en en ta faveur. Il n'est pas trop tard.

Elle lui saisit le bras.

Il s'écarta d'elle.

– Min, tu ne sais pas ce que tu dis.

– Je te dis que je le *sais*. C'est une chose que j'ai sentie dès le premier jour où elle a posé les yeux sur toi. Ne comprends-tu pas à quel point il lui était pénible d'être auprès de toi et de Leila, de vouloir le bonheur de Leila, de vous aimer tous les deux ? Elle était déchirée. C'est pourquoi elle a accepté cette pièce avant la mort de Leila. Ce n'était pas un rôle qui lui plaisait. Sammy m'en avait parlé. Elle l'avait constaté, elle aussi. Ted, Elizabeth se bat contre toi parce qu'elle se sent coupable. Elle sait que Leila te poussait à bout. Sers-t'en ! Et Ted, je t'en prie, aide-moi maintenant ! Je t'en supplie !

Elle le regarda d'un air implorant. Il avait transpiré et des petites boucles de cheveux frisés collaient sur son front. Une femme aurait donné sa vie pour une telle chevelure, songea Min. Ses pommettes hautes soulignaient le nez étroit et parfait. Ses lèvres étaient bien dessinées, sa mâchoire juste assez carrée pour donner un air de force à son visage, ses bras bronzés et musclés. Elle se demanda où il était allé marcher et se rendit compte qu'il n'était peut-être pas au courant de l'accident survenu à Alvirah Meehan. Elle préféra ne rien dire.

– Min, je ne peux pas te promettre d'installer des instituts dans des hôtels qui ne seront pas construits si je vais en prison. Mais je peux te prêter de l'argent dès maintenant. Seulement laisse-moi te demander quelque chose : t'est-il jamais venu à l'esprit qu'Elizabeth pouvait s'être trompée, avoir fait une erreur sur l'heure ? N'as-tu jamais pensé que je pouvais dire la vérité quand j'affirme que je ne suis pas remonté chez Leila ?

L'étonnement se peignit sur le visage de Min.

– Ted, tu peux me faire confiance. Tu peux faire confiance à Helmut. Il n'a pas parlé à âme qui vive en dehors de moi… Il ne dira jamais un mot… Il t'a entendu crier après Leila. Il l'a entendue te supplier de la laisser en vie.

11

Aurait-elle dû faire part à Scott de ses soupçons concernant le baron ? se demanda Elizabeth en retrouvant avec bonheur le calme de son bungalow, les pièces où dominaient le blanc et le vert émeraude. Elle aurait presque pu croire qu'un peu de Joy se mêlait à l'air marin.

Leila.

Cheveux roux. Yeux vert clair. Le teint pâle des vraies rousses. Le large pyjama de satin blanc qu'elle portait le jour de sa mort. Le tissu avait dû ondoyer autour d'elle quand elle était tombée.

Oh Dieu ! Elizabeth ferma le verrou à double tour et se blottit sur le canapé, la tête dans les mains, épouvantée par la vision de Leila qui flottait dans la nuit vers la mort…

Helmut. Est-ce lui qui avait écrit *Merry-Go-Round* ? Si oui, avait-il vidé l'intouchable compte suisse de Min pour financer la pièce ? Il avait dû être pris de panique en entendant Leila annoncer qu'elle abandonnait le spectacle. Jusqu'à quel point ?

Alvirah Meehan. Les ambulanciers. La petite tache de sang sur sa joue. Le ton incrédule de l'auxiliaire médical lorsqu'il s'était adressé à Helmut : « Comment osez-vous dire que vous n'aviez pas commencé les injections ? Qui croyez-vous tromper ? »

Les mains d'Helmut en train de masser la poitrine d'Alvirah... Helmut qui lui faisait une intraveineuse... Mais Helmut s'était sans doute affolé en entendant Alvirah parler d'«un papillon sur un nuage». Alvirah avait vu une répétition de la pièce. Leila avait établi le rapport entre le texte et Helmut. Alvirah l'avait-elle établi, elle aussi ?

Elle repensa au discours que Min lui avait tenu. Après avoir virtuellement reconnu la culpabilité de Ted, elle s'était ensuite évertuée à persuader Elizabeth que Leila ne cessait de le harceler. Où était la vérité ?

Min avait-elle raison lorsqu'elle disait que Leila n'aurait jamais voulu voir Ted derrière les barreaux pour le restant de ses jours ? Il y a à peine deux jours, elle affirmait qu'il s'agissait d'un accident.

Elizabeth referma ses bras autour de ses genoux et resta la tête dans les mains.

– Je ne sais pas quoi faire, murmura-t-elle doucement.

Elle ne s'était jamais sentie aussi seule.

À 19 heures, elle entendit le léger carillon qui annonçait l'heure du cocktail. Elle décida de se faire servir son dîner dans le bungalow. Les mondanités étaient au-dessus de ses forces, sachant que le corps de Sammy attendait à la morgue avant d'être transporté dans l'Ohio, qu'Alvirah Meehan luttait pour rester en vie à l'hôpital. L'avant-veille au soir, Elizabeth avait dîné à la même table qu'Alvirah Meehan. L'avant-veille au soir, Sammy se trouvait dans cette pièce avec elle. Qui serait la prochaine victime ?

À 19 h 45, Min téléphona.

– Elizabeth, tout le monde s'inquiète à ton sujet. Est-ce que tu te sens bien ?

– Très bien. J'ai juste besoin d'un peu de calme.

– Tu es sûre de ne pas être malade ? Je préfère te le dire, Ted se faisait du souci pour toi.

Rendons justice à Min. Elle ne renonce jamais.

– Je vais parfaitement bien, Min. Pourrais-tu demander qu'on me porte mon dîner ? Je le prendrai tranquillement ici, et j'irai nager un peu plus tard. Ne t'inquiète pas pour moi.

Elle raccrocha, marcha nerveusement dans la pièce. Il lui tardait d'être dans l'eau.

IN AQUA SANITAS, disait l'inscription. Pour une fois, Helmut avait raison. L'eau l'apaiserait, dissiperait le trouble de ses pensées.

12

Il s'apprêtait à prendre la bouteille de gaz quand on frappa d'un coup sec à la porte. Fébrilement, il ôta son masque et dégagea ses bras de la combinaison de plongée. Il rangea en vitesse bouteille et masque dans la penderie, puis se rua dans la salle de bains et ouvrit le robinet de la douche.

Les coups se répétèrent, impatients. Il ôta complètement sa combinaison, la jeta derrière le canapé et saisit son peignoir.

Prenant un ton contrarié, il cria « Ça va, ça va », et il ouvrit la porte.

La porte fut repoussée d'un coup brusque.

– Pourquoi mets-tu si longtemps ? J'ai à te parler.

Il était près de 22 heures lorsqu'il put enfin se diriger vers la piscine. Il arriva pour voir Elizabeth regagner son bungalow. Dans sa hâte, il heurta une chaise sur la terrasse. Elizabeth se retourna et il eut à peine le temps de s'abriter derrière les buissons.

Demain soir. Il restait encore une chance de la trouver ici. Sinon, il faudrait trouver une autre solution pour la supprimer.

Comme Alvirah Meehan, elle était en train de flairer la vérité et de mettre Scott Alshorne sur la piste.

Ce raclement. On aurait dit le bruit d'une chaise sur les dalles de la terrasse. L'air s'était rafraîchi mais il n'y avait pas un souffle. Rien qui pût déplacer quelque chose. Elle s'était retournée d'un mouvement vif et, pendant une seconde, il lui avait semblé voir quelqu'un bouger. C'était stupide. Qui s'amuserait à rester à l'ombre des arbres ?

Elizabeth accéléra malgré tout le pas et fut heureuse de se retrouver dans son bungalow, la porte fermée à clé. Elle téléphona à l'hôpital. Il n'y avait aucun changement dans l'état de Mme Meehan.

Elle avait du mal à s'endormir. Quelque chose lui échappait. Quoi ? Quelque chose qui avait été dit, quelque chose qu'elle aurait dû comprendre. Elle finit par sombrer dans le sommeil.

Elle cherchait quelqu'un... Elle errait dans un immeuble vide avec de longs et sombres couloirs. Son corps brûlait de désir... Elle écartait les bras... Quel était ce poème ? « Y a-t-il quelqu'un, ô yeux et lèvres à jamais inscrits dans mon souvenir, qui se tourne vers moi dans la nuit ? » Elle le murmurait sans cesse... Elle voyait un escalier... Elle le descendait précipitamment... Il était là. Le dos tourné. Elle jetait ses bras autour de lui. Il se tournait, la prenait, la retenait. Sa bouche était sur la sienne. « Ted, je t'aime, je t'aime », disait-elle.

Elle finit par se réveiller. Pendant le reste de la nuit, malheureuse, désespérée, elle resta allongée sans bouger dans le lit où Leila et Ted avaient si souvent dormi ensemble, déterminée à ne pas dormir.

À ne pas rêver.

Jeudi 3 septembre

CITATION DE LA JOURNÉE

Le pouvoir de la beauté, j'en garde encore le souvenir.

DRYDEN

Cher hôte de Cypress Point,

Un joyeux bonjour. J'espère que vous êtes en train de déguster l'un de nos délicieux jus de fruits pleins de vitamines. Comme le savent certains d'entre vous, oranges et pamplemousses sont spécialement cultivés pour notre institut.

Avez-vous fait des achats dans notre boutique cette semaine ? Sinon, venez voir la superbe collection de vêtements que nous venons de recevoir. Chaque modèle est unique, bien entendu, tout comme l'est chacun d'entre vous.

Réflexion sur votre santé. À présent, vous devez sentir des muscles dont vous aviez oublié l'existence. Rappelez-vous, l'exercice physique ne doit jamais être douloureux. Une sensation désagréable est signe qu'il faut vous arrêter. Et lorsque vous faites votre gymnastique, gardez les genoux détendus.

Que dit votre miroir ? Pour ces petites rides que le temps et la vie ont inscrites sur votre visage, n'oubliez pas, le collagène, comme une main douce, saura les effacer.

Soyez serein. Paisible. Joyeux. Et passez une journée exquise.

Baron et baronne Helmut von Schreiber.

1

Longtemps avant que les premiers rayons de soleil n'annoncent un temps resplendissant sur la péninsule de Monterey, Ted s'était réveillé et pensait aux semaines à venir. Le tribunal. Le banc des accusés où il se tiendrait, les yeux des spectateurs braqués sur lui, l'impact des témoignages sur les jurés. Le verdict : coupable d'homicide par imprudence. Pourquoi par imprudence ? avait-il demandé à son premier avocat. « Parce que dans l'État de New York, le terme "homicide volontaire" s'applique au meurtre d'un agent de l'ordre public. Quoi qu'il en soit, ça revient au même en ce qui concerne la peine. » La perpétuité, se dit-il. La prison à perpétuité.

À 6 heures, il sortit faire son jogging. La matinée était fraîche et claire, mais la journée s'annonçait chaude. Sachant inconsciemment où il voulait aller, il laissa ses jambes le guider et ne fut pas surpris de se retrouver au bout d'une quarantaine de minutes devant la maison de son grand-père à Carmel. Elle donnait sur la mer. Il l'avait toujours connue blanche, mais les actuels propriétaires l'avaient peinte d'un joli vert mousse, bien qu'il préférât l'éclat du blanc sous le soleil. La plage lui rappelait l'un de ses souvenirs les plus vifs. Sa mère l'aidait à construire un château de sable ; ses mèches brunes s'enroulaient autour de son visage, elle riait, si heureuse d'être ici, loin de New York, de profiter d'un sursis. Ce salaud qui était son propre père ! La façon dont il la ridiculisait, se moquait d'elle, la démolissait. Pourquoi ? Comment un être humain pouvait-il être si cruel de nature ? Était-ce l'alcool qui avait libéré la brutalité innée, la méchanceté foncière de son père, jusqu'à ce que cette violence devienne sa personnalité propre, sous l'influence de la boisson – tout ce qui restait, la bouteille et les coups ? *Et avait-il hérité des mêmes tendances ?*

Debout sur la plage, Ted regarda la maison, revoyant sa mère et sa grand-mère sur la véranda, ses grands-parents à l'enterrement de sa mère, son grand-père qui disait : « Nous aurions dû la forcer à le quitter. »

Sa grand-mère avait murmuré : « Elle ne l'aurait pas quitté – cela aurait signifié abandonner Ted. »

Il avait souvent pensé que c'était sa faute, lorsqu'il était enfant. Il se posait encore la question. Sans pouvoir y répondre.

Quelqu'un le regardait d'une fenêtre. Il se remit à courir sur la plage.

Bartlett et Craig l'attendaient dans son bungalow. Ils avaient déjà pris leur petit déjeuner. Il se dirigea vers le téléphone et commanda un jus de fruits, des toasts et du café. « Je reviens tout de suite », leur dit-il. Il prit une douche, passa un short et un T-shirt. Le plateau était déjà là quand il réapparut.

– Service express, n'est-ce pas ? Min sait faire marcher cet établissement comme personne. L'idée d'obtenir la franchise de l'institut pour nos nouveaux hôtels était excellente.

Aucun des deux hommes ne réagit. Assis à la table du petit salon, ils le regardèrent sans rien dire, comme s'ils avaient deviné qu'il n'attendait ni ne désirait de réponse de leur part. Il avala son jus d'orange et but sa tasse de café.

– J'ai l'intention de passer la matinée dans la salle de gymnastique, dit-il. Mieux vaut en profiter. Nous partons pour New York demain. Craig, arrange-moi une réunion exceptionnelle pour samedi matin. J'ai l'intention de donner ma démission de président et de directeur général du groupe, et de te désigner à ma place. (Son expression ne donnait pas envie d'argumenter. Il se tourna vers Bartlett, le regard glacial.) J'ai décidé de plaider coupable, Henry. Faites-moi le tableau exact de la sentence que je risque d'encourir, dans le meilleur et le pire des cas.

2

Elizabeth était encore couchée lorsque Vicky lui apporta son petit déjeuner. Elle le posa près du lit et examina la jeune femme.

– Vous n'avez pas l'air dans une forme terrible.

Elizabeth se redressa et s'efforça de sourire.

– Oh, je vais tenir le coup. De toute façon, il le faudra bien, non ? (Elle prit le vase orné de sa fleur du jour sur le plateau.) Des roses à des bouquets flétris, hein ?

– Je ne parlais pas pour vous. (Le visage anguleux de Vicky s'adoucit.) J'étais en congé pendant ces deux derniers jours. On m'a raconté ce qui est arrivé à Mlle Samuels. Elle était si gentille. Mais pouvez-vous m'expliquer ce qu'elle fabriquait dans les thermes ? Elle m'a un jour avoué que le simple fait de regarder cet endroit lui donnait la chair de poule. Il lui faisait penser à un tombeau, disait-elle. Même si elle ne se sentait pas bien, c'est le dernier endroit où elle serait allée…

Après le départ de Vicky, Elizabeth lut son programme de la journée posé sur le plateau du petit déjeuner. Elle était inscrite pour un massage avec Gina à 10 heures. Les membres du personnel parlent volontiers. Ainsi, Vicky venait de lui apprendre que jamais Sammy ne se serait rendue dans les thermes de son propre chef. Le jour de son arrivée, dimanche dernier, Gina avait bavardé pendant qu'elle massait Elizabeth, laissant entendre que l'institut traversait une mauvaise passe. Elle pourrait lui en faire dire davantage en lui posant habilement quelques questions.

En chemin, Elizabeth décida de suivre le programme complet. Le premier cours de gymnastique l'aida à se dégourdir l'esprit, mais elle put difficilement s'empêcher de fixer la place au premier rang où se tenait Alvirah Meehan l'autre jour. Elle peinait tellement dans les exercices d'assouplissement qu'elle soufflait comme un bœuf, le visage cramoisi. «J'y suis quand même arrivée!» avait-elle annoncé fièrement à Elizabeth.

Dans le couloir qui menait aux cabines de massage, elle se heurta à Cheryl, drapée dans son peignoir, les ongles des mains et des pieds peints du même rose violacé. Elizabeth l'aurait volontiers dépassée sans lui adresser la parole, mais Cheryl la saisit par le bras.

– Elizabeth, il faut que je te parle.

– À quel propos?

– Des lettres anonymes. Risque-t-on d'en trouver d'autres? (Sans attendre de réponse, elle continua:) Parce que si tu en as encore en ta possession, ou si tu en trouves d'autres, je veux qu'on les fasse analyser, qu'on les soumette à une expertise, qu'on relève les empreintes digitales, je veux que vous mettiez tout en œuvre, toi et les spécialistes, pour remonter jusqu'à leur auteur. *Ce n'est pas moi qui les ai envoyées!* Tu entends?

Elizabeth la regarda s'éloigner dans le couloir. Comme Scott l'avait fait remarquer, elle semblait sincère. D'autre part, si elle était à peu près certaine qu'on ne trouverait pas d'autres lettres, c'était l'attitude à adopter. Jusqu'à quel point Cheryl pouvait-elle jouer la comédie?

À 10 heures Elizabeth était allongée sur la table de massage. Gina entra dans la pièce.

– Il règne une certaine agitation, ces temps derniers, fit-elle.

– C'est le moins qu'on puisse dire.

Gina enveloppa les cheveux d'Elizabeth dans un bonnet en plastique.

– D'abord Mlle Samuels, ensuite Mme Meehan. C'est incroyable. (Elle versa de la crème sur ses mains et commença à masser le cou d'Elizabeth.) Vous êtes encore très tendue. Quelle dure épreuve pour vous. Je sais que vous étiez très proche de Mlle Samuels.

Elizabeth préférait ne pas parler de Sammy. Elle murmura un «Oui», puis demanda:

– Gina, vous occupiez-vous de Mme Meehan ?

– Bien sûr. Le lundi et le mardi. C'était un sacré numéro. Que lui est-il arrivé ?

– Ils ne savent pas exactement. Ils cherchent dans ses antécédents médicaux.

– J'aurais juré qu'elle était solide comme un roc. Un peu boulotte, mais un teint de rose, un bon rythme cardiaque, un excellent souffle. Elle avait la frousse des piqûres, mais ça n'a jamais provoqué de crise cardiaque à personne. (Gina eut un petit rire sans joie.) Tout le monde savait qu'on devait lui appliquer un traitement au collagène dans la salle C. L'une des filles l'a entendue demander à Cheryl Manning si on lui avait fait des injections du même type. Vous voyez le tableau ?

– Gina, vous m'avez dit l'autre jour que l'institut avait changé depuis la mort de Leila. Je sais qu'elle attirait les amateurs de célébrités, mais le baron amenait un bon nombre de nouveaux visages tous les ans.

Gina se remit de la crème sur les mains.

– C'est bizarre. On en a vu de moins en moins depuis deux ans. Personne ne peut comprendre pourquoi. Il voyageait beaucoup, mais la plupart du temps dans la région de New York. Vous vous rappelez l'époque où il participait à des galas de charité dans une douzaine de grandes villes ? Il offrait personnellement une semaine à l'institut à qui tirait le numéro de la tombola, et à la fin de son discours, l'heureuse gagnante emmenait trois de ses meilleures copines avec elle – qui venaient en tant que clientes, bien entendu.

– Pourquoi s'est-il arrêté, d'après vous ?

Gina baissa la voix.

– Il faisait autre chose. Personne ne sait quoi – même pas Min, je crois… Elle s'est mise à l'accompagner dans ses déplacements. Elle commençait à se demander sérieusement à quoi le Prince Consort, comme il se nommait lui-même, occupait son temps, à New York…

Elizabeth resta silencieuse tandis que Gina la massait, la tapotait. Et s'il s'occupait d'une pièce appelée *Merry-Go-Round* ? Dans ce cas, Min avait-elle deviné la vérité depuis longtemps ?

3

Ted quitta l'institut à 11 heures. Après deux heures d'avirons et de natation et un vigoureux massage, il s'était plongé dans l'un des jacuzzis en plein air autour de l'enceinte de l'établissement réservé aux hommes. Le soleil tapait ; il n'y avait pas un souffle ; un vol de cormorans passa au-dessus de sa tête, voile noir dans un ciel sans nuages. Les serveurs s'apprêtaient à servir le déjeuner sur la terrasse. Les parasols rayés vert et jaune qui ombrageaient les tables se mariaient harmonieusement avec les dalles colorées du sol.

Cet endroit était véritablement dirigé de main de maître. Si les choses avaient été différentes, il aurait chargé Min et le baron de créer une douzaine d'instituts Cypress Point dans le monde entier. Il sourit. À une condition : soumettre les dépenses du baron au contrôle d'un comptable draconien.

Bartlett s'était sans doute entretenu par téléphone avec le procureur. En ce moment même, il devait avoir une idée de la sentence à laquelle Ted pouvait s'attendre. Il ne parvenait toujours pas à y croire. À la suite d'un acte dont il n'avait aucun souvenir il était devenu un autre être, il avait mené une vie totalement différente.

Il se dirigea lentement vers son bungalow, saluant de loin ceux des hôtes de l'institut qui avaient renoncé à leur dernier cours de gymnastique et paressaient au bord de la piscine. Il n'avait pas envie de soutenir une conversation. Il n'avait pas envie d'affronter les discussions à venir avec Henry Bartlett.

Souvenir. Un mot qui l'obsédait. Fragments épars. Il remontait en ascenseur. Se trouvait dans le couloir. Hésitait. Il était complètement ivre. Et ensuite ? Pourquoi avait-il tout effacé de sa mémoire ? Parce qu'il ne voulait pas se rappeler ce qu'il avait fait ?

La prison. Enfermé dans une cellule. Ne valait-il pas mieux...

Il n'y avait personne chez lui. C'était déjà une chance. Il avait craint de les retrouver encore une fois installés autour de la table du petit salon. Il aurait dû installer Bartlett à sa place et prendre le plus petit bungalow pour lui. Il aurait eu la paix, au moins. De toute façon, il allait les voir rappliquer à l'heure du déjeuner.

Craig. C'était un homme consciencieux. Le groupe ne progresserait pas avec lui aux commandes, mais il garderait sa vitesse de croisière. Heureusement qu'il était là. Craig était entré dans le groupe après que l'avion chargé de huit des principaux directeurs se fut écrasé à Paris. Craig s'était montré indispensable après la mort de Kathy et de Teddy. Il lui était indispensable maintenant. Et penser...

Combien d'années devrait-il se dévouer ? Sept ? Dix ? Quinze ?

Il lui restait une chose importante à faire. Il prit son papier à en-tête dans sa serviette et se mit à écrire. Lorsqu'il eut terminé, il cacheta l'enveloppe, sonna une femme de chambre et lui demanda de l'apporter au bungalow d'Elizabeth.

Il aurait préféré attendre d'avoir quitté Cypress Point demain ; mais en apprenant qu'il n'y aurait pas de procès, elle pourrait peut-être rester ici un peu plus longtemps.

En entrant dans son bungalow à midi, Elizabeth trouva la lettre de Ted posée en évidence sur la table. La vue de l'enveloppe blanche bordée de rouge, aux couleurs du groupe Winters, adressée à son nom de l'écriture droite et ferme qui lui était si familière, lui serra la gorge. Combien de fois dans sa loge avait-elle trouvé un billet sur ce papier, portant cette écriture, qu'on lui avait déposé entre les deux actes ? « Hello, Elizabeth. De passage en ville. Que dirais-tu de dîner avec moi après le spectacle – si tu n'es pas trop fatiguée ? Le premier acte était formidable. Tendrement. Ted. » Ils soupaient ensemble et téléphonaient à Leila du restaurant. *Surveille mon jules pour moi, Moineau. Ne laisse pas une de ces garces mettre le grappin dessus.*

Ils avaient tous les deux l'oreille collée contre le récepteur. «C'est toi qui m'as mis le grappin dessus, Vedette», disait Ted.

Elle était consciente de sa proximité, de sa joue qui effleurait la sienne, serrait de toutes ses forces ses doigts sur le téléphone, manquant à chaque fois de courage pour refuser de le voir.

Elle ouvrit l'enveloppe. Elle lut deux phrases, poussa un cri étouffé et dut attendre un instant avant de s'obliger à lire la lettre de Ted jusqu'au bout.

«Chère Elizabeth,

«Je peux seulement te dire pardon, mais ce mot n'a aucun sens. Tu avais raison. Le baron m'a entendu lutter avec Leila l'autre nuit. Syd m'a vu dans la rue. Je lui ai dit que Leila était morte. Rien ne sert d'essayer de prétendre plus longtemps que je ne me trouvais pas là. Crois-moi, je n'ai aucun souvenir de ces moments mais, à la lumière de tous ces faits, j'ai l'intention de plaider coupable pour homicide par imprudence à mon retour à New York.

«Cela permettra au moins de donner une conclusion à cette affreuse histoire et t'épargnera l'épreuve d'avoir à témoigner à mon procès et de revivre les circonstances de la mort de Leila.

«Dieu te bénisse et te protège. Il y a longtemps, Leila m'a raconté que le jour où vous avez quitté le Kentucky, quand tu étais petite, elle te fredonnait cette jolie chanson pour te rassurer… "Ne pleure pas, ma belle…"

«Souviens-toi aujourd'hui des paroles que te chantait Leila alors, et essaye d'entamer un chapitre plus heureux de ta vie.

Ted.»

Pendant les deux heures qui suivirent, Elizabeth resta ramassée sur le canapé, les épaules courbées, les bras refermés autour de ses genoux, fixant le vide devant elle. C'était ce que tu voulais, s'efforçait-elle de se dire. Il va payer pour ce qu'il a fait. Mais sa détresse était si grande qu'elle finit par tomber dans un état d'hébétude.

Lorsqu'elle se leva, ses jambes étaient engourdies, elle avait l'impression d'avoir cent ans. Il restait à résoudre la question des lettres anonymes.

Elle ne prendrait pas de repos avant d'avoir découvert qui les avait envoyées, précipitant cette tragédie.

Il était 13 heures passées lorsque Bartlett téléphona à Ted.

– Il faut que nous parlions immédiatement, dit-il sèchement. Venez me retrouver dès que vous le pourrez.

– Y a-t-il une raison qui vous empêche de venir ici ?

– J'attends des appels téléphoniques de New York. Je ne veux pas risquer de les manquer.

Lorsque Craig lui ouvrit la porte, Ted ne perdit pas de temps en préliminaires.

– Que se passe-t-il ?

– Quelque chose qui ne va pas vous faire plaisir.

Bartlett n'était pas installé devant la petite table ovale du coin repas qui lui servait de bureau, mais renversé dans un fauteuil, une main sur le téléphone comme s'il s'attendait à ce que l'appareil saute en l'air. Ted lui trouva l'air préoccupé.

– Alors ? demanda-t-il. Dix ans ? Quinze ans ?

– Pire. La remise de peine est rejetée. Un nouveau témoin oculaire s'est présenté.

Il s'expliqua en quelques mots.

– Comme vous le savez, nous avons mis des détectives privés sur la trace de Sally Ross. Nous voulions trouver un moyen de la discréditer. L'un des détectives était dans son immeuble avant-hier soir. On a surpris un type pendant qu'il essayait de cambrioler l'appartement à l'étage au-dessus de celui de Mme Ross. Il est allé négocier son affaire avec le procureur. Il s'était déjà rendu dans cet appartement. Le soir du 29 mars. *Il affirme vous avoir vu pousser Leila par-dessus la balustrade de la terrasse.*

Une pâleur mortelle couvrit le visage bronzé de Ted.

– La remise de peine rejetée, murmura-t-il d'une voix étouffée, si bas qu'Henry dut se pencher en avant pour saisir ses mots.

– Ils n'ont aucune raison de l'accepter, avec un tel

témoin. D'après mes enquêteurs, il ne fait aucun doute que rien ne lui bouchait la vue. L'eucalyptus sur la terrasse de Sally Ross se trouvait dans sa ligne de vision. À l'étage supérieur, l'arbre était en dehors du champ.

– Je me fiche de tous ceux qui ont pu voir Ted ce soir-là, explosa Craig. Il était complètement saoul. Il ne savait pas ce qu'il faisait. Je suis prêt à me parjurer. Je dirai que je parlais avec lui au téléphone à 21 h 30.

– Vous ne pouvez pas vous parjurer, le reprit sèchement Bartlett. Votre déposition selon laquelle vous avez entendu le téléphone sonner sans décrocher est déjà inscrite au procès-verbal. N'y pensez plus.

Ted enfonça ses poings serrés dans ses poches.

– Oubliez le téléphone. Qu'a vu exactement ce témoin, d'après ce qu'il raconte ?

– Jusqu'ici le procureur a refusé de répondre à mes appels téléphoniques. J'ai obtenu quelques renseignements sur place et, d'après ce qu'on m'a dit, ce type affirme que Leila se débattait pour sauver sa vie.

– Ce qui signifie que je peux obtenir le maximum ?

– Le juge qu'on nous a assigné est un imbécile. Il laissera filer un égorgeur sorti du ruisseau, mais il aime se montrer dur en face de gens importants. Et vous êtes quelqu'un d'important.

Le téléphone sonna. Bartlett porta l'écouteur à son oreille sans attendre. Ted et Craig le virent froncer les sourcils ; puis se mordre la lèvre supérieure. Ils l'écoutèrent crier ses instructions :

– Je veux le casier judiciaire de ce type. Je veux savoir quelle sorte de négociation il a passée. Je veux des photos de la terrasse de cette femme, un soir de pluie. Mettez-vous au travail là-dessus.

Lorsqu'il raccrocha, il étudia Ted et Craig. Le premier était effondré dans son fauteuil, le second s'était redressé.

– Nous allons plaider, dit-il. Ce nouveau témoin s'était déjà introduit dans l'appartement auparavant. Il a décrit l'intérieur de plusieurs penderies ; or il venait à peine de pénétrer dans l'entrée quand ils l'ont attrapé. Il dit qu'il vous a vu, Teddy. Leila luttait, s'agrippait à vous. Vous l'avez soulevée par-dessus la rambarde et

242

secouée jusqu'à ce qu'elle vous glisse des mains. Devant la cour, ça va faire un joli tableau !

– Je l'ai tenue… par-dessus… la rambarde… avant de… la lâcher… (Ted souleva un vase sur la table et le jeta à travers la pièce. Il alla s'écraser sur la cheminée de marbre et des éclats de cristal s'éparpillèrent sur la moquette.) Non ! Ce n'est pas possible !

Il pivota sur lui-même et courut comme un fou vers la porte. Il la claqua derrière lui avec une force qui ébranla la fenêtre.

Ils le regardèrent franchir en courant la pelouse et s'enfoncer derrière les arbres qui séparaient Cypress Point de Crocker Woodland.

– Il est coupable, dit Bartlett. Il n'existe aucun moyen de le sortir d'affaire maintenant. Donnez-moi un fieffé menteur et je peux me débrouiller avec lui. Si je fais venir Ted à la barre, il paraîtra arrogant aux yeux du jury. Si je ne le fais pas, c'est Elizabeth qui viendra raconter qu'elle l'a entendu crier après Leila, et deux témoins oculaires qui décriront comment il l'a tuée. Et je suis censé travailler avec ces éléments ? (Il ferma les yeux.) Qui plus est, il vient de nous faire la démonstration de la violence de son caractère.

– Il y avait une raison particulière à cet éclat, dit doucement Craig. À l'âge de huit ans, Ted a vu son père dans un accès d'ivresse tenir sa mère au-dessus de la terrasse de leur dernier étage. (Il s'arrêta pour reprendre sa respiration.) La différence est que son père a décidé de ne pas la laisser tomber.

4

À quatorze heures, Elizabeth téléphona à Syd et lui demanda de la retrouver à la piscine olympique. Lorsqu'elle y arriva, un cours mixte d'aérobic venait de commencer. « Tenez le ballon entre vos paumes… balancez-vous sur le côté… » La musique l'accompagnait.

Elle choisit l'une des tables les plus éloignées sur la terrasse. Dix minutes plus tard, un crissement derrière elle la fit sursauter. C'était Syd. Il avait coupé à travers les buissons et repoussé une chaise sur le côté pour la rejoindre. Il fit un signe de tête en direction de la piscine.

– Nous habitions une loge de concierge à Brooklyn quand j'étais gosse. C'est fou les muscles que ma mère a attrapés en balayant.

Malgré le ton joyeux, il semblait sur ses gardes. Sa chemise-polo et son short dévoilaient la force noueuse de ses bras et ses jambes musclées. C'est curieux, songea Elizabeth, je lui ai toujours trouvé l'air mou, peut-être à cause de son maintien. C'est une erreur.

Ce crissement. Avait-elle entendu quelqu'un déplacer une chaise, la veille au soir au moment de quitter la piscine ? Et lundi soir, elle avait cru voir une ombre bouger. Quelqu'un l'aurait-il épiée pendant qu'elle nageait ? La pensée lui traversa l'esprit, fugitive mais troublante.

– Pour un endroit où l'on vient se détendre à prix d'or, les résultats ne sont pas fameux, dit Syd.

Il s'assit en face d'elle.

– Tu parles pour moi, je suppose. Syd, tu as mis beaucoup d'argent dans *Merry-Go-Round*. C'est toi qui as apporté le script à Leila. Et tu as porté quelques changements dans le texte. Je dois parler à l'auteur, Clayton Anderson. Où puis-je le trouver ?

– Je n'en ai pas la moindre idée. Je ne l'ai jamais rencontré. Le contrat a été négocié par l'intermédiaire de son avocat.

– Donne-moi le nom de l'avocat.

– Non.

– Parce qu'il n'y a pas d'avocat, n'est-ce pas, Syd ? C'est Helmut qui a écrit cette pièce. Il te l'a remise, et tu l'as apportée à Leila. Helmut savait que Min aurait une attaque si jamais elle découvrait la vérité. Cette pièce a été écrite par un homme obsédé… par Leila. C'est pourquoi elle aurait dû marcher, à partir du moment où c'était elle qui la jouait.

Le visage de Syd s'empourpra.

– Tu dis n'importe quoi.

Elle lui tendit la lettre que Ted lui avait écrite.

– Vraiment ? Parle-moi de cette rencontre avec Ted le soir où Leila est morte. Pourquoi n'as-tu jamais rien dit ?

Syd parcourut le billet.

– Il a consigné ça sur papier ! Il est encore plus timbré que je ne le croyais.

Elizabeth se pencha en avant.

– D'après ce qu'il écrit, le baron a entendu Ted lutter avec Leila, et Ted t'a dit qu'elle était morte. Ne vous est-il pas venu à l'idée, à l'un ou à l'autre, d'aller voir ce qui s'était passé, s'il y avait une chance de la sauver ?

Syd repoussa brutalement sa chaise.

– Je t'ai écoutée trop longtemps.

– Ne crois pas ça. Syd, pourquoi te rendais-tu chez Leila ce soir-là ? Pourquoi le baron s'y rendait-il, lui aussi ? Elle n'attendait aucun de vous deux.

Syd se leva. La colère lui déformait les traits.

– Écoute, Elizabeth, ta sœur m'a anéanti quand elle a laissé tomber cette pièce. J'allais lui demander de réfléchir. Mais je n'ai pas mis le pied dans l'immeuble. Ted est passé en courant devant moi dans la rue. Je l'ai suivi. Il m'a dit qu'elle était morte. Qui resterait en vie après une telle chute ? Je n'ai pas voulu me mêler de cette histoire. Je n'ai pas vu le baron cette nuit-là. (Il lui rendit brusquement la lettre de Ted.) Es-tu satisfaite ? Ted va aller en prison. C'est ce que tu voulais, non ?

– Ne pars pas, Syd. Il me reste encore quelques questions à te poser. La lettre que Cheryl a dérobée – pourquoi l'as-tu détruite ? Elle aurait pu aider Ted. Je croyais justement que tu voulais l'aider.

Syd se rassit lourdement.

– Écoute, Elizabeth, passons un marché. Déchirer cette lettre fut une erreur de ma part. Cheryl jure qu'elle ne l'a pas écrite, ni celle-ci ni une autre du même genre. Je la crois.

Elizabeth attendit. Elle n'allait pas avouer que Scott croyait Cheryl, lui aussi.

– Tu as raison à propos du baron, poursuivit Syd. C'est

lui qui a écrit la pièce. Tu sais comment le traitait Leila. Il voulait prendre sa revanche, l'obliger à avoir une dette envers lui. Un autre type l'aurait fichue dans son lit. (Il resta un moment silencieux.) Elizabeth, si Cheryl n'arrive pas à temps à sa conférence de presse, demain, elle peut dire adieu à cette série télévisée. Le studio la laissera tomber en découvrant qu'on la retient ici. Tu as la confiance de Scott. Persuade-le de laisser partir Cheryl, et je vais te filer un tuyau à propos de ces lettres.

Elizabeth le fixa du regard. Syd sembla prendre son silence pour un assentiment. Tout en parlant, il tambourina des doigts sur la table.

– C'est le baron qui a écrit *Merry-Go-Round*. J'ai ses propres changements écrits de sa main sur les premiers scripts. Jouons au jeu des suppositions. Supposons que la pièce soit un succès. Le baron n'a plus besoin de Min. Il en a marre de Cypress Point. Il est devenu un auteur célèbre joué à Broadway et il passe son temps avec Leila. Comment Min pouvait-elle s'opposer à cette éventualité ? En détruisant Leila. Elle était la seule à savoir comment. Ted et Leila étaient ensemble depuis trois ans. Si Cheryl voulait prendre la place de Leila, pourquoi aurait-elle attendu si longtemps ?

Il n'attendit pas sa réponse. La chaise fit le même bruit de crissement qu'à son arrivée. Elizabeth le regarda partir. C'était possible. Sensé. Elle entendait encore Leila dire : « Mon Dieu, Moineau, Min en pince vraiment pour le Petit Soldat, hein ? Gare à celle qui l'approche de trop près. Min se mettrait sur le sentier de la guerre avec une hache. »

Ou avec de la colle et des ciseaux ?

Syd s'éloigna derrière la haie. Elle ne vit pas le sourire sinistre qui se dessinait sur ses lèvres tandis qu'il disparaissait.

Ça peut marcher, pensa Syd. Il s'était demandé comment jouer cette carte, mais elle lui avait facilité la tâche. Si elle tombait dans le panneau, Cheryl ne serait plus soupçonnée. Son sourire s'effaça. Peut-être.

Mais qu'en serait-il pour lui ?

246

5

Aveugle à ce qui l'entourait, Elizabeth resta sans bouger au bord de la piscine jusqu'à ce que la voix claire du professeur d'aérobic la tire de l'état de stupeur qui l'envahissait à mesure que son esprit analysait l'énormité de l'éventuelle trahison de Min. Elle se leva et suivit l'allée qui conduisait à la maison principale.

L'après-midi avait tenu les promesses de la matinée. Le soleil resplendissait ; l'air était immobile ; même les cyprès avaient un air alangui, malgré leurs formes biscornues. Pétunias, géraniums et azalées, arrosés à la fraîche au petit matin, luttaient contre la chaleur.

Elle trouva une réceptionniste temporaire à l'entrée, une femme d'une trentaine d'années au visage aimable. Le baron et la baronne s'étaient rendus à l'hôpital de Monterey pour proposer leur aide au mari de Mme Meehan. « Cette histoire les rend malades. » Leur inquiétude semblait avoir fait beaucoup d'effet sur la réceptionniste.

La mort de Leila aussi les avait rendus malades. Elizabeth se demanda quelle était la part de culpabilité dans le chagrin de Min. Elle gribouilla un mot pour Helmut et cacheta l'enveloppe.

– Voulez-vous remettre cette lettre au baron dès son retour ?

Elle jeta un coup d'œil dans la direction de la photocopieuse. Sammy l'utilisait au moment où, pour une raison quelconque, elle s'était dirigée vers le bâtiment des thermes. Supposons qu'elle ait véritablement été victime d'une attaque cérébrale, qu'elle ait laissé cette lettre dans la machine. Min était descendue tôt dans la matinée, le lendemain. Elle pouvait l'avoir trouvée et détruite.

Elizabeth regagna son bungalow. Elle était lasse. Elle ne saurait jamais qui avait envoyé ces lettres. Personne ne l'avouerait jamais. Pour quelle raison restait-elle encore ici ? C'était fini. Et qu'allait-elle faire du reste de sa vie ? Dans sa lettre, Ted lui souhaitait de tourner la page et d'être heureuse. Où ? Comment ?

Elle avait mal à la tête – une douleur lancinante. Elle avait une fois de plus laissé passer l'heure du déjeuner. Elle allait téléphoner pour demander des nouvelles d'Alvirah Meehan et commencerait ensuite à préparer ses valises. Une détresse accablante l'envahit à la pensée qu'il n'existait aucun endroit où elle désirât aller, aucun être humain qu'elle désirât voir. Elle sortit une valise de la penderie, l'ouvrit et s'immobilisa.

Elle avait conservé la broche d'Alvirah. Dans la poche du pantalon qu'elle portait en se rendant à la clinique. En la prenant, elle s'étonna de la trouver plus lourde qu'on ne l'aurait crue à première vue. Elle n'était pas experte en bijoux, mais ce n'était visiblement pas une pièce de valeur. Elle la retourna. Le système de fermeture était inhabituel. Il y avait une sorte de mécanisme sur la partie arrière. Elizabeth examina à nouveau attentivement le côté face du bijou. La petite ouverture au centre était un micro !

Sa découverte la laissa pantoise. Les questions apparemment innocentes, la façon dont Alvirah jouait constamment avec cette broche – elle dirigeait le micro pour saisir les voix des gens qui l'entouraient. La valise dans son bungalow avec ce magnétophone sophistiqué, les cassettes... Il fallait qu'elle s'en empare avant que quelqu'un d'autre ne le fasse.

Elle sonna Vicky.

Quinze minutes plus tard, elle était de retour dans son bungalow, les cassettes et le magnétophone d'Alvirah en sa possession. Vicky n'avait pas l'air rassuré.

– J'espère que personne ne nous a vues entrer, dit-elle à Elizabeth.

– Je vais tout donner au shérif Alshorne, la rassura Elizabeth. Je veux simplement être sûre qu'elles ne disparaîtront pas si le mari de Mme Meehan en parle à quelqu'un.

Elle reconnut qu'elle prendrait volontiers une tasse de thé et un sandwich. Quand Vicky revint avec le plateau, elle trouva Elizabeth le casque sur la tête, un carnet sur les genoux, un stylo à la main, en train d'écouter les enregistrements.

6

Une mort et un accident peut-être mortel aussi suspects l'un que l'autre, voilà ce que Scott avait à résoudre. Dora avait subi un choc avant de mourir. Combien de temps avant ? Alvirah Meehan portait une goutte de sang sur la joue, ce qui supposait qu'on lui avait fait une piqûre. Les efforts du baron lui avaient heureusement sauvé la vie. Ces éléments ne le menaient pas loin.

On n'avait pu joindre le mari de Mme Meehan que tard dans la soirée – à 1 heure du matin, heure de New York. Il avait loué un avion et était arrivé à l'hôpital à 7 heures du matin, heure locale. Tôt dans l'après-midi, Scott alla lui parler.

La vue d'Alvirah, pâle comme une morte, respirant à peine, branchée au goutte-à-goutte, semblait irréelle. Les gens comme Mme Meehan n'étaient pas censés être malades. Ils étaient trop solides, trop pleins de vie. L'homme à la forte carrure qui lui tournait le dos ne parut pas remarquer sa présence. Penché en avant, il parlait doucement à sa femme.

Scott lui toucha l'épaule.

– Monsieur Meehan, je suis Scott Alshorne, le shérif de Monterey. Je suis navré pour votre femme.

Willy Meehan désigna d'un mouvement de la tête le poste d'infirmerie.

– Je sais ce qu'ils pensent tous ici, mais je peux vous l'affirmer, elle va se remettre. Je lui ai dit que si elle me fait le coup de mourir, je prends tout le fric et je vais le dépenser avec une poule blonde. Elle me laissera jamais faire – hein, mon chou ?

Des larmes lui roulèrent sur les joues.

– Monsieur Meehan, pouvez-vous m'accorder quelques minutes ?

Elle entendait Willy lui parler, mais ne pouvait pas lui répondre. Alvirah ne s'était jamais sentie aussi faible. Elle ne pouvait même pas bouger la main, tant elle était fatiguée.

Et elle avait quelque chose à leur dire. Elle savait ce qui était arrivé maintenant. C'était clair. Elle devait se forcer à parler. Elle voulut remuer les lèvres, mais n'y parvint pas. Elle essaya d'agiter un doigt. La main de Willy recouvrait la sienne, et elle n'avait pas la force de lui faire comprendre qu'elle essayait de l'atteindre.

Si elle pouvait seulement bouger les lèvres, attirer son attention. Il parlait des voyages qu'ils avaient projeté de faire. Une pointe d'agacement la traversa. Tais-toi et écoute-moi, aurait-elle voulu lui crier… Oh, Willy, je t'en prie, écoute…

La conversation dans le couloir à l'extérieur du service de réanimation n'apporta aucun élément utile. Alvirah avait une santé de cheval. Elle n'était jamais malade, ne prenait aucun médicament. Scott ne se donna pas la peine de demander s'il y avait une possibilité qu'elle prît des stupéfiants. Il n'y en avait pas, et il ne voulait pas insulter le pauvre homme avec cette question.

– Elle se faisait une telle joie de ce séjour, dit Willy Meehan en posant la main sur la porte de la salle de réanimation. Elle écrivait même des articles pour le *Globe*. Vous auriez dû voir son excitation quand on lui a montré comment enregistrer les conversations…

– *Elle écrivait des articles !* s'exclama Scott. Elle enregistrait les conversations ?

Il fut interrompu. Une infirmière sortait précipitamment de la salle de réanimation.

– Monsieur Meehan, voulez-vous venir ? Elle essaye de dire quelque chose. Nous voudrions que vous lui parliez.

Scott se rua derrière lui. Alvirah faisait un effort pour remuer les lèvres.

– Vo… vo…

Willy lui saisit la main.

250

– Je suis là, ma chérie. Je suis là.

L'effort était trop grand. Elle était si fatiguée. Elle allait s'endormir. Si elle pouvait juste prononcer un seul mot pour les prévenir. Avec un effort presque surhumain, Alvirah parvint à dire ce mot, suffisamment haut pour qu'elle pût s'entendre articuler :

– Voix.

7

Insensible au temps, aux ombres qui s'allongeaient, Elizabeth écoutait les enregistrements d'Alvirah Meehan. Parfois, elle s'arrêtait et rembobinait une partie de la bande pour l'écouter à nouveau. Son carnet était couvert de notes.

Ces questions si indiscrètes à première vue prenaient brusquement toute leur signification. Elizabeth se souvint d'avoir regretté de ne pouvoir entendre ce qui se disait à la table de Min, le soir où elle-même dînait à celle de la comtesse. Elle le pouvait à présent. Une partie de la conversation était étouffée, mais elle en entendait suffisamment pour détecter la nervosité, les réponses évasives, les faux-fuyants.

Elle organisa ses notes avec méthode, réservant une page pour chaque personne présente à la table et terminant par les questions qui lui venaient à l'esprit. Au bout du troisième enregistrement, elle n'avait obtenu qu'un fouillis de phrases confuses.

Leila, j'aimerais tant que tu sois là. Avec ton cynisme, tu voyais souvent les gens tels qu'ils étaient. Tu perçais leur vrai visage. Quelque chose m'échappe, et je n'arrive pas à savoir quoi.

Il lui sembla entendre la réponse de Leila, comme si elle se trouvait dans la pièce. *Pour l'amour du ciel, Moineau, ouvre les yeux ! Cesse de voir les gens comme tu voudrais qu'ils soient. Commence par écouter. Réfléchis. Ne t'ai-je donc rien appris ?*

Elle s'apprêtait à introduire la dernière bande de la broche d'Alvirah dans le magnétophone quand le téléphone sonna. C'était Helmut.

– Tu as laissé un billet à mon intention ?

– Oui, en effet. Helmut, pourquoi te rendais-tu chez Leila le soir de sa mort ?

Elle l'entendit sursauter.

– Elizabeth, je préfère te parler de vive voix. Puis-je venir te retrouver ?

Elle cacha les appareils d'enregistrement et son carnet avant son arrivée. Il était hors de question qu'Helmut pût les voir.

Pour une fois, il avait perdu son maintien militaire. Il s'assit en face d'elle, les épaules voûtées, et d'une voix basse et précipitée, avec un accent allemand encore plus prononcé que de coutume, il lui rapporta ce qu'il avait dit à Min. Il était l'auteur de la pièce. Il était allé supplier Leila de revenir sur sa décision.

– Tu as pris l'argent sur le compte de Min en Suisse.

Il hocha la tête.

– Minna l'a deviné. Où veux-tu en venir ?

– Se pourrait-il qu'elle l'ait toujours su ? Qu'elle ait envoyé ces lettres dans le but de tourmenter Leila au point de l'empêcher de jouer ? Personne ne connaissait mieux que Min l'émotivité de Leila.

Les yeux du baron s'agrandirent.

– Ce serait digne d'elle ! Peut-être sait-elle depuis le début qu'il ne restait plus d'argent. Aurait-elle simplement voulu me punir ?

Elizabeth ne chercha pas à dissimuler son mépris.

– Je ne partage pas ton admiration pour ce procédé, si c'est vraiment Min qui l'a employé. (Elle prit un carnet vierge sur son bureau.) Tu as entendu Ted lutter avec Leila ?

– Oui.

– Où te trouvais-tu ? Comment étais-tu entré ? Depuis quand étais-tu là ? Qu'as-tu entendu très exactement ?

Écrire, s'appliquer à prendre mot à mot ce qu'Helmut disait facilitait sa tâche. Il avait entendu Leila supplier qu'on la laisse en vie, sans faire un geste pour essayer de la sauver.

Des gouttes de sueur luisait sur ses joues lisses quand il eut fini. Elle aurait aimé le chasser hors de sa vue, mais il lui restait une dernière chose à dire :

– Supposons qu'au lieu de t'enfuir, tu aies pénétré dans l'appartement. Leila serait peut-être en vie aujourd'hui. Si tu avais moins songé à ton propre sort, Ted n'en serait pas à plaider coupable pour obtenir une remise de peine.

– Je ne crois pas, Elizabeth. C'est arrivé en quelques secondes. (Les yeux du baron s'agrandirent.) Mais tu n'es pas au courant ? Il n'y a pas de remise de peine possible. On l'a annoncé aux informations de l'après-midi. Un second témoin a vu Ted tenir Leila par-dessus la rambarde de la terrasse avant de la laisser tomber. Le procureur demande la perpétuité pour Ted.

Leila n'était pas tombée en se débattant. Il l'avait maintenue par-dessus la rambarde et délibérément lâchée. Que la mort de Leila ait duré quelques secondes supplémentaires sembla encore plus cruel à Elizabeth. Je devrais être heureuse qu'on lui inflige la peine maximale, se dit-elle. Je devrais être heureuse d'avoir la possibilité de témoigner contre lui.

Elle désirait désespérément être seule, mais elle parvint à poser au baron une dernière question :

– As-tu vu Syd près de l'immeuble de Leila ce soir-là ?

L'étonnement qui se peignit sur son visage était-il sincère ?

– Non, je ne l'ai pas vu, répondit-il d'un ton ferme. Est-ce qu'il s'y trouvait ?

C'est fini, se dit Elizabeth. Elle chercha à joindre Scott Alshorne au téléphone. Le shérif s'était absenté pour une raison de service. Voulait-elle parler à quelqu'un d'autre ? Non. Elle laissa un message lui demandant de la rappeler. Elle lui remettrait l'enregistrement d'Alvirah Meehan et prendrait le prochain avion pour New York. Leur agacement devant les incessantes questions d'Alvirah n'avait rien d'étonnant. La plupart d'entre eux avaient quelque chose à cacher.

La broche. Elle s'apprêtait à la ranger dans un sac avec le magnétophone, quand elle se rendit compte qu'elle n'avait pas écouté la dernière bande. Il lui revint en mémoire qu'Alvirah portait la broche à la clinique... Elle sortit la bande de son minuscule boîtier. Si Alvirah avait si peur des injections de collagène, aurait-elle laissé l'enregistreur en marche pendant le traitement ?

Elle l'avait laissé. Elizabeth monta le son et plaça l'écouteur à son oreille. Alvirah s'entretenait avec l'infirmière dans la salle de soins. L'infirmière la rassurait, lui parlait de Valium ; le léger bruit de fermeture de la porte, la respiration d'Alvirah, le même bruit de porte à nouveau... La voix du baron, légèrement assourdie, peu distincte, qui rassurait Alvirah, commençait l'injection ; un claquement de porte, les halètements d'Alvirah, ses efforts pour appeler à l'aide, un bruit de porte encore une fois, la voix joyeuse de l'infirmière.

« Nous voilà, madame Meehan. Prête pour votre traitement de beauté ? » Et la même infirmière, complètement affolée, qui criait : « Madame Meehan, qu'avez-vous ? Docteur... »

Il y avait un silence, puis la voix d'Helmut qui hurlait des ordres : « Ouvrez sa robe de chambre ! », réclamait l'oxygène. Il y avait un bruit de battement – sans doute pendant qu'il lui massait la poitrine ; Helmut disait qu'il fallait faire une intraveineuse. J'étais présente à ce moment-là, pensa Elizabeth. Il essayait de la tuer. Le produit qu'il lui injectait devait la tuer. Les allusions permanentes d'Alvirah à cette phrase « un papillon sur un nuage ». Elle répétait sans cesse que ces mots lui rappelaient quelque chose, flattant ses talents d'écrivain – avait-il cru qu'elle jouait avec lui comme un chat avec une souris ? Avait-il espéré que Min n'apprendrait jamais la vérité sur la pièce, sur son compte bancaire en Suisse ?

Elle fit repasser plusieurs fois la dernière bande. Un détail la tracassait. Quoi ? Qu'est-ce qui lui échappait ?

Sans savoir ce qu'elle cherchait, elle relut les notes qu'elle avait prises pendant qu'Helmut décrivait la mort de Leila. Ses yeux restèrent rivés sur une phrase. Mais c'est faux, pensa-t-elle.

À moins que...

Elle reprit ses notes depuis le début.

Et trouva la clé.

Elle existait, depuis le début. Savait-il qu'elle approchait de la vérité ?

Oui.

Elle frissonna, se rappelant les questions qu'il lui avait posées. Elles paraissaient si innocentes, et ses propres réponses avaient dû lui sembler terriblement menaçantes.

Sa main se dirigea machinalement vers le téléphone. Elle allait appeler Scott. Puis elle retira ses doigts du cadran.

Pour lui dire quoi ? Elle ne possédait pas le début d'une preuve. Il n'y en aurait jamais.

À moins qu'elle ne lui force la main.

8

Pendant plus d'une heure, Scott resta assis au chevet d'Alvirah, espérant qu'elle dirait autre chose. Puis, touchant l'épaule de Willy Meehan, il dit :

– Je reviens tout de suite.

Il avait vu John Whitley dans le couloir et il le suivit dans son bureau.

– Avez-vous d'autres informations, John ?

– Non. (Le médecin semblait à la fois contrarié et perplexe.) Je n'aime pas rester dans l'incertitude. Son taux de sucre dans le sang était si bas qu'à moins d'hypoglycémie aiguë, il nous reste à soupçonner quelqu'un de lui avoir injecté de l'insuline. Elle porte une marque de piqûre à l'endroit où se trouvait la goutte de sang sur sa joue. Si von Schreiber persiste à affirmer qu'il ne lui a pas fait d'injection, c'est incompréhensible.

– Quelles sont ses chances ? demanda Scott.

John haussa les épaules.

– Je l'ignore. Il est trop tôt pour dire si elle a le cerveau atteint. Si le pouvoir de la volonté est capable de la ramener à la vie, son mari y parviendra. Il fait tout ce qu'il faut pour cela. Lui raconter qu'il a loué un avion pour venir ici, qu'ils installeront la maison à leur retour. Si elle peut l'entendre, elle voudra rester sur terre.

Le bureau de John donnait sur le jardin. Scott marcha jusqu'à la fenêtre, désireux de s'isoler, de réfléchir.

– Nous n'avons aucune *preuve* établissant que Mme Meehan est victime d'une tentative de meurtre. Nous ne pouvons pas prouver que Mlle Samuels a été victime d'un meurtre. Cela signifie que même si nous cherchons à imaginer qui pourrait vouloir la mort de ces deux femmes – et avoir le culot d'essayer de les tuer dans un endroit comme Cypress Point –, nous restons toujours incapables de fonder notre hypothèse.

– C'est plus votre boulot que le mien.

Scott avait une dernière question :

– Mme Meehan a essayé de parler. Elle n'a réussi à prononcer qu'un seul mot – *voix*. Est-il vraisemblable qu'une personne dans son état cherche à communiquer quelque chose qui ait un sens ?

Whitley haussa les épaules.

– Mon sentiment est que son coma est encore trop profond pour faire crédit à ses souvenirs. Mais je peux me tromper. Ce ne serait pas la première fois.

Scott s'entretint à nouveau avec Willy Meehan dans le couloir. Alvirah devait écrire une série d'articles. Le rédacteur en chef du *New York Globe* lui avait demandé de noter toutes les informations qu'elle pouvait obtenir sur des célébrités. Scott se rappela l'avalanche de questions qu'elle avait posées le soir où il dînait lui-même à Cypress Point.

Elle avait peut-être involontairement appris quelque chose. Ce qui donnait une raison de vouloir la supprimer – si on avait voulu la supprimer. Et expliquait la présence du magnétophone de luxe dans sa valise.

Il avait rendez-vous avec le maire de Carmel à 17 heures. Dans sa voiture radio, il apprit qu'Elizabeth lui avait téléphoné à deux reprises. Le second appel était urgent.

Un instinct le poussa à annuler pour la seconde fois son rendez-vous avec le maire et à se rendre directement à Cypress Point.

À travers la baie vitrée, il vit Elizabeth en train de téléphoner et attendit qu'elle raccrochât pour frapper. Dans
l'intervalle, il eut le temps de l'étudier. Les rayons
obliques du soleil qui pénétraient dans la pièce jetaient
des ombres sur son visage, soulignant ses pommettes
saillantes, sa belle bouche sensible, ses yeux lumineux.
Si j'étais sculpteur, pensa-t-il, j'aimerais la prendre pour
modèle. Elle possède une élégance qui dépasse la beauté
pure.

Elle aurait fini par faire de l'ombre à Leila.

Elizabeth rembobina les bandes à son intention. Elle
lui montra son carnet rempli de ses annotations.

– Faites-moi une faveur, Scott, lui demanda-t-elle.
Écoutez très attentivement ces enregistrements. Celui
de la broche en particulier – elle lui montra le micro
qu'elle avait retiré du bijou – devrait vous frapper.
Faites passer la bande et j'aimerais savoir si vous saisissez
ce que j'ai entendu.

Une détermination nouvelle était peinte sur son
visage, une lueur volontaire se lisait dans ses yeux.

– Elizabeth, qu'avez-vous l'intention de faire ?

– Une chose que je dois faire – la seule que je puisse
faire.

Il eut beau insister, elle refusa de lui en dire davantage. Il pensa brusquement à lui dire qu'Alvirah Meehan
était parvenue à articuler un mot.

– Est-ce que « voix » a une signification pour vous ?

Elle eut un sourire énigmatique.

– Et comment !

9

Ted était parti comme un fou de Cypress Point au
début de l'après-midi et n'était toujours pas rentré trois
heures après. Henry Bartlett avait hâte de regagner
New York.

– Ted nous a fait venir ici spécialement pour préparer son système de défense, dit-il. J'espère qu'il se rend compte que son procès commence dans cinq jours. S'il ne veut pas me voir, je ne vais pas rester à me tourner les pouces dans cet endroit.

Le téléphone sonna. Craig se précipita pour répondre.

– Elizabeth, quelle bonne surprise… C'est exact. J'espère que nous pouvons encore convaincre le procureur d'accepter une remise de peine, mais les chances sont faibles… Non, nous n'avions pas fait de projet, mais nous serions ravis de dîner avec toi…

Scott conduisit toutes vitres ouvertes pour rentrer chez lui, appréciant la fraîcheur de la brise qui soufflait de la mer. La douceur de l'air ne parvenait pas à chasser le sentiment d'appréhension qui s'était emparé de lui. Elizabeth avait une idée en tête, et son instinct lui disait qu'elle courait un danger.

Une brume légère tombait sur le rivage. Elle se transformerait bientôt en un épais brouillard. Il tourna au bout de la route et pénétra dans l'allée d'une agréable et modeste maison à peu de distance de l'océan. Depuis six ans maintenant, il rentrait chaque jour dans sa maison vide, et pas une seule fois sans éprouver la nostalgie de l'absence de Jeanie. Il avait toujours eu l'habitude de lui parler de son travail. Ce soir, il aurait examiné certaines hypothèses avec elle. Crois-tu possible qu'il y ait un rapport entre la mort de Dora Samuels et le coma d'Alvirah Meehan ? Une autre question lui jaillit à l'esprit. Crois-tu qu'il y ait un rapport entre ces deux femmes et la mort de Leila ?

Et pour finir : Jeanie, qu'est-ce qu'Elizabeth peut bien avoir en tête ?

Pour s'éclaircir les idées, Scott prit une douche, enfila un vieux pantalon et un chandail confortable. Il se prépara du café et mit un hamburger sur le grill. Quand il fut prêt à dîner, il mit en marche le premier enregistrement d'Alvirah.

Il commença à écouter à 16 h 45. À 18 heures, son carnet, comme celui d'Elizabeth, était noirci de notes.

À 18 h 45, il passa la bande enregistrée pendant l'agression d'Alvirah. «Ce salaud de von Schreiber!» dit-il entre ses dents. Il lui a injecté quelque chose. Mais quoi? Supposons qu'il ait commencé avec le collagène et qu'il se soit aperçu qu'elle avait une sorte d'attaque? Il est revenu presque tout de suite avec l'infirmière.

Scott repassa la bande une seconde fois, puis une troisième fois et finit par comprendre ce qu'Elizabeth voulait lui faire entendre. On décelait un ton bizarre dans la voix du baron quand il s'adressait à Mme Meehan la première fois. Elle était rauque, gutturale, très différente de celle qu'il avait un moment plus tard, quand il criait des ordres à l'infirmière.

Il téléphona à l'hôpital et demanda à parler au Dr Whitley. Il avait une question à lui poser.

– Une injection peut-elle faire saigner lorsqu'elle est pratiquée par un médecin?

– J'ai vu des chirurgiens de tout premier ordre rater une simple piqûre. Et si un médecin a pratiqué cette injection avec l'intention de nuire à Mme Meehan, accordonslui qu'il a pu se sentir nerveux.

– Merci, John.

Il faisait réchauffer le café quand on sonna à sa porte. Il alla ouvrir rapidement et se retrouva face à Ted Winters.

Ses vêtements étaient froissés, son visage maculé de boue, ses cheveux embroussaillés; des éraflures récentes marquaient ses bras et ses jambes. Il vacilla et serait tombé si Scott ne s'était précipité pour le retenir.

– Scott, il faut m'aider. Quelqu'un doit m'aider. C'est un piège. J'en ai la certitude. Scott, j'ai essayé pendant des heures et je n'y suis pas arrivé. Je n'ai pu me forcer à le faire.

– Calmez-vous. (Scott passa son bras autour de Ted et le conduisit jusqu'au canapé.) Vous êtes sur le point de tomber dans les pommes. (Il versa une bonne rasade de cognac dans un gobelet.) Allez, buvez ça.

Après quelques gorgées, Ted passa sa main sur son visage, comme pour effacer les traces de terreur qui s'y étaient inscrites. Il voulut ébaucher un timide sourire et s'affaissa d'épuisement. Il avait l'air jeune, vulnérable, bien différent de l'homme d'affaires élégant qui dirigeait un empire de plusieurs millions de dollars. Vingt-cinq ans s'évanouirent, et Scott eut l'impression de voir le petit garçon de neuf ans qui l'accompagnait à la pêche.

– Avez-vous mangé aujourd'hui ?

– Pas que je me souvienne.

– Alors buvez lentement votre cognac pendant que je vous prépare un sandwich et du café.

Il attendit que Ted eût fini son sandwich avant de parler.

– Bon, et si vous me racontiez tout maintenant.

– Scott, j'ignore ce qui se passe, mais je sais ceci : Je n'ai pas pu tuer Leila de la façon dont on le dit. Ils peuvent sortir tous les témoins de la terre, il y a une chose qui ne colle pas. (Il se pencha en avant. Ses yeux imploraient, à présent.) Scott, dit-il, vous vous souvenez à quel point maman avait peur du vide ?

– Elle avait de bonnes raisons. Votre fumier de père…

Ted l'interrompit.

– Il me méprisait parce que j'avais hérité de la même phobie. Un jour, j'avais environ huit ans, il l'a forcée à monter sur la terrasse au dernier étage et à regarder en bas. Elle s'est mise à pleurer. Elle a dit : « Viens, Teddy », et a voulu m'entraîner vers l'intérieur. Il l'a empoignée, soulevée, et cette brute l'a tenue dans le vide par-dessus la rambarde de la terrasse. Au trente-septième étage. Elle hurlait, suppliait. Je m'accrochais à lui. Il a attendu qu'elle s'évanouisse pour la reposer à terre. Et il m'a dit : « Si je te vois encore une fois avoir peur, je te fais la même chose. »

Ted avala sa salive. Sa voix se brisa.

– Le nouveau témoin raconte qu'il m'a vu faire la même chose avec Leila. Aujourd'hui, j'ai voulu me forcer à marcher jusqu'au bord de la falaise à Point Sur. *Je n'y suis pas arrivé !* Je n'ai pas pu m'en approcher.

– Les gens commettent les actes les plus insensés sous le coup d'une émotion trop forte.

– Non. Non. Si j'avais tué Leila, je m'y serais pris autrement. Je le sais. Ivre ou sobre, je n'aurais jamais pu la maintenir par-dessus la rambarde… J'ai soi-disant raconté à Syd que *mon père* avait poussé Leila par-dessus la terrasse ; il est possible qu'il ait entendu parler de cette histoire. Peut-être me mentent-ils tous. Scott, il faut que je me rappelle ce qui est arrivé ce soir-là.

Scott examina Ted avec sympathie, notant la lassitude qui émanait de tout son corps. Il avait marché durant tout l'après-midi, avait voulu se forcer à rester debout au bord d'une falaise, luttant contre les forces qui l'habitaient pour découvrir la vérité.

– En avez-vous parlé lors de l'interrogatoire, lorsqu'ils ont commencé à vous poser des questions sur la mort de Leila ?

– Cela aurait semblé ridicule. Je construis des hôtels où nous incitons les gens à vouloir des balcons. J'ai toujours évité de m'y aventurer sans que personne s'en aperçoive.

L'obscurité s'installait. Des gouttes de transpiration perlaient comme des larmes sur les joues de Ted. Scott alluma une lampe et la pièce s'anima avec ses meubles confortablement rembourrés, les coussins brodés par Jeanie, le rocking-chair à haut dossier et la bibliothèque en pin. Plongé dans un monde où il était piégé par le témoignage de son entourage, sur le point de passer les vingt ou trente prochaines années de son existence en prison, Ted sembla ne rien remarquer. Il a raison, décida Scott. Sa seule issue est de revivre cette nuit.

– Préférez-vous l'hypnose ou le penthotal ? demanda-t-il.

– L'un ou l'autre… les deux… ça m'est égal.

Scott se dirigea vers le téléphone et appela à nouveau John Whitley à l'hôpital.

– Vous ne rentrez donc jamais chez vous ? demanda-t-il.

– Si, de temps à autre. En fait, je m'apprêtais à partir.

– Je crains que non, John. Nous avons une autre urgence…

10

Craig et Bartlett se dirigèrent ensemble vers la résidence principale. Ils avaient volontairement laissé passer l'heure du cocktail et virent les derniers invités quitter la véranda aux premiers coups du carillon qui annonçait le dîner. Une brise fraîche montait de l'Océan, et les voiles de lichen accrochés aux grands pins qui bordaient le nord de la propriété se balançaient dans un mouvement lent et solennel qu'accentuaient les lumières colorées dans le parc.

– Je n'aime pas ça, dit Bartlett à Craig. Elizabeth Lange a une idée bizarre derrière la tête en nous priant de dîner avec elle. Je peux vous dire que le procureur apprécierait peu d'apprendre que son témoin vedette partage le pain avec l'adversaire.

– Un ancien témoin vedette, lui rappela Craig.

– Détrompez-vous. Cette pauvre Sally Ross est une cinglée totale. L'autre n'est qu'un voleur de deuxième zone. Je n'aurais aucun mal à leur faire subir un contre-interrogatoire à la barre.

Craig s'arrêta et lui saisit le bras.

– Vous voulez dire que Ted peut encore avoir une chance ?

– Pas l'ombre d'une. Il est coupable. Et il n'est même pas capable de mentir dans l'intérêt de sa propre défense.

Il y avait un panneau dans l'entrée. On donnait un récital de flûte et harpe, ce soir. Bartlett lut le nom des interprètes.

– Des artistes de tout premier plan. Je les ai entendus à Carnegie Hall l'année dernière. Y êtes-vous déjà allé ?

– Quelquefois.

– Quelle musique aimez-vous ?

– Les fugues de Bach. Je suppose que ça vous surprend.

– Franchement, je ne me suis jamais penché sur cette question, repartit Bartlett.

Seigneur, pensa-t-il, je serais heureux de voir cette

affaire terminée. Un client coupable de meurtre qui ne sait pas mentir et son bras droit qui n'a jamais digéré son complexe d'infériorité.

Min, le baron, Syd, Cheryl et Elizabeth étaient déjà à table. Seule Elizabeth paraissait parfaitement à l'aise. Plus que Min, elle semblait remplir le rôle d'hôtesse. Les places à côté d'elle étaient libres. Quand elle vit Barlett et Craig s'approcher, elle leur tendit les mains dans un geste de bienvenue.

– J'ai gardé ces sièges pour vous.

Qu'est-ce qu'elle mijote ? se demanda amèrement Bartlett.

Elizabeth regarda le maître d'hôtel remplir leurs verres de boisson non alcoolisée. Elle dit :

– Min, je préfère te dire qu'à peine rentrée chez moi, je boirai avec un plaisir non dissimulé un bon alcool bien raide.

– Tu devrais faire comme tout le monde, lui dit Syd. Tu n'as pas de valise cadenassée ?

– Elle contient des choses autrement plus importantes que de l'alcool, répondit-elle.

Pendant tout le dîner elle mena la conversation, leur rappelant l'époque où ils se trouvaient tous réunis à Cypress Point.

Au dessert, ce fut Bartlett qui la provoqua.

– Mademoiselle Lange, j'ai la nette impression que vous pratiquez une sorte de jeu, et pour ma part je n'aime pas participer aux jeux sans en connaître les règles.

Elizabeth était en train de porter une cuillerée de fraises à ses lèvres. Elle les avala, puis reposa la cuillère.

– Vous avez parfaitement raison, lui dit-elle. J'ai voulu me trouver avec vous tous ce soir pour une raison bien précise. Il faut que vous sachiez que je ne crois plus Ted responsable de la mort de ma sœur.

Ils la dévisagèrent, muets de saisissement.

– Mettons cartes sur table, continua-t-elle. Quelqu'un a délibérément détruit Leila en lui envoyant des lettres anonymes. Je crois que c'était toi... ou toi.

Elle désigna d'abord Cheryl, puis Min.

– Tu te trompes, s'écria Min d'un ton indigné.

– Je t'ai dit de trouver d'autres lettres et d'en découvrir l'auteur.

Cheryl lui cracha presque les mots à la figure.

– C'est bien ce que je viens de faire, lui répliqua Elizabeth. Monsieur Bartlett, Ted vous a-t-il dit que Syd et le baron rôdaient près de l'immeuble de ma sœur le soir où elle est morte ? (Elle sembla s'amuser devant son expression étonnée.) Il y a autour de la mort de ma sœur certains éléments que l'on vous a cachés. L'un, peut-être deux d'entre vous les connaissent. Vous savez, il existe un autre scénario possible. Syd et Helmut avaient mis de l'argent dans cette pièce. Syd savait qu'Helmut en était l'auteur. Ils se sont tous les deux rendus chez Leila pour la supplier de revenir sur sa décision. Quelque chose a mal tourné et Leila est morte. On aurait pu prendre sa mort pour un accident sans l'existence de cette femme qui jure avoir vu Ted en train de lutter avec Leila. À ce point, j'ai mis Ted dans une situation sans issue en témoignant qu'il était remonté chez Leila.

Le maître d'hôtel se penchait sur eux. Min lui fit signe de s'éloigner. Bartlett se rendit compte que les gens aux tables voisines les observaient, sensibles à l'atmosphère tendue de la discussion.

– Ted ne se rappelle pas être revenu chez Leila, poursuivit Elizabeth, et supposons qu'il n'y soit pas revenu ; supposons que ce soit l'un de vous deux qui se soit disputé avec Leila. Vous avez à peu près la même taille. Il pleuvait. Sally Ross a peut-être vu Leila se débattre, et cru que c'était Ted. Après vous être mis d'accord pour laisser accuser Ted de la mort de Leila, vous avez concocté cette histoire à son intention. C'est possible, non ?

– Minna, cette fille est complètement cinglée, s'écria le baron. Tu dois savoir…

– Je nie formellement être entré dans l'appartement de Leila, ce soir-là, dit Syd.

– Tu admets que tu as couru après Ted. Mais d'où venais-tu ? De chez elle ? Parce qu'il t'avait vu pousser Leila ? Et tu aurais eu la chance qu'il ait été traumatisé au point de perdre la mémoire.

– Le baron affirme qu'il a entendu Leila et Ted se

disputer. Mais je les ai entendus moi aussi. J'étais au téléphone. *Et je n'ai pas entendu ce qu'il dit avoir entendu!*

Elizabeth posa ses coudes sur la table et les fixa l'un après l'autre d'un regard pénétrant.

– Je vous suis très reconnaissant pour cette information, lui dit Henry Bartlett. Mais vous semblez oublier qu'il y a un autre témoin.

– Un nouveau témoin bien commode, dit Elizabeth. J'ai parlé au procureur cet après-midi. Il s'avère que ce témoin n'est pas très crédible. Le soir où il dit avoir vu Ted lâcher Leila du haut de la terrasse, il se trouvait en prison. (Elle se leva.) Craig, veux-tu me raccompagner jusqu'à mon bungalow ? Je vais boucler mes valises, et j'aimerais faire un plongeon dans la piscine. Je ne reviendrais peut-être plus ici avant longtemps… si j'y reviens un jour.

Il faisait nuit noire dehors. La lune et les étoiles étaient encore cachées par le brouillard ; les lanternes japonaises au milieu des arbres et des buissons formaient de vagues points de lumière. Craig posa son bras sur ses épaules.

– C'était un beau numéro, lui dit-il.

– Rien de plus qu'un numéro. Je n'ai pas le début d'une preuve. S'ils sont de mèche, personne ne peut le démontrer.

– As-tu trouvé d'autres lettres ?

– Non. C'était du bluff.

– Tu as frappé un grand coup avec le nouveau témoin.

– Je bluffais aussi. Il était en prison ce soir-là, mais il a été remis en liberté à 20 heures. Leila est morte à 21 h 31. Ils ne peuvent rien faire de plus que de mettre en doute sa crédibilité.

Elle s'appuya contre lui au moment où ils atteignaient son bungalow.

– Oh, Craig, toute cette histoire est tellement insensée. J'ai l'impression de m'acharner à creuser pour trouver le fil de la vérité comme les vieux chercheurs d'or à la recherche d'un filon… Le seul ennui est qu'il me reste si peu de temps que j'ai dû ouvrir le feu. Mais peut-être suis-je parvenue à semer suffisamment l'inquiétude pour qu'il – ou elle – fasse un faux pas.

Il lui caressa les cheveux.

– Tu repars demain ?

– Oui. Et toi ?

– Ted n'a pas réapparu. Il a dû aller se cuiter. Je ne l'en blâme pas. Bien que cela ne lui ressemble pas... Nous l'attendrons. Mais lorsque tout sera fini, quand tu le voudras, promets-moi de me téléphoner.

– Pour entendre ton imitation du valet de chambre japonais sur le répondeur ? C'est vrai, j'ai oublié. Tu as dit que tu l'avais changé. Pourquoi, Craig ? J'ai toujours trouvé ça tellement drôle. Leila aussi.

Il parut embarrassé. Elle ne lui laissa pas le temps de répondre.

– Cet endroit était si gai autrefois, murmura Elizabeth. Te souviens-tu de la première fois où Leila t'a invité, avant l'arrivée de Ted ?

– Bien sûr, je m'en souviens.

– Comment avais-tu rencontré Leila ? je l'ai oublié.

– Elle séjournait au Beverly Hills Winters. J'ai fait envoyer des fleurs dans sa suite. Elle m'a téléphoné pour me remercier et nous avons pris un verre. Elle s'apprêtait à venir ici et m'a invité...

– Puis elle a rencontré Ted... (Elizabeth l'embrassa sur la joue.) Prie pour que réussisse ma tentative de ce soir. Si Ted est innocent, je veux autant que toi le voir libre.

– Je sais. Tu es amoureuse de lui, n'est-ce pas ?

– Depuis le premier jour où tu nous l'as présenté à Leila et à moi.

Une fois dans sa chambre, Elizabeth passa son costume de bain et son peignoir. Assise à son bureau, elle écrivit une longue lettre adressée à Scott Alshorne. Puis elle sonna la femme de chambre. C'était une nouvelle, qu'elle n'avait encore jamais vue, mais il fallait courir le risque. Elle glissa la lettre adressée à Scott dans une seconde enveloppe en même temps qu'un bref billet.

– Vous la remettrez à Vicky demain matin, ordonnat-elle à la jeune fille. À personne d'autre. C'est entendu ?

– Bien sûr.

La femme de chambre prit un air un peu froissé.

– Merci.

Elizabeth la regarda partir et se demanda quelle serait sa réaction si elle pouvait lire la note adressée à Vicky : *Au cas où je mourrais, remettre ceci au shérif Alshorne immédiatement.*

À 20 heures, Ted pénétra dans une pièce retirée de l'hôpital de Monterey. Le Dr Whitley lui présenta un psychiatre qui attendait pour lui faire une injection. Une caméra vidéo était déjà installée. Scott et un shérif adjoint devaient servir de témoins aux révélations faites sous l'effet du penthotal.

– Je persiste à penser que vous auriez dû demander à votre avocat d'être présent, lui dit Scott.

Ted avait l'air sombre.

– Bartlett a été le premier à me conseiller de ne pas me soumettre à ce test. Je n'ai pas l'intention de perdre plus de temps à en discuter. Laissons la vérité éclater.

Il ôta ses chaussures et s'allongea sur le lit de relaxation.

Quelques minutes après, l'injection commença à faire son effet, et il put répondre aux questions concernant la dernière heure qu'il avait passée auprès de Leila.

– Elle m'accusait de la tromper. Elle avait conservé des photos de moi avec d'autres femmes. Des photos de groupe. Je lui ai dit que cela faisait partie de mon travail. Les hôtels. Je ne me trouvais jamais seul avec aucune femme. J'ai essayé de la raisonner. Elle avait passé la journée à boire. J'ai bu avec elle. Jusqu'à en être malade. Je l'ai prévenue qu'elle devait me faire confiance ; j'étais incapable d'affronter ce genre de scènes toute ma vie. Elle m'a dit que je voulais rompre avec elle, qu'elle le savait. Leila. Leila. Elle est devenue folle. J'ai essayé de la calmer. Elle m'a griffé les mains. Le téléphone a sonné. C'était Elizabeth. Leila n'arrêtait pas de hurler. Je suis sorti. Je me suis rendu dans mon appartement au troisième étage. Je me suis regardé dans la glace. J'avais du sang sur la joue. Sur les mains. J'ai essayé de téléphoner à Craig. Je savais que je ne pouvais plus continuer à vivre comme ça. Je savais que c'était fini. Mais j'ai pensé que Leila était capable de se faire du mal. Qu'il valait mieux rester avec elle jusqu'à ce que je puisse joindre Elizabeth. Mon Dieu, je suis tellement saoul ! L'ascenseur. L'étage de Leila. La porte ouverte. Leila qui crie.

Scott se pencha en avant, l'observant avec attention.

– Que criait-elle, Ted ?

– *Non. Non.*

Ted tremblait, secouait la tête, l'air hagard et incrédule.

– Ted, qu'avez-vous vu ? Qu'est-il arrivé ?

– Poussé la porte. Il fait noir dans la pièce. La terrasse. Leila. La retenir. La retenir. L'aider. Seigneur, retiens-la ! Ne la laisse pas tomber ! *Ne laisse pas maman tomber !*

Ted éclata en longs sanglots rauques qui résonnèrent dans la pièce. Son corps se tordit convulsivement.

– Ted, qui lui a fait ça ?

– Des mains. Je ne vois que des mains. *C'est mon père.* (Il se mit à parler d'une voix hachée.) La mort de Leila. Papa l'a poussée. Papa l'a tuée.

Le psychiatre lança un coup d'œil à Scott.

– Vous n'en tirerez rien de plus. Ou bien c'est tout ce qu'il sait, ou bien il ne peut encore affronter l'entière vérité.

– C'est ce que je crains, murmura Scott. Dans combien de temps reprendra-t-il ses esprits ?

– Très vite. Il vaut mieux qu'il se repose un moment.

John Whitley se redressa.

– Je vais jeter un coup d'œil sur Mme Meehan. Je reviens.

– J'aimerais vous accompagner. (Le cameraman rangeait ses appareils.) Déposez l'enregistrement dans mon bureau, lui indiqua Scott. (Il se tourna vers son adjoint.) Restez ici. Ne laissez pas M. Winters partir.

L'infirmière en chef du service de réanimation avait l'air excité.

– Nous étions sur le point de vous faire chercher, docteur. Mme Meehan semble sortir du coma.

– Elle a répété « voix ». (Le visage de Willy Meehan était brillant d'espoir.) Assez clairement. J'ignore ce qu'elle entend par là, mais elle savait ce qu'elle voulait dire.

– Cela signifie-t-il qu'elle est hors de danger ? demanda Scott.

John Whitley étudia la courbe de température et prit le pouls d'Alvirah. Il répondit à voix basse afin que Willy Meehan ne pût l'entendre.

– Pas nécessairement. Mais c'est bon signe. Faites une prière pour elle, si vous en connaissez.

Les lèvres d'Alvirah eurent un frémissement. Elle regardait droit devant elle, et ses yeux s'arrêtèrent sur Scott. Une expression d'urgence se peignit sur son visage.

– Voix, murmura-t-elle. Pas celle...

Scott se pencha sur elle.

– Madame Meehan, je ne comprends pas.

Alvirah avait la même impression que les jours où elle faisait le ménage chez la vieille Mme Smythe. Mme Smythe lui demandait toujours de repousser le piano pour ôter la poussière derrière. Parler lui demandait le même effort que pousser le piano, mais c'était beaucoup plus important. Elle voulait leur dire qui lui avait fait mal, mais elle avait oublié son nom. Elle le voyait clairement, mais elle n'arrivait pas à se souvenir de son nom. Elle essaya désespérément de communiquer avec le shérif.

– Pas le docteur qui me l'a fait... pas sa voix... un autre...

Elle ferma les yeux et sentit qu'elle sombrait dans le sommeil.

– Elle va mieux, exulta Willy Meehan. Elle essaye de vous dire quelque chose.

– *Pas le docteur... pas sa voix...* Que diable veut-elle dire ? se demanda Scott.

Il se précipita dans la pièce où attendait Ted. Les doigts joints, Ted se tenait maintenant assis sur le petit fauteuil en plastique.

– J'ai ouvert la porte, dit-il d'une voix sans timbre. Des mains maintenaient Leila par-dessus la rambarde. J'ai à peine pu voir le satin blanc qui flottait ; ses bras qui battaient l'air...

– Vous n'avez pas vu qui la tenait ?

– Ce fut si rapide. Je crois que j'ai essayé d'appeler,

et ensuite elle a disparu, puis il n'est resté personne. Celui qui la tenait a dû courir le long de la terrasse.

– Avez-vous une idée de sa taille ?

– Non, j'avais l'impression de regarder mon père quand il a fait la même chose à ma mère. J'ai cru voir le visage de mon père. (Il leva les yeux vers Scott.) Tout ça ne nous sert pas plus à l'un qu'à l'autre, n'est-ce pas ?

– Effectivement, fit Scott sans ménagement. Donnez-moi une association libre. « Voix ». Dites la première chose qui vous vient à l'esprit.

– Identification.

– Continuez.

– Unique. Personnelle.

– Continuez.

Ted haussa les épaules.

– Mme Meehan. Elle revenait sans cesse sur le sujet. Elle avait l'intention de suivre des cours de diction et tenait des discussions sans fin sur les accents et sur les voix.

Scott repensa au chuchotement décousu d'Alvirah. *Pas le docteur… pas sa voix…* Il se remémora les conversations qu'elle avait enregistrées pendant les dîners. Identification. Unique. Personnelle.

La voix du baron sur le dernier enregistrement. Il retint sa respiration.

– Ted, vous souvenez-vous si Mme Meehan a dit autre chose à propos des voix ? Sur le fait que Craig imitait la vôtre ?

Ted fronça les sourcils.

– Elle m'a interrogé sur une histoire qu'elle avait lue il y a des années dans *People* – on y racontait que Craig s'amusait à répondre au téléphone à ma place dans le campus et que les filles ne voyaient pas la différence entre nos voix. Je lui ai dit que c'était vrai. À l'université, Craig nous faisait mourir de rire avec ses imitations.

– Et elle a essayé de lui demander une démonstration, mais il a refusé. (Scott vit l'expression de surprise de Ted et secoua la tête avec impatience.) Qu'importe comment je le sais. C'est ce qu'Elizabeth voulait que je comprenne en me donnant ces enregistrements à écouter.

– Je ne vois pas de quoi vous parlez.

– Mme Meehan n'a cessé de harceler Craig pour qu'il imite votre voix. Ne comprenez-vous pas ? Il ne voulait plus qu'on se souvienne de ses talents d'imitateur. *Le témoignage d'Elizabeth contre vous est uniquement basé sur le fait qu'elle a entendu votre voix.* Elizabeth le soupçonne, mais si elle dévoile son jeu, il s'en prendra à elle.

Un brusque sentiment d'urgence lui fit saisir le bras de Ted.

– Venez ! cria-t-il. Il faut que nous rentrions à Cypress Point.

En sortant, il hurla des instructions à son adjoint :

– Téléphonez à Elizabeth Lange à l'institut. Dites-lui de rester dans sa chambre en fermant la porte à clé. Envoyez une autre voiture là-bas.

Il traversa le hall d'entrée au pas de course, suivi de Ted. Dans sa voiture, Scott actionna la sirène. *Il est trop tard pour toi,* pensa-t-il tandis que l'image du meurtrier se dessinait avec netteté dans son esprit. *Tuer Elizabeth ne te servira à rien…*

La voiture filait sur l'autoroute entre Salinas et Pebble Beach. Scott transmit ses instructions par radio. En l'écoutant, Ted sentit l'impact des mots pénétrer son subconscient ; les mains qui avaient maintenu Leila par-dessus la terrasse devenaient des bras, une épaule, aussi familiers que les siens. Réalisant soudain le danger que courait Elizabeth, il écrasa malgré lui son pied sur le plancher, cherchant en vain l'accélérateur.

Jouait-elle avec lui ? Bien sûr. Mais comme les autres, elle l'avait sous-estimé. Et comme les autres, elle allait le payer.

Avec un calme méthodique, il ôta ses vêtements et ouvrit sa valise. Le masque était rangé au-dessus de la combinaison de plongée et de la bouteille. Il se souvint avec amusement que Sammy avait vu ses yeux à travers le masque, au dernier moment, et qu'elle l'avait reconnu. Lorsqu'il l'avait appelée en prenant la voix de Ted, elle avait couru vers lui. Tous les témoignages n'étaient pas parvenus à lui faire douter de Ted. Et la preuve accablante qu'il avait si soigneusement produite au dernier moment, ce nouveau témoignage qu'il avait manigancé, n'avait pas convaincu Elizabeth.

La combinaison était encombrante. Il s'en débarrasserait une fois l'opération terminée. Mieux valait supprimer tout élément susceptible de rappeler qu'il était un plongeur expérimenté, au cas où quelqu'un s'interrogerait sur la mort d'Elizabeth. Ted, bien sûr, devait s'en souvenir. Mais pendant tous ces derniers mois, le talent exceptionnel de Craig pour imiter sa voix ne lui avait pas traversé l'esprit. Ted – si stupide, si naïf. « J'ai essayé de te téléphoner ; je m'en souviens parfaitement. » Et Ted était devenu un alibi de premier ordre. Jusqu'à ce que cette fouinarde d'Alvirah Meehan se mette à le harceler. « Faites-moi entendre la façon dont vous imitez la voix de M. Winters. Juste une fois. Je vous en prie. Dites n'importe quoi. » Il l'aurait volontiers étranglée, mais il avait dû patienter jusqu'à hier, quand il l'avait précédée dans la salle de soins C, dissimulé dans la penderie, une seringue hypodermique à la main. Elle n'avait malheureusement pas su qu'elle faisait les frais de son talent d'imitateur, croyant entendre le baron.

La combinaison enfilée, il fixa la bouteille sur son dos, éteignit les lumières et attendit. Il frémissait encore à la pensée que, la veille, il avait été à deux doigts d'ouvrir la porte et de se trouver nez à nez avec Ted. Ted avait eu envie de venir se confier à lui. « Je commence à croire que tu es mon seul véritable ami », avait-il dit.

Il entrouvrit légèrement la porte et écouta. Il n'y avait personne en vue, aucun bruit de pas. Le brouillard s'épaississait, il lui serait facile de se glisser derrière les arbres pour atteindre la piscine. Il devait s'y trouver avant elle, attendre et, au moment où elle passerait devant lui en nageant, s'emparer de son sifflet sans lui laisser le temps de le porter à ses lèvres.

Il sortit, longea l'allée sans faire de bruit, évitant les halos de lumière autour des lampes. Si seulement il avait pu en finir lundi soir… mais Ted était venu rôder près de la piscine pour regarder Elizabeth.

Ted se trouvait toujours sur son chemin. C'était lui qui possédait l'argent et l'élégance, lui autour de qui tournaient les filles. Il s'était résolu à l'accepter, à se rendre utile à

Ted, d'abord à l'université, puis au bureau ; le lampiste, l'assistant dévoué. Il avait gravi les échelons les uns après les autres, jusqu'à ce que l'accident de l'avion de la compagnie l'ait d'un seul coup rendu indispensable à Ted. Plus tard, lorsque Ted avait perdu Kathy et Teddy, il s'était montré capable de prendre les commandes du groupe...

Jusqu'à l'arrivée de Leila.

Il cambra les reins à son souvenir. Au souvenir des nuits passées à faire l'amour avec elle. Jusqu'au jour où il l'avait amenée ici, lui faisant rencontrer Ted. Elle l'avait laissé tomber comme une vieille chaussette.

Il avait regardé ces bras minces se refermer autour du cou de Ted, ce corps impudique se presser contre Ted ; il s'était en vain éloigné, incapable de supporter leur vue, ruminant une vengeance, attendant le moment propice.

Et l'occasion s'était présentée avec la pièce. Il lui avait fallu prouver qu'investir dans la pièce était une erreur. Il était déjà clair que Ted lui laissait de moins en moins d'initiative. Et c'était sa chance de détruire Leila. Le plaisir exquis d'envoyer ces lettres, de la regarder perdre pied. Elle était allée jusqu'à les lui montrer, lorsqu'elle les recevait. Il lui avait conseillé de les brûler, de les cacher à Ted et à Elizabeth. « Ted supporte de moins en moins ta jalousie, et si tu confies tes craintes à Elizabeth, elle laissera tomber la pièce pour rester avec toi. Ce qui ruinerait sa carrière. »

Reconnaissante, Leila s'était rangée à ses arguments. « Mais dis-moi, avait-elle imploré. Est-ce vrai, Bouledogue ? Y a-t-il une autre femme ? » Ses protestations embrouillées avaient eu l'effet escompté. Elle avait cru à ces lettres.

Il ne s'était pas inquiété au sujet des deux dernières. Il avait pensé que tout le courrier non dépouillé serait jeté. Mais qu'importait. Cheryl en avait brûlé une, et il avait pris l'autre à Sammy. Les dieux lui étaient favorables. Samedi, il serait président-directeur général du groupe Winters.

Il était arrivé devant la piscine.

Il se glissa dans l'eau sombre et nagea jusqu'à l'extrémité la moins profonde. Elizabeth plongeait toujours dans la partie opposée du bassin. Au cours de la soirée chez

Elaine's, il avait su que le temps était venu de tuer Leila. Tout le monde croirait à un suicide. Il s'était faufilé dans l'une des chambres d'amis, il était monté à l'étage supérieur du duplex et les avait écoutés se disputer; il avait entendu Ted sortir de l'appartement comme un ouragan, et c'est alors que l'idée lui était venue d'imiter la voix de Ted pour faire croire à Elizabeth qu'il se trouvait avec Leila juste avant sa mort.

Il entendit le bruit de ses pas dans l'allée. Elle s'approchait. Bientôt il n'aurait plus rien à craindre. Pendant les semaines qui avaient suivi la mort de Leila, il avait craint que son plan n'ait échoué. Ted ne s'était pas écroulé. Il s'était tourné vers Elizabeth. La mort avait été considérée comme un accident. Jusqu'à ce coup de chance inouï, cette folle qui s'était présentée d'elle-même pour dire qu'elle avait vu Leila en train de se débattre avec Ted. Et Elizabeth était devenue le témoin principal.

C'était la voie du destin. À partir de maintenant, le baron et Syd étaient devenus des témoins à charge contre Ted. Le baron serait dans l'impossibilité de nier qu'il avait entendu Ted en train de lutter avec Leila. Syd avait vu Ted dans la rue. Ted lui-même devait les avoir aperçus sur la terrasse, et parce qu'il faisait noir et qu'il était complètement saoul, il avait revécu cet épisode avec son père.

Les pas se rapprochaient. Il se laissa glisser au fond de la piscine. Elle était très sûre d'elle, très intelligente. Elle s'attendait à sa venue, à ce qu'il l'attaque, prête à nager plus vite que lui et à siffler pour appeler à l'aide. Elle n'aurait pas cette chance.

Dix heures du soir; autour de Cypress Point l'atmosphère était devenue différente. La plupart des bungalows se trouvaient maintenant plongés dans l'ombre; Elizabeth se demanda combien étaient encore occupés. L'animateur d'une émission de TV était parti; la comtesse et ses amis avaient prévu de quitter l'institut avant dîner; le joueur de tennis et sa petite amie ne se trouvaient pas dans la salle à manger.

Le brouillard du soir tombait, épais, pénétrant, enveloppant. Même les lanternes japonaises avaient un air encapuchonné.

Elle laissa tomber son peignoir sur la margelle de la piscine et scruta l'eau. Pas une ride ne troublait la surface. Il n'y avait encore personne.

Elle vérifia la présence du sifflet autour de son cou. Il lui suffirait de pouvoir le porter à ses lèvres. Un coup appellerait à l'aide.

Elle plongea. L'eau lui parut désagréablement froide. Est-ce parce qu'elle avait peur ? Je bats n'importe qui à la nage, se rassura-t-elle. Je devais prendre ce risque. C'est le seul moyen. Allait-il mordre à l'hameçon ?

Voix. Alvirah Meehan n'avait cessé de revenir sur ce sujet. Cette insistance lui avait peut-être coûté la vie. C'était ce qu'elle essayait de leur dire. Elle avait compris que ce n'était pas la voix d'Helmut.

Elizabeth avait atteint l'extrémité nord du bassin ; elle se retourna et commença à nager sur le dos. *Voix.* C'est en s'imaginant entendre la voix de Ted qu'elle l'avait cru dans la pièce avec Leila quelques minutes avant sa mort.

Le soir de la mort de Leila, Craig avait affirmé qu'il était en train de regarder la télévision au moment où Ted avait essayé de lui téléphoner. Personne n'avait mis en doute que Craig fût chez lui. Ted avait été son alibi.

Voix. Craig voulait que Ted soit condamné. Ted était sur le point de lui céder la direction du groupe Winters.

En demandant à Craig s'il avait changé son message sur le répondeur, l'avait-elle suffisamment inquiété pour le pousser à l'attaque ?

Elizabeth se mit à nager la brasse. Sous elle, deux bras l'encerclèrent, immobilisèrent ses propres bras. La surprise lui fit avaler une gorgée d'eau. La respiration coupée, elle se sentit attirée vers le fond de la piscine. Elle essaya de se débattre à coups de talon, mais ils glissèrent sur la combinaison de son assaillant. Avec un dernier sursaut d'énergie, elle lui enfonça les coudes dans les côtes. Pendant un instant, l'étreinte se relâcha, et elle remonta à la surface. Au moment où elle émergeait, parvenait à prendre une bouffée d'air, cherchant son sifflet, les bras l'enserrèrent à nouveau, et elle glissa vers le fond, dans les eaux sombres de la piscine.

11

– Après la mort de Kathy et de Teddy, je me suis retrouvé en miettes.

On aurait dit que Ted parlait à lui-même, et non à Scott. La voiture passa à toute allure devant le péage de Pebble Beach sans s'arrêter. Le hurlement de la sirène déchirait la paix environnante ; les phares n'ouvraient qu'une brèche de quelques mètres dans le brouillard épais.

– Craig a pris la direction de toute l'affaire. Il lui arrivait même de se faire passer pour moi au téléphone. Il imitait ma voix. J'ai fini par lui dire de s'arrêter. C'est lui qui a rencontré Leila en premier. Je la lui ai enlevée. Si j'étais tellement occupé durant les derniers mois avant la mort de Leila, c'est parce que je commençais à réorganiser le groupe. J'avais l'intention de réduire ses responsabilités ; les partager avec deux autres collaborateurs. Il le savait. Et c'est lui qui a engagé des détectives qui se sont trouvés sur place au moment opportun pour s'assurer que le nouveau témoin ne s'échappe pas.

Ils étaient arrivés à Cypress Point. Scott longea la pelouse et s'arrêta devant le bungalow d'Elizabeth.

– Où est Elizabeth ? cria Ted à la femme de ménage qui se précipitait vers eux.

– Je ne sais pas, dit-elle d'une voix tremblante. Elle m'a remis une lettre. Elle n'a pas dit qu'elle sortait.

– Montrez-moi la lettre.

– Je ne crois pas...

– Donnez-la-moi.

Scott lut le billet écrit à l'intention de Vicky, ouvrit la lettre qui lui était adressée et commença à lire.

– Où est-elle ? demanda Ted.

– Oh, mon dieu ! cette enfant est folle... à la piscine, cria Scott, *la piscine*.

La voiture fonça à travers haies et parterres de fleurs

vers le nord de la propriété. À l'intérieur des bungalows, les lumières s'allumèrent.

Ils atteignirent la terrasse. L'aile de la voiture frôla le bord d'une table, la renversa. Scott s'arrêta au bord du bassin, mit les phares en position haute pour éclairer la surface de l'eau. Des nappes de brouillard brillèrent dans la lumière.

Ils scrutèrent la piscine.

– Il n'y a personne, dit Scott.

Un affreux sentiment de terreur l'envahit. Arrivaient-ils trop tard ? Ted désignait des bulles d'air qui montaient à la surface.

– Elle est au fond.

Il ôta ses chaussures, plongea, toucha le fond et remonta.

– De l'aide ! cria-t-il.

Et il plongea à nouveau.

Scott chercha fébrilement sa lampe torche dans la boîte à gants de la voiture. Au moment où il s'en emparait, il vit une silhouette en tenue de plongée qui grimpait l'échelle de la piscine. Sortant son revolver, il s'élança dans sa direction. D'un mouvement rapide, le plongeur se jeta de toute sa force sur lui et le renversa. L'arme échappa de la main de Scott et il tomba brutalement en arrière.

Quand Ted refit surface, il tenait une forme inanimée dans ses bras. Il commença à nager vers l'échelle, et alors que Scott se redressait péniblement, encore étourdi, le plongeur se précipita sur Ted, l'entraînant sous l'eau avec Elizabeth.

La respiration coupée, Scott tâtonna à la recherche de son revolver à côté de lui. Il le pointa vers le haut, tira deux coups, et fut récompensé en entendant le hurlement insistant des sirènes qui venaient dans sa direction.

Ted essayait désespérément de maintenir Elizabeth d'un bras pendant que, de l'autre, il s'escrimait sur son assaillant. Ses poumons éclataient ; il était encore sous l'effet du penthotal, groggy ; il se sentit perdre conscience. Vainement, il tenta de frapper l'épaisse combinaison de caoutchouc. Ses coups demeuraient inefficaces sur la poitrine musclée, massive de son adversaire.

Le masque à oxygène. Il fallait l'arracher. Il lâcha Elizabeth, rassembla toute sa force pour le faire remonter à la surface. Pendant un instant, il sentit l'étreinte qui l'immobilisait se relâcher. Une main se tendit devant lui, cherchant à saisir Elizabeth pour la tirer vers le fond à nouveau. C'était sa chance de saisir le masque. Mais avant qu'il eût pu l'arracher, un coup imparable le rejeta en arrière.

Elle retenait sa respiration, se forçant à rester le corps détendu. Il n'y avait pas moyen de lui échapper. Son seul espoir était de lui donner l'impression qu'elle était inconsciente, pour qu'il la lâchât. À la seule sensation des bras qui la maintenaient, elle savait que c'était Craig. Elle l'avait démasqué, mais il allait encore s'échapper.

Elle glissait dans l'inconscience. Tiens bon, pensa-t-elle. Non, c'était Leila qui l'encourageait. *Moineau, c'est ce que j'ai essayé de te dire. Ne m'abandonne pas maintenant. Il croit qu'il va s'en tirer. Tu peux y arriver, Moineau.*

Les bras qui l'enserraient se relâchaient, elle se laissa couler lentement, résistant à la tentation de remonter à la surface. *Attends, Moineau, attends. Ne lui montre pas que tu es consciente.*

Puis elle sentit qu'on la saisissait, la tirait vers le haut; d'autres bras la retenaient, la protégeaient. Ted.

L'air de la nuit caressa son visage, elle aspira dans un tremblement de tout son corps, tandis qu'il l'entraînait au bord de la piscine. Elle entendait la respiration haletante de Ted, à demi étouffée, couvrant les sons qui sortaient de sa propre bouche.

Et avant même de la voir, elle perçut la présence de la silhouette massive qui les assaillait. Elle eut à peine le temps d'aspirer une grande gorgée d'air avant que l'eau ne recouvrît à nouveau son visage.

Les bras de Ted l'enveloppèrent. Il se débattait. Craig essayait de les tuer tous les deux. Rien d'autre ne lui importait maintenant que de les détruire. L'eau pressait contre ses tympans, elle n'avait pas la force de résister. Elle sentit que Ted la poussait pour la faire remonter à la surface tandis que Craig tentait de la retenir par une cheville, et réussit à se dégager d'un coup de pied.

À la surface, Elizabeth vit les voitures arriver, entendit des cris. Elle respira profondément, une fois, deux fois, se remplit les poumons et replongea vers le fond où Ted luttait pour sauver sa vie. Elle savait où se tenait Craig ; sa trajectoire l'amena directement au-dessus de lui. Il essayait d'étrangler Ted. Elle tendit les deux mains devant elle. Des lumières éclairaient l'eau dans la piscine, elle voyait la silhouette de Craig, ses bras, le combat désespéré de Ted. Elle avait une seule chance.

Maintenant. Elle décocha un coup de pied – un mouvement sec, précis des jambes. Elle était juste au-dessus de Craig. Dans un effort violent, elle parvint à glisser les doigts sous son masque. Il se redressa et elle fut brutalement rejetée en arrière, mais elle ne lâcha pas le masque, s'y agrippa jusqu'à ce qu'elle l'eût arraché de son visage.

Et elle le tint, tandis qu'il fondait sur elle pour s'en emparer, la happait, cherchait à le lui reprendre ; elle le serra dans sa main jusqu'à ce que, les poumons prêts à éclater, elle sentît Craig la lâcher et quelqu'un la tirer vers la surface.

Elle pouvait enfin respirer. Elle s'étouffa à moitié, secouée de lourds sanglots, puis vit Ted émerger, abandonnant Craig aux policiers qui venaient de plonger à leur tour dans la piscine. Comme deux corps attirés par une force irrésistible, ils se rapprochèrent lentement l'un de l'autre et, s'entraidant mutuellement, se dirigèrent vers l'échelle à l'extrémité de la piscine…

Vendredi 4 septembre

CITATION DE LA JOURNÉE:

Pour l'amour, la beauté et l'extase
Il n'existe ni mort ni changement.

SHELLEY

Chers amis,

Certains d'entre vous nous quittent aujourd'hui. Souvenez-vous que notre souci a été uniquement tourné vers vous, votre bien-être, votre santé, votre beauté. Retournez au monde en sachant que vous avez été aimés et soignés à Cypress Point, et que nous attendons avec impatience votre prochaine visite. Bientôt, nos magnifiques thermes romains seront terminés. Ils seront pour vous une révélation. Nous établirons des horaires pour les hommes et pour les femmes, sauf entre 16 et 18 heures, où vous ferez l'agréable expérience des bains mixtes à l'européenne.

Revenez vite nous retrouver pour une nouvelle cure. Vous serez dorlotés et vous retrouverez une forme splendide dans l'atmosphère sereine de Cypress Point.

Baron et baronne Helmut von Schreiber.

1

Le matin se leva clair et étincelant, le brouillard de l'aube s'évaporait, les goélands tournoyaient haut par-dessus l'écume avant de venir se poser sur les rochers.

À Cypress Point, les hôtes qui prolongeaient leur séjour suivaient le programme de leur journée. Les cours de gymnastique aquatique avaient lieu dans la piscine olympique ; les masseurs pétrissaient les muscles et s'attaquaient à la cellulite. Les corps agréablement soignés étaient enveloppés dans des draps de bain parfumés ; le business du luxe et de la beauté continuait à fonctionner.

Scott avait demandé à Min et Helmut, Syd et Cheryl, Elizabeth et Ted de le rencontrer à 11 heures. Ils se réunirent dans le salon de musique, les portes closes, à l'abri des oreilles et des regards indiscrets.

Elizabeth se souvenait du reste de la nuit comme dans un brouillard confus : Ted qui la portait... quelqu'un qui l'enveloppait d'un peignoir... le Dr Whitley lui ordonnant de se coucher.

Ted frappa à la porte de son bungalow à onze heures moins dix. Ils parcoururent l'allée côte à côte, les doigts entrelacés, sans avoir besoin d'exprimer par des mots ce qu'ils ressentaient.

Min et le baron étaient assis l'un près de l'autre, le visage de Min fatigué mais apparemment moins soucieux. Elizabeth retrouvait un peu de la Min d'autrefois dans cette détermination qui apparaissait dans son regard. Toujours parfait, sans un cheveu dérangé, sa chemise de sport le drapant avec la même majesté qu'un manteau d'hermine, le baron avait retrouvé toute son assurance. Pour lui aussi, la nuit avait exorcisé les démons.

Le regard de Cheryl se posait sans cesse sur Ted, ses yeux se rétrécissaient lorsqu'elle contemplait son visage. Elle s'humectait les lèvres comme un chat s'apprêtant à s'attaquer à une jatte de lait.

À ses côtés, Syd était affaissé sur son siège. Quelque chose avait disparu en lui : la confiance que donne l'habitude du succès.

Ted s'assit à côté d'Elizabeth, le bras posé sur le dossier de sa chaise, l'air attentionné et protecteur, comme s'il craignait qu'elle ne s'échappe loin de lui.

– Nous atteignons enfin le bout de la route. (L'épuisement perçait dans la voix de Scott, trahissant le peu d'heures de repos qu'il avait pris cette nuit.) Craig a choisi pour le défendre Henry Bartlett, qui lui a conseillé de ne pas faire de déclaration. Néanmoins, lorsque je lui ai lu la lettre d'Elizabeth, il a tout avoué.

Scott tira la lettre de sa poche et la leur lut.

« Cher Scott,

« J'ai un seul moyen de prouver ce que je soupçonne et je me suis résolue à l'utiliser. Mon plan ne marchera peut-être pas, mais s'il m'arrive quelque chose, ce sera sans doute parce que je me suis approchée trop près de la vérité.

« Ce soir, j'ai pratiquement accusé Syd et le baron d'avoir causé la mort de Leila. J'espère que cela suffira à mettre Craig sur une fausse piste et à lui faire croire qu'il peut s'attaquer à moi impunément. Cela se passera sans doute à la piscine. C'était probablement lui qui se tenait là, l'autre nuit. Je peux me défendre en nageant plus vite que quiconque, et pour m'attaquer il devra se découvrir. S'il réussit, démasquez-le – pour moi et pour Leila.

« Vous avez écouté les bandes magnétiques, à présent. Avez-vous remarqué son trouble lorsque Alvirah lui posait toutes ces questions ? Et surtout comment il a tenté d'interrompre Ted lorsque ce dernier a raconté qu'il trompait tout le monde en imitant sa voix.

« J'ai cru entendre Ted crier à Leila de raccrocher le

téléphone. J'ai cru l'entendre dire : *Tu n'es pas un faucon.* Mais elle sanglotait. C'est pourquoi j'ai mal compris. Helmut se tenait tout près. Il l'a entendue dire : *Tu n'es pas Faucon.* Il l'a bien entendue, pas moi.

« Et cette cassette d'Alvirah dans la salle de soins. Cette première voix. On dirait le baron, mais il y a un détail qui ne colle pas. Je pense que c'était Craig imitant le baron.

« Scott, je n'ai aucune preuve de tout cela. La seule preuve viendra de Craig s'il m'estime trop dangereuse.

« Quoi qu'il arrive, il est une chose que je sais, dont je suis sûre au fond de moi-même. Ted est incapable d'avoir commis un meurtre, et peu m'importe les témoins qui peuvent déclarer qu'il a assassiné Leila.

Elizabeth. »

Scott reposa la lettre et regarda gravement Elizabeth.

– J'aurais aimé que vous me fassiez confiance. Vous avez risqué de perdre la vie.

– C'était la seule solution, répondit-elle. Mais qu'a-t-il fait à Mme Meehan ?

– Une injection d'insuline. Vous vous souvenez qu'il avait travaillé pendant l'été à l'hôpital de Hanover, lorsqu'il était étudiant. Il avait acquis pas mal de connaissances médicales là-bas. À l'origine, l'insuline n'était pas destinée à Alvirah Meehan. (Scott regarda Elizabeth.) Il était désormais certain que vous représentiez un danger pour lui. Il avait résolu de se débarrasser de vous à New York, la semaine avant le procès. Mais lorsque Ted a décidé de venir ici, Craig a persuadé Min de vous inviter. Il l'avait convaincue que vous pourriez changer d'opinion et ne plus témoigner contre Ted après l'avoir revu. Ce qu'il désirait, c'était une opportunité pour arranger un accident. Lorsqu'il s'est aperçu qu'Alvirah Meehan devenait également une menace, il a su immédiatement comment se débarrasser d'elle. (Scott se leva.) Et maintenant, je rentre chez moi.

Il s'arrêta à la porte.

– Une dernière observation. Vous, baron, et vous, Syd, étiez prêts à faire obstacle à la justice lorsque vous étiez convaincus de la culpabilité de Ted. Non seulement vous n'avez pas servi sa cause, mais vous êtes peut-être indirectement responsables de la mort de Sammy, et de la tentative de meurtre contre Mme Meehan.

Min bondit de son siège.

– S'ils s'étaient manifestés l'année dernière, Ted aurait sans doute été amené à plaider coupable. Je pense au contraire qu'il doit leur être reconnaissant.

– Et toi, éprouves-tu de la reconnaissance, Min ? demanda Cheryl. Je crois comprendre que le baron avait écrit la pièce. Tu as épousé non seulement un membre de la noblesse, un médecin, un décorateur, mais aussi un auteur dramatique. Tu dois être ravie et par la même occasion ruinée.

– J'ai épousé un homme de la Renaissance, lui répliqua Min. Le baron va reprendre toutes ses activités à la clinique. Ted nous fait un prêt. Tout va s'arranger.

Helmut lui baisa la main. Encore une fois Elizabeth eut l'impression d'un petit garçon qui souriait à sa mère. Aujourd'hui, Min se rend compte de ce qu'il est vraiment, pensa-t-elle. Il serait perdu sans elle. Cela lui a coûté un million de dollars, mais peut-être pense-t-elle que cela en valait la peine.

– Incidemment, ajouta Scott, Mme Meehan s'en tirera. Grâce au traitement d'urgence du Dr von Schreiber.

Ted et Elizabeth le suivirent hors de la pièce.

– Tâchez d'oublier, leur dit Scott. Il me semble que tout devrait aller très bien pour vous deux à partir de maintenant.

2

Le soleil de midi brillait haut dans le ciel. Une brise douce s'était levée du Pacifique, apportant l'odeur de la mer. Même les azalées, écrasées par les voitures de police, tentaient de redresser leurs tiges. Les cyprès, aux formes si tourmentées la nuit, paraissaient familiers et réconfortants.

Elizabeth et Ted regardèrent Scott s'éloigner dans sa voiture, puis se firent face.

– Tout est vraiment fini, dit Ted. Elizabeth, je commence seulement à m'en rendre compte. Je peux respirer à nouveau. Je ne vais plus me réveiller au milieu de la nuit et m'imaginer vivant dans une cellule, ayant perdu tout ce qui donne du prix à ma vie. Je veux me remettre à travailler. Je veux... (Ses bras l'entourèrent.) Je te veux.

Vas-y, Moineau. C'est le moment. Pas d'hésitation. Écoute-moi. Vous êtes faits l'un pour l'autre.

Elizabeth leva un visage souriant vers Ted. Elle posa ses mains sur son visage et attira ses lèvres vers les siennes.

Il lui sembla entendre Leila chantonner, comme elle l'avait fait il y a si longtemps: «Ne pleure pas, ma belle...»

Composition réalisée par
INFOPRINT à l'île Maurice

IMPRIMÉ EN FRANCE PAR BRODARD ET TAUPIN
Usine de La Flèche (Sarthe).
LIBRAIRIE GÉNÉRALE FRANÇAISE - 6, rue Pierre-Sarrazin - 75006 Paris.
ISBN : 2 - 253 - 05474 - 7 ✦ 30/7561/1